MOSSAD :
LES NOUVEAUX DÉFIS

ISBN-10 : 2-84736-191-X
ISBN-13 : 978-2-84736-191-9
Dépôt légal : décembre 2006
N° d'impression : 612140
Imprimé en France par La Nouvelle Imprimerie Laballery

Gordon Thomas

MOSSAD : LES NOUVEAUX DÉFIS

Traduit de l'anglais
par Mickey Gaboriaud

nouveau monde éditions

Préface

Depuis le début de l'année 2006, la situation sécuritaire d'Israël n'a cessé de se dégrader.

Le 26 janvier 2006, le Hamas remportait la majorité des sièges à l'Assemblée palestinienne et s'emparait du pouvoir. Ce mouvement, soutenu financièrement par l'Arabie saoudite, l'Iran, de nombreux pays et organisations musulmans et arabes, vise toujours la destruction de l'État hébreu. Très actif dans les « territoires occupés » – en particulier dans la ville de Hébron et dans la bande de Gaza – le Hamas supplante progressivement les représentants de l'OLP, dont beaucoup sont considérés par les Palestiniens comme totalement corrompus.

Sa branche militaire est composée de petites cellules indépendantes qui comptent un millier de combattants aguerris, dont les combattants des Brigades Ezzedine al-Qassam et du Djihad Aman, le service de sécurité du mouvement, notamment chargé de l'élimination des « traîtres ». Le nouveau gouvernement de l'Autorité palestinienne laissait clairement entendre qu'il n'arrêterait aucun de ses ressortissants effectuant des actes de « résistance » contre Israël. Said al-Siyam, le nouveau ministre de l'Intérieur issu du Hamas n'a d'ailleurs donné aucune consigne aux policiers qui dépendent désormais de son autorité, sauf celle de se laisser pousser la barbe !

Au sud, dans la bande de Gaza, depuis l'évacuation des populations juives par les forces israéliennes, la situation s'est détériorée. Le désordre qui règne favorise l'implantation de terroristes djihadistes liés à Al-Qaïda. Ils s'infiltrent depuis l'Égypte voisine, où ils ont déjà commis plusieurs attentats sanglants dans les stations balnéaires du Sinaï.

Au nord, le Hezbollah, la milice chiite inféodée à Téhéran, est sortie grandie de l'affrontement avec Israël, malgré les pertes subies. Au cours de l'été 2006, ce mouvement a réussi à résister à l'offensive de Tsahal. Ce résultat a été obtenu grâce à une nouvelle tactique opérationnelle adoptée sous l'impulsion de Hassan Nasrallah.

Sur le plan du renseignement, Israël a été tenu en échec. Ses services de renseignement ne semblent pas avoir réussi à pénétrer les cellules opérationnelles du Hezbollah en raison des mesures de sécurité imposées par le cheikh Nasrallah. Ses groupes sont constitués d'individus se connaissant de longue date, voire appartenant à la même famille. Tout nouveau venu est donc immédiatement détecté. Pour sa part, le Hezbollah bénéficiait d'excellents renseignements fournis par la population chiite du Sud-Liban qui lui était totalement favorable : beaucoup de civils étaient « les yeux et les oreilles » du mouvement, ce qui explique, en partie, certaines frappes israéliennes.

Sur le plan opérationnel, les combattants chiites ont été scindés en unités de petite taille, d'une dizaine à une trentaine d'hommes. Ils ont reçu un entraînement intensif au combat urbain et à l'emploi des armes antichars, avec l'aide de conseillers iraniens et nord-coréens. Leur capacité de combat de nuit a été renforcée grâce à l'acquisition d'appareils de vision nocturne. Pour les soutenir, depuis 2000, des bunkers, des caches d'armes, des souterrains de communication et des réseaux de transmissions sophistiqués ont été aménagés très discrètement au Sud-Liban. Le commandement militaire du Hezbollah a accordé une grande autonomie aux unités combattantes, divisant le Sud-Liban en plusieurs zones militaires et déléguant l'autorité aux plus bas échelons. Cette décentralisation a permis une grande flexibilité et une bonne réactivité au cours des affrontements.

De plus, l'état d'esprit des combattants du Hezbollah est totalement différent de celui des soldats israéliens. Tsahal tente, par tous les moyens de minimiser les pertes, notamment en évacuant au plus vite les blessés, ce qui ralentit souvent le déroulement des opérations. Les *hezbollahis* sont prêts à se sacrifier, le « martyre » étant pour eux un objectif glorieux à atteindre. Ce n'est pas pour rien s'ils ont théorisé puis enseigné à d'autres les techniques des « bombes humaines ».

Le Hezbollah a également agi de façon très astucieuse sur le plan de la communication. Le mouvement a compris qu'il était important et facile d'agir sur les populations. Ainsi, des images de civils tués sont parvenues très rapidement à toutes les chaînes de télévision internationales, qui les passaient en boucle. Peu importe si l'on découvrait, après coup, que l'objectif visé était un camion qui venait de tirer des roquettes sur Israël et qui se réfugiait, une fois son méfait commis, dans le garage d'un immeuble abritant de nombreux civils. De même, il est dans l'habitude des combattants du Hezbollah de s'installer à proximité des postes de l'ONU afin de faire tuer des soldats de la paix. L'effet psychologique de cette méthode est double : déclencher l'indignation des Occidentaux et accroître la haine des populations musulmanes contre Israël.

L'armée israélienne, habituée à affronter des armées conventionnelles et des organisations terroristes semble avoir été déroutée par la tactique de la milice chiite. En effet, le Hezbollah est une structure hybride, disposant presque de la puissance d'une armée conventionnelle tout en ayant conservé la souplesse d'une guérilla. Pour la première fois, ce conflit a permis d'observer le début d'un nivellement des capacités des forces en présence.

Profitant du « chaos » qui règne actuellement au Liban, à Gaza et en Cisjordanie, les djihadistes d'Al-Qaïda accroissent leur implantation aux frontières d'Israël. Le but des *séides* de Ben Laden est double : recruter de nouveaux militants parmi les populations miséreuses et attaquer l'État hébreu sur son propre sol. Jusqu'à présent, les tentatives de la nébuleuse n'ont connu que des succès mitigés. Cela pourrait changer dans un proche avenir, surtout si un rapprochement entre le Hezbollah et Al-Qaïda survenait, une tâche à laquelle s'attelle l'Iran.

Les premières relations entre Al-Qaïda et le Hezbollah datent du milieu des années 1990. Oussama Ben Laden, alors en exil au Soudan, rencontra le chef de la sécurité du Hezbollah, auquel il demanda de bien vouloir former quelques-uns de ses combattants au maniement des explosifs et aux attentats-suicides. Les Iraniens encouragèrent le mouvement libanais à accepter, car ils voulaient, par ce biais, mieux connaître l'organisation de Ben Laden. C'est ainsi que quelques activistes d'Al-Qaïda se retrouvèrent dans des camps d'entraînement du Hezbollah dans la plaine de la Bekaa.

Mais les deux leaders sont aujourd'hui concurrents dans le monde musulman. Depuis 2001, Ben Laden représente le symbole de la lutte contre les « Juifs, les croisés et les apostats ». Le créateur d'Al-Qaïda est un vrai indépendant. Il mène « sa » guerre à l'échelle planétaire. Nasrallah n'est longtemps apparu, quoi qu'il prétende, que comme un auxiliaire de Téhéran. Toutefois, les événements de l'été 2006 au Liban ont changé la donne. Le leader du Hezbollah bénéficie désormais aux yeux des populations musulmanes d'un avantage sans précédent : il a tenu en échec les troupes israéliennes. Or Ben Laden n'a jamais remporté de victoire « militaire », même s'il a porté la mort et la désolation au cœur de l'Amérique.

L'opposition qui existe entre les deux hommes est fortement tempérée par l'action de Téhéran, qui a besoin de ces deux acteurs. Parallèlement à son soutien sans faille à la milice chiite libanaise, l'Iran abrite depuis l'effondrement du régime taliban de nombreux militants d'Al-Qaïda. Les services iraniens et les pasdarans ont permis à l'organisation djihadiste de reconstituer un commandement sur leur territoire. Ils en manipulent bien sûr une partie des membres et peuvent ainsi l'influencer.

En soutenant les deux mouvements terroristes, les mollahs ont pour objectif de préserver leur régime assez longtemps pour pouvoir se doter de l'arme nucléaire. Elle interdira définitivement toute action militaire des États-Unis et d'Israël à leur encontre.

Ainsi, les ennemis d'Israël tissent leurs liens et l'encerclement de l'État hébreu reste une réalité. Les menaces sont plus élevées que jamais.

C'est dans ce contexte explosif que Gordon Thomas publie le second tome de sa passionnante *Histoire du Mossad*. Ce livre couvre les cinq dernières années des services secrets israéliens. Il est donc d'une brûlante actualité, puisque son auteur en a achevé la rédaction en septembre 2006, c'est-à-dire à l'issue de l'affrontement avec le Hezbollah, au Sud-Liban.

Préface

Gordon Thomas est un spécialiste sans égal du renseignement israélien. Il dispose d'une très bonne connaissance du monde de l'ombre – il est lui-même le gendre d'un officier du MI-6 – et de nombreux contacts dans les services israéliens, britanniques et américains. Son crédit et son « réseau » lui ont permis de recueillir des confidences et des témoignages exceptionnels, d'une très haute confidentialité, presque tous inédits. Comme il l'expliquait dans l'introduction de son précédent ouvrage, l'auteur les livre parfois sans avoir pu totalement les recouper.

Le lecteur découvrira ainsi de très intéressantes informations sur la stratégie financière d'Al-Qaïda et son implantation en Amérique latine, sur les contacts entre Abdul Qader Khan – le père de la bombe pakistanaise – et Ben Laden après le 11 septembre 2001, et sur les préparatifs nucléaires de l'Iran soutenus par la Russie. Gordon Thomas apporte aussi des éléments nouveaux sur les prisons secrètes de la CIA, sur la tentative d'attentats de Londres de juillet 2006 et sur les projets d'attentats nucléaires de Ben Laden dans les villes américaines.

Le grand public autant que les spécialistes du renseignement et les chercheurs apprécieront que soient évoquées dans ce livre toutes les facettes du renseignement : la recherche secrète, les opérations clandestines, l'action psychologique (à travers les actions du LAP) et l'infoguerre, dans ses deux dimensions, médiatique et cybernétique. Il illustre bien la complexité de ce monde du renseignement où les services sont à la fois partenaires et adversaires, à l'image du Mossad et des services secrets chinois. Surtout, il insiste sur la totale fantaisie du film *Munich*, qui véhicule une image totalement faussée de la réalité.

Parmi les nombreuses révélations que contient ce second tome de l'*Histoire secrète du Mossad*, certaines pourront laisser perplexe. Les spécialistes seront très surpris par la révélation fracassante qui apparaît dès les premières pages : l'alliance entre le Mossad et les services de renseignement chinois afin de s'emparer des secrets nucléaires américains à Los Alamos. En effet, il n'est pas dans l'habitude des services de se vanter d'opérations réussies, surtout lorsqu'elles sont aussi stratégiques, sensibles et conduites au détriment d'un partenaire. « Le renseignement est une profession dans laquelle il n'y pas de place pour les félicitations », écrit d'ailleurs Gordon Thomas. Cette nouvelle est bien difficile à recouper. Immanquablement, les questions se posent. Quel intérêt y a-t-il à révéler une telle opération ? Il en va de même pour le vol du virus de la variole par Al-Qaïda en Sibérie, la présence de Ben Laden en Chine ou l'estimation faite par le Mossad du nombre des partisans d'Al-Qaïda en France à 35 000 personnes. Ces informations nourriront probablement des débats à venir.

Quelques éléments complémentaires méritent d'être portés à la connaissance du lecteur français, sans que soient mis en cause le talent de l'auteur et la qualité du présent ouvrage. Compte tenu de ses sources, Gordon Thomas aborde peu le rôle des services français ; il n'évoque pas Alliance Base, ni le Maghreb et l'Afrique sahélienne en tant que nouveaux foyers du terrorisme. Il livre sans les endosser certaines informations non recoupées, notamment quant à la décision de Ben Laden d'appuyer le Hezbollah au cours de l'été 2006 ou l'importance excessive accordée à Moussab al-Zarqaoui au sein d'Al-Qaïda. Enfin, le livre de Gordon Thomas véhicule – c'est là bien naturel – une vision très israélienne du monde et du terrorisme. Le lecteur aura peut-être parfois le sentiment qu'Al-Qaïda est un mouvement orienté d'abord et avant tout contre l'État hébreu.

Au-delà du renseignement, le remarquable travail de Gordon Thomas met en lumière les menaces qui pèsent sur Israël et qui le conduisent à des attitudes et à des réactions que l'on peut parfois juger regrettables ou excessives. Elles sont malheureusement souvent proportionnelles à la réalité du danger. Loin de faire d'Israël une innocente victime, il importe de bien prendre en considération l'antisémitisme radical et la volonté farouche de détruire l'État hébreu qui est l'une des principales raisons d'être de l'islamisme radical. Partout dans le monde arabo-musulman, et de plus en plus fréquemment dans certaines banlieues des villes européennes, les discours et les manifestations de haine se multiplient, sans que l'opinion occidentale en ait vraiment conscience.

Cette évolution préoccupante justifie, aux yeux des dirigeants et des citoyens israéliens, pour de nombreuses années encore, l'existence et les pratiques du Mossad, telles que nous les narre remarquablement Gordon Thomas.

Éric Denécé
Directeur du Centre français de recherche
sur le renseignement (CF2R)
www.cf2r.org

I

Un nouveau califat terroriste

Le sixième étage du quartier général du Mossad, avec ses couloirs olive et ses portes de bureau numérotées en hébreu, mais dénuées de nom, abritait des analystes, des psychologues, des comportementalistes et des planificateurs. À la mort de Yasser Arafat, ceux que l'on appelait collectivement « les spécialistes » combinèrent leurs talents pour évaluer comment ce décès était perçu dans le monde arabe et ailleurs, pour déterminer les meilleures façons de l'exploiter.

Leurs conclusions devaient guider les futures actions militaires et politiques d'Israël dans des domaines aussi cruciaux que le projet controversé de retrait de la bande de Gaza du Premier ministre Ariel Sharon ou les relations que le pays entretiendrait désormais avec l'OLP, l'Organisation de libération de la Palestine.

Le retrait devait avoir lieu au beau milieu de l'été 2005. Ce serait la première fois qu'Israël rendrait des terres depuis que les forces israéliennes s'étaient retirées du Sinaï, en 1978, à la suite des accords de Camp David, qui avaient permis de faire la paix avec l'Égypte. Après la mort d'Arafat, l'OLP considéra cette évacuation comme un premier pas vers la création d'un État palestinien digne de ce nom, ce dont avait toujours rêvé son leader. En revanche, les colons de la bande de Gaza percevaient leur éviction comme une trahison, estimant que l'État hébreu était en droit de revendiquer la propriété des terres qu'il avait occupées à l'époque biblique. Ce sentiment de tromperie était d'autant plus grand que l'expulsion était l'œuvre d'Ariel Sharon, qui fut longtemps considéré comme le plus puissant partisan du mouvement des colons.

Les analystes du Mossad partageaient le point de vue de Shimon Peres : « Le sionisme a été bâti sur la géographie mais il vit sur la démographie. » Ils comprenaient les raisons de *Realpolitik* pour lesquelles Sharon avait ordonné de raser vingt et une colonies juives, le long de la Méditerranée. Protéger leurs huit mille habitants des un million trois cent mille Palestiniens qui les entouraient coûtait énormément d'argent à Israël.

Pour défendre les colonies cisjordaniennes, Sharon avait déjà fait ériger une imposante barrière de sécurité de béton armé et de barbelés qui serpentait sur toute la longueur du pays, ce qui avait élargi les frontières effectives du pays.

Comme la majorité des Israéliens, les analystes s'inquiétaient de la vitesse à laquelle l'affirmation visionnaire de Peres deviendrait une réalité. Les planificateurs du sixième étage avaient calculé qu'en 2010, le nombre d'Arabes vivant entre le Jourdain et la Méditerranée serait supérieur à celui des cinq millions deux cent mille Juifs censés vivre en Israël à la fin de la décennie.

Durant les mois qui précédèrent sa mort, Arafat avait non seulement prévu que la bande de Gaza serait « nettoyée » de ses colons juifs mais il avait également prédit le départ des occupants des terres antiques de Judée et de Samarie.

Les analystes avertirent Meir Dagan, le directeur du Mossad, que l'héritage qu'Arafat avait laissé derrière lui était une mine de risques. Ils étaient convaincus que l'OLP allait utiliser le retrait de Gaza comme un énorme atout de propagande mais que les extrémistes palestiniens, tels que le Hamas, ne se plieraient pas aux demandes des dirigeants de l'organisation et poursuivraient leurs attaques contre les colonies. Leurs prévisions furent confirmées.

L'évacuation fut conduite d'une main de fer par l'armée israélienne. Les synagogues abandonnées par les colons furent réduites en cendres par les militants du Hamas. Peu après, les attentats-suicides contre Israël reprirent. Le Hamas les justifia en affirmant que le retrait de Gaza n'était rien de plus qu'une manœuvre d'Israël pour générer encore plus de misère et de frustration chez les Palestiniens. « Tant qu'il restera un Juif sur nos terres, il ne pourra pas y avoir de paix », affirmait le Hamas.

Du vivant d'Arafat, l'OLP et le Hamas se disputèrent le contrôle des Intifadas de 1987 et de 2000, qui avaient, toutes deux, pour objectif de remporter l'adhésion des *shebab*, c'est-à-dire des jeunes arabes, car leur soutien pouvait tout changer dans la direction que prendrait la lutte contre Israël. Durant la seconde Intifada, les attentats-suicides devinrent le plus grand symbole des islamistes et les activistes se mirent à se faire exploser pour tenter de tuer le plus de personnes possible dans les pizzerias, les restaurants, les gares routières et les marchés israéliens. À cette époque où les dirigeants religieux islamistes appelaient à un Djihad sans concession – qu'ils justifiaient en expliquant que tous les Israéliens, même les femmes et les enfants, étaient des cibles légitimes du fait qu'Israël était une société militaire –, Arafat subissait des pressions pour agir contre les terroristes, non seulement de la part d'Ariel Sharon mais également de celle d'éléments modérés du monde arabe. Parmi ces derniers, Arafat disposait encore d'une légitimité politique. Mais le Hamas avait l'avantage de cette drogue puissante qu'est l'extrémisme islamiste pour une jeunesse dépossédée, surtout lorsqu'il s'accompagne d'un culte du héros tel que celui que l'on vouait à Oussama Ben Laden. Ce dernier avait plusieurs fois déclaré : « Il n'y a pas d'autre solution que le Djihad au problème palestinien. » Alors que la seconde Intifada battait son plein et que les flammes surgissaient de toutes parts, Arafat vit son infrastructure détruite par les armes sophistiquées d'Israël, qui atteignaient leurs cibles grâce à l'excellent travail du Mossad et du Shin Beth, le service de sécurité intérieure. Yasser Arafat déclara que contrôler soigneusement la tension politique comme il le faisait était le seul moyen de forcer Israël à accéder à sa demande de création d'un État palestinien viable. Les analystes du Mossad interprétèrent cela comme une tentative désespérée de restaurer son autorité déclinante. Au moment de sa mort, Arafat était encore considérablement soutenu par de nombreux Palestiniens influents. Pour Ariel Sharon, prendre le risque d'en faire le martyr qu'il avait de plus en plus tendance à devenir chez les Palestiniens modérés, pendant que le Hamas, de son côté, persévérait dans la violence, était totalement inacceptable.

Grâce à de nombreuses années d'écoute de bandes enregistrées par les *yahalomin*, l'unité de communication du Mossad, les spécialistes savaient qu'Arafat avait souvent affirmé qu'il était convaincu d'avoir été choisi pour diriger le monde arabe, tremplin qui lui permettrait d'accéder au rang de calife des temps modernes. La fonction de dirigeant était transmise depuis l'époque des successeurs du prophète Mahomet.

Ce fantasme avait sauvé Arafat pendant ses plus sombres périodes d'exil et les années tumultueuses durant lesquelles il se répandait en injures, expliquant que c'était l'existence même d'Israël qui était à la base de tous les problèmes, non seulement pour les nations arabes mais également pour tout le monde musulman. À Washington et ailleurs, on estimait depuis longtemps qu'il était inutile d'écouter les divagations d'un démagogue dont l'unique message était la violence.

Mais au sixième étage, les spécialistes savaient qu'il aurait été dangereux d'ignorer les paroles d'Arafat. Si ses collaborateurs et lui ne dirigeaient plus les opérations terroristes, son idéologie avait convaincu de nombreux jeunes combattants du Djihad qu'ils étaient investis de la mission sacrée de contre-attaquer l'Occident, d'une façon ou d'une autre, pour le punir de ses actions dans les états musulmans. Après les scènes d'émotion constatées aux funérailles d'Arafat, les *katsas* du Mossad, répartis dans tout le Moyen-Orient, ainsi qu'au Cachemire et en Tchétchénie, rapportèrent que sa mort avait ravivé les passions.

L'une des priorités des spécialistes étaient de démontrer au milliard de personnes que représente le monde islamique que Yasser Arafat n'avait jamais été digne de prendre la succession d'Abdul-Medjid II, le dernier calife, qui dut partir en exil après que les nationalistes turcs aient aboli le califat le 3 mars 1924. Le président turc, Mustafa Kemal, alias Atatürk, avait alors transformé ce qu'il restait de l'Empire ottoman, morcelé à la fin de la Première Guerre mondiale, en une république laïque, et imposé l'adoption à grande échelle des codes législatifs, de l'écriture et du calendrier européens.

Les graines du Djihad étaient semées.

Puis l'Égypte se souleva contre le colonialisme britannique. Le mouvement des Frères musulmans, fondé en 1928, devint une puissante force politique et ce fut grâce à leur aide que Gamal Abdel Nasser réussit son coup d'État en 1952. Mais Nasser ne tarda pas à voir une menace dans ce mouvement extrémiste et en interdit l'existence. Ses membres furent exilés, emprisonnés ou pendus. Nombre d'entre eux trouvèrent refuge dans des monarchies telles que la Jordanie ou l'Arabie saoudite. De ce mouvement allaient naître deux leaders du monde arabe très différents : Yasser Arafat et Oussama Ben Laden.

Ces deux hommes ont été influencés par divers facteurs : les armées arabes ont été vaincues par Israël en 1967 ; l'Arabie saoudite a fourni des pétrodollars pour financer la propagande des islamistes dans le monde musulman ; la révolution islamiste de l'ayatollah Khomeini a détrôné le shah d'Iran en 1979 ; l'invasion de l'Afghanistan par les Soviétiques, la même année, a fait office de cri de ralliement pour lancer contre ces derniers un Djihad financé par les Saoudiens, armé par les Américains et épaulé par les services secrets pakistanais.

Le seul faux pas des intégristes fut l'assassinat du président égyptien Anouar el-Sadate, en 1981, après qu'il eut signé un accord de paix avec Israël. Les dirigeants arabes emprisonnèrent eux-mêmes les extrémistes.

« Pour la première fois, l'Occident comprit ce dont Israël lui parlait depuis des années au sujet du fondamentalisme islamique », m'a expliqué l'ancien directeur adjoint du Mossad, David Kimche.

Mais cette radicalisation, exploitée aussi bien par Ben Laden qu'Arafat, échappa à tout contrôle. Les États-Unis devinrent le Grand Satan, ou l'empire infidèle. Et le déploiement des troupes américaines en Arabie saoudite pour expulser les forces irakiennes du Koweït en 1991 ne fit que renforcer le radicalisme dans le monde musulman.

C'est à ce stade que les spécialistes du sixième étage comprirent que Yasser Arafat et Oussama Ben Laden avaient choisi des voies différentes pour parvenir à leurs fins. Ben Laden estimait que, pour avancer, il fallait déclarer la guerre aux États-Unis, le puissant allié d'Israël. En 1993, le premier attentat contre le World Trade Center introduisit le terrorisme sur le territoire américain. En 1998, depuis l'Afghanistan, pays aux mains des talibans, Ben Laden et Ayman al-Zawahiri, le leader du Djihad islamique égyptien, annoncèrent la formation du « front islamique mondial du Djihad contre les juifs et les croisés ». Ils lancèrent alors une *fatwa* : « Il est du devoir de tout musulman de tuer des Américains et des Juifs. »

À Aden, le 12 octobre 2000, des kamikazes plaquèrent leur canot rempli d'explosifs contre le vaisseau de guerre américain USS *Cole* et tuèrent dix-sept marins. Deux ans plus tard, le 28 novembre 2003, à Mombassa, trois autres kamikazes se firent exploser à la porte du *Paradise Hotel*, un établissement appartenant à des Israéliens. À la même époque, un missile sol-air manqua de peu un avion de ligne israélien qui décollait de l'aéroport de Mombassa, avec à son bord deux cents touristes qui rentraient à Tel-Aviv.

Le terrorisme « pétro-islamique » est né sur les ruines du nationalisme arabe. Les préceptes « impies » du régime du shah d'Iran furent remplacés par ceux de l'ayatollah Khomeini qui, en traversant les frontières iraniennes, devinrent la principale source d'espoir de tout le monde musulman. La politisation de l'islam – jusque-là généralement perçu en Occident comme une foi conservatrice qui finirait par s'affaiblir sous l'influence de plus en plus puissante de ce que Ben Laden appellerait « la société Coca-Cola du Grand Satan » – évolua en une véritable révolution. Sa première cible fut Israël et le pays n'a jamais perdu ce statut depuis. Le Mossad fut donc chargé de protéger l'État hébreu contre tous types d'agressions. Le premier objectif de l'Institut devint alors d'anéantir Arafat, ses fedayins, le Hamas et le Hezbollah.

La Syrie, pour des questions d'intérêt, fut prompte à soutenir ces groupes : du fait de son animosité de longue date envers Israël, son régime disposait d'une grande crédibilité dans le monde arabe. Cependant, cette position était à double tranchant. Les attaques terroristes financées par la Syrie parvinrent à persuader Israël d'entamer des négociations au sujet du plateau du Golan – un geste précurseur du retrait des colons de Gaza – mais, à force d'être impliqué dans le terrorisme, le gouvernement de Damas perdit la confiance de l'opinion publique. Néanmoins, le retrait des colons de Gaza, qu'Israël considérait comme un premier pas vers une promesse de paix durable, aboutit a un surcroît de ressentiment chez une population qui, ironie du sort, commença à se faire l'écho du slogan du Hamas selon lequel les attaques ne cesseraient que lorsque tous les Juifs auraient été jetés à la mer.

Les analystes du Mossad en conclurent que, pour que leur « feuille de route » pour la paix reste suffisamment soutenue, la seule solution était de faire perdre sa légitimité à Yasser Arafat. Dans ce but, le département des services techniques de l'Institut mobilisa tous ses moyens informatiques. Depuis le début de la seconde Intifada palestinienne, les groupes terroristes arabes tels que les Brigades des martyrs d'Al-Aqsa, le Hezbollah, le Hamas et le Djihad islamique utilisaient Internet pour promouvoir leur cause. Facile à mettre en place, librement accessible, difficile à censurer, le cyberespace était idéal pour diffuser des communiqués politiques revendiquant la responsabilité des attentats, demander des fonds, former les hommes à l'utilisation des armes ou des explosifs, et vendre n'importe quoi, depuis les vestes de kamikazes jusqu'aux ingrédients nécessaires pour créer des armes de guerre biologiques ou chimiques.

Le Mossad a sans doute été le premier service de sécurité à surveiller Internet ; puisque les militants savaient que leurs mosquées étaient probablement sous surveillance, les sites web leur offraient un moyen de communication avec leurs adeptes relativement sûr. L'Institut créa alors de nombreux sites sur lesquels il faisait circuler de la désinformation soigneusement élaborée dans toutes les langues moyen-orientales.

Après la mort d'Arafat, on commença à voir apparaître des sites affirmant qu'il avait trahi son propre peuple pour satisfaire ses intérêts personnels et soulignant son manque de probité sur le plan moral. Ces sites certifiaient que des sommes colossales destinées à améliorer l'existence de Palestiniens nécessiteux avaient fini dans le portefeuille personnel du leader.

Ces allégations étaient l'œuvre de la douzaine de psychologues qui composent le LAP, le département de guerre psychologique du Mossad, tous très expérimentés pour ce qui est de semer la discorde chez les ennemis d'Israël. La mort d'Arafat leur offrait une nouvelle occasion de prouver leurs compétences.

En s'appuyant sur les informations recueillies par les vingt-quatre bases du Mossad éparpillées à travers le monde, les analystes établirent qu'Arafat gérait un portefeuille d'environ six milliards et demi de dollars. Pourtant, l'Autorité palestinienne, responsable de l'administration des territoires palestiniens dans la bande de Gaza et en Cisjordanie, était au bord de la faillite.

Dans un journal du Caire, *Al-Ahram*, le LAP fit circuler une rumeur selon laquelle Abdul Jawwad Saleh, l'un des principaux membres de l'Autorité, souhaitait que Mohamed Rachid, le conseiller financier d'Arafat – responsable du portefeuille de l'OLP – soit interrogé. Peu après, d'autres journaux et plusieurs chaînes de télé dans le golfe Persique, en Jordanie, en Syrie et au Liban se trouvèrent en possession d'un rapport ultrasecret de l'OLP établissant que, chaque mois, l'organisation était déficitaire de plus de quatre-vingt-quinze millions de dollars depuis des années. L'affaire devint encore plus explosive lorsque le Fonds monétaire international révéla qu'Arafat avait détourné « un milliard de dollars, voire plus, des fonds de l'OLP entre 1995 et 2000 ».

L'affaire fit l'effet d'une tempête du désert sur le monde arabe. Après avoir enquêté sur la corruption à l'OLP, un avocat palestinien déclara savoir que trois fidèles collaborateurs d'Arafat détenaient des comptes secrets en Suisse. Le juriste donna maints détails sur l'étendue de la corruption. Il m'a personnellement fait la révélation suivante (à condition que son anonymat soit préservé) : « Ces affaires étaient liées aux industries du ciment et du bâtiment sur les territoires palestiniens. Arafat couvrait des actes de corruption représentant plusieurs millions de dollars en échange d'un pourcentage que lui versaient les bénéficiaires. Il était le parrain de tous les parrains. »

Cela eut pour effet d'affaiblir l'OLP à un moment où, si elle voulait être en position de négocier avec Sharon, le Premier ministre israélien, l'organisation avait besoin d'un front fort et uni. En focalisant l'attention sur le monde indéniablement obscur des transactions financières d'Arafat, le LAP mit également fin, une bonne fois pour toutes, aux spéculations sur le rôle qu'aurait pu jouer le Mossad dans sa mort. Ce fut là une parfaite illustration de ce que Rafi Eitan m'avait un jour expliqué : « Quelques mots bien agencés sont souvent aussi efficaces qu'une bombe. »

La démolition de l'image d'Arafat ne constituait, pour le Mossad, qu'une partie de son travail de guerre médiatique, le nouveau concept en vogue à la *Kirya*, le quartier général des forces de défense israéliennes. Grâce aux perpétuelles évolutions technologiques de la fin du XXe siècle, l'« infoguerre » permettait à Israël de lancer, à grande échelle, des offensives rapides, discrètes et dévastatrices sur n'importe quelle structure économique, militaire ou civile avant de l'attaquer. Ses cibles de prédilection étaient la Syrie et l'Iran.

Les États-Unis fournirent de puissants microprocesseurs, des capteurs sophistiqués et la formation nécessaire pour les utiliser. C'était l'une des nombreuses « petites faveurs » négociées par Sharon avec le gouvernement Bush.

Des officiers des forces de défense israéliennes et plusieurs spécialistes du Mossad furent envoyés à la National Defence University [Université de la défense nationale] à Washington, ainsi qu'au Naval War College [École de la marine de guerre] à Newport, dans l'État de Rhode Island, pour apprendre à paralyser les marchés boursiers ennemis et à trafiquer les images où l'on pouvait voir des dirigeants étrangers. L'un des films préférés des étudiants israéliens montrait les ayatollahs apparaissant à la télévision iranienne en train de siroter du whisky et de se couper des tranches de jambon, deux pratiques interdites par l'islam. Avant de passer leur diplôme, les élèves faisaient forcément un tour dans le Commando Solo, l'avion de transport tactique de l'US Air Force qui avait subi pour soixante-dix millions de dollars d'aménagements, lesquels permettaient désormais à l'équipage de brouiller les ondes radiophoniques ou télévisuelles d'un pays et de remplacer les messages – authentiques ou non – sur n'importe quelle fréquence. Les forces de défense israéliennes acquirent une version de cet avion.

Les techniciens du Mossad élaborèrent de nombreux virus redoutables pour infecter les systèmes informatiques ennemis. Parmi eux se trouvait la « bombe logique », conçue pour rester inactive à l'intérieur du système ennemi jusqu'au moment prédéterminé où elle se réveille et se met à détruire les données enregistrées. Une telle bombe pouvait aussi bien attaquer un système de défense aérienne qu'une banque centrale. Les techniciens avaient déjà créé un programme permettant d'insérer des puces informatiques génératrices d'erreurs chez les fabricants d'armes étrangers qui prévoyaient de vendre à des pays hostiles à Israël tels que l'Iran ou la Syrie. Dans les principaux pays producteurs d'armes d'Europe de l'Est, les *katsas* du Mossad avaient pour mission de trouver les développeurs qui concevaient les programmes. Ils leur offraient des sommes substantielles pour introduire des virus dans les systèmes des armes. Un spécialiste israélien de l'informatique m'a expliqué : « Lorsque le système passe en mode d'attaque, tout fonctionne, sauf que l'ogive n'explose pas. »

Les agents du Mossad furent ensuite équipés de générateurs de pulsations magnétiques de la taille d'un attaché-case. Placé à proximité d'un bâtiment, cet appareil peut brûler tous les composants électroniques qui se trouvent à l'intérieur. Afin de maintenir secret ce qu'il a dans le ventre, il est muni d'un dispositif d'autodestruction. À l'Institut de recherche biologique, les scientifiques cherchaient à découvrir s'il était possible d'élever des microbes qui se nourriraient des éléments électroniques ou des matières isolantes des ordinateurs, tout comme certains micro-organismes consomment les ordures ménagères. D'autres travaillaient sur des aérosols dont on pourrait vaporiser le contenu sur les soldats ennemis afin que, depuis le ciel, des biocapteurs puissent les suivre à la trace, grâce à leur respiration ou à leur sueur.

Aux étages inférieurs – au-dessus, les spécialistes créaient pour Internet leurs entrées sur Yasser Arafat – des experts tout aussi compétents étaient également à l'œuvre.

Les laboratoires du département Recherche et développement, au deuxième étage, élaboraient et modernisaient des systèmes de surveillance ou adaptaient des armes. Un appareil de la taille d'une boîte d'allumettes, permettant d'enregistrer ou de photographier un sujet à plus de cinquante-cinq mètres, ainsi que divers couteaux, dont un pouvait traverser la moelle épinière, en étaient issus. Ces objets avaient été conçus pour le *Kidon*, l'unité spéciale d'assassinat de l'Institut.

Le troisième étage était occupé par les archives et les bureaux de liaison avec le Shin Beth, l'équivalent israélien du FBI, responsable de la sécurité intérieure, et les services de renseignement étrangers considérés comme alliés. Parmi ces derniers, on comptait la CIA, le MI-6 britannique, les services français et allemands, ainsi que le Service fédéral de renseignement de la Russie. Une partie de l'étage était allouée au département de tri des informations qui recevait toutes les données arrivant à l'Institut et les redistribuait aux services qui avaient besoin de les connaître. Les archives recevaient tout ; les données étaient stockées dans des ordinateurs Honeywell ultrarapides.

On y trouvait les profils psychologiques des plus grands dirigeants, terroristes, politiciens ou financiers, et de quiconque était susceptible d'aider ou de gêner Israël. Un profil type contenait des informations personnelles sur le sujet et la liste de ses proches connaissances. Celui du président Clinton comportait les nombreuses transcriptions qu'avait faites un *yahalomin* de ses conversations à caractère sexuel avec Monika Lewinsky (voir *Histoire secrète du Mossad I*, chapitre 5, Le glaive atomique de Gédéon). Dans celui d'Hillary Clinton, on trouvait une analyse de ses rapports avec Vince Foster, l'avocat adjoint de la Maison Blanche. Pour le Mossad, ce dernier ne s'était pas suicidé mais – comme me l'a confié un officier de l'Institut ayant lu le dossier – il « a très probablement été assassiné pour couvrir les graves manœuvres de certaines personnes qui, à la Maison Blanche de Clinton, tenaient à ce que certaines informations restent secrètes ».

Une pleine étagère de CD informatiques était consacrée à Oussama Ben Laden. On y trouvait aussi bien ses discours que ses points de vue sur le 11 septembre ou la structure et la réorganisation d'Al-Qaïda. Dans les moindres détails, son dossier expliquait comment il avait élaboré les plans qui conduisirent à ce que le nombre d'innocents tués en Occident dépasse celui des morts de n'importe lequel des conflits qui ont eu lieu en Europe depuis la Seconde Guerre mondiale. L'analyse des discours de Ben Laden démontrait qu'il était esclave des interprétations littérales ; les traditionnelles extrapolations intellectuelles dont dépend une grande partie de la pensée européenne semblaient être au-delà de ses capacités. Dans l'un des plus récents documents, il désignait Saad, son fils aîné, comme son successeur, et ordonnait qu'en attendant on se concentre sur le développement de stratégies pour attaquer des cibles américaines. L'annonce provenait des Brigades Al-Quds, le nom qu'utilisait l'Iran, mais aussi Ben Laden pour rappeler à ses partisans que son ambition ultime était d'entrer triomphalement à cheval dans cette ville. Une transcription de ce message promettait : « Lorsque viendra ce jour, notre fils Saad chevauchera à la tête de notre grande cause. » Les analystes du Mossad en conclurent que ces mots étaient un signe supplémentaire que Ben Laden ne s'attendait pas à vivre suffisamment longtemps pour voir un tel événement. Un dossier séparé consacré à Saad donnait son âge – vingt-six ans – et rappelait qu'il était non seulement le fils de la première épouse de Ben Laden mais également le préféré de son père parmi les vingt-trois qu'il avait engendrés. Le dossier disait aussi de lui qu'il était « le portrait craché de son père, aussi bien physiquement que mentalement ». « Les Américains qui l'ont rencontré se souviennent de sa propension à tuer. » La dernière entrée du dossier stipulait que Saad figurait sur la liste des individus que le Mossad voulait faire assassiner par le *Kidon*.

Pendant qu'Arafat se mourait à Paris, Ben Laden rappela une nouvelle fois qu'il voulait créer un grand califat terroriste de l'Asie jusqu'au sud de l'Espagne. Les spécialistes du sixième étage utilisèrent cette revendication à leur avantage. Ils fabriquèrent des documents, attribués au Hamas, selon lesquels Oussama Ben Laden « déshonorait » la mémoire du leader de l'OLP. Une telle affirmation ne pouvait qu'instaurer un sentiment de malaise dans le monde arabe, sans pour autant diminuer l'impact des déclarations accusant Yasser Arafat d'avoir volé des dizaines de millions de dollars aux Palestiniens. Monter les ennemis d'Israël les uns contre les autres était une discipline dans laquelle le LAP était imbattable.

L'une des méthodes pour y parvenir consistait à exploiter le comportement du dirigeant libyen, le colonel Mouammar Kadhafi. Depuis sa prise de pouvoir en 1969, alors âgé de vingt-sept ans et à la tête d'un groupe de jeunes officiers, il était l'un des principaux hommes à abattre du Mossad. Après avoir survécu à plusieurs tentatives d'assassinat, Kadhafi constitua une équipe de femmes grandes et athlétiques, formées au métier de garde du corps par l'ancien KGB. Le LAP s'était alors appliqué à le ridiculiser en utilisant de faux clichés, créés dans le labo photo du département de guerre psychologique du Mossad, sur lesquels il apparaissait dans des postures sexuelles avec ces femmes. Pendant ce temps, Kadhafi soutenait des terroristes, en armant l'IRA et en finançant les attentats des aéroports de Vienne et de Rome, ainsi que celui de la discothèque de Berlin – cible de choix puisque des hommes de l'armée américaine étaient postés dans cette ville. Il était également lié à celui de Lockerbie en 1998. Il arrivait parfois que son comportement outrepasse les limites de la santé mentale. En 2001, il proposa d'acheter toutes les bananes cultivées aux Caraïbes pour briser le blocus de l'OMC. Sur le plan vestimentaire, Kadhafi rivalisait avec Michael Jackson, sa pop star préférée. Il portait régulièrement des djellabas orange, des tenues militaires ornées de galons dorés ou une combinaison bleu poudre.

En 2002, le LAP réussit un autre superbe coup de propagande en faisant courir le bruit que Kadhafi avait subi une greffe capillaire. Plus tard, au cours de la même année, le colonel libyen arriva à un sommet africain avec un bateau rempli de containers de carcasses de chèvres qu'il distribua aux autres délégués. Suite à cela, Gaafar Nimeiri, ancien président du Soudan, le décrivit comme « un homme doté d'une double personnalité – chacune des deux étant folle à lier ». Le LAP utilisa cela très efficacement. Il s'intéressa également particulièrement à sa sexualité. Ce père de sept enfants, nés de deux épouses différentes, avait l'habitude de proposer de répondre aux interviews des femmes journalistes étrangères à condition qu'elles couchent avec lui. Ce fut un autre élément que le LAP put faire circuler à travers la planète. Plus récemment, en 2003, le LAP fit courir la rumeur que Kadhafi était atteint d'un cancer incurable. Mais là, à la mi-décembre 2004, son image de bouffon détenteur d'un puissant arsenal nucléaire – qu'il a fréquemment menacé d'utiliser contre Israël – était sur le point de changer de façon spectaculaire.

La base du Mossad à Londres était située tout au fond de l'ambassade israélienne dans le quartier huppé de Kensington. On ne pouvait y accéder qu'avec des cartes électroniques régulièrement remplacées et son système de communication était indépendant du standard principal. La base était le lieu le plus protégé d'un bâtiment où la sécurité était déjà une nécessité vitale. Chaque bureau était équipé d'une porte à digicode et d'un coffre-fort, dont la combinaison n'était connue que de son occupant. Les techniciens de l'APM (Autahat Paylut Medienit, le département de sécurité interne du Mossad), vérifiaient fréquemment s'il n'y avait pas de dysfonctionnement dans ces équipements à l'aide d'un scanner portable; jamais un seul n'a été détecté. La demi-douzaine d'agents de renseignement et le personnel additionnel faisaient partie des éléments triés sur le volet pour occuper des postes clés sur les bases étrangères du Mossad. Celle de Londres rivalisait désormais d'importance avec celle de Washington.

Le personnel œuvrait sous la direction d'un homme que tout le monde appelait par son prénom : Nathan. Il avait travaillé en Asie et en Afrique avant de reprendre ce poste de chef de base. Communiquer avec le MI-5, le MI-6, la brigade antiterroriste de Scotland Yard et les services secrets étrangers installés dans la capitale était l'une de ses fonctions officielles. Son visage était connu dans le circuit des cocktails diplomatiques londoniens et il dînait régulièrement dans des clubs privés avec d'importants politiciens britanniques. C'était à l'un de ces clubs en particulier, le *Traveller's*, sur Pall Mall, que Nathan pensait en cette froide journée de décembre.

Tandis que les Londoniens se rendaient aux « arbres de Noël » organisés par leur entreprise, sept individus arrivèrent séparément au *Traveller's Club* – depuis longtemps, l'un des lieux de rencontre préférés des hauts officiers du milieu des services secrets britanniques. Situé à quelques pas du ministère de la Défense, du Foreign Office, du Home Office et de Downing Street, c'était le genre d'endroit confortable et discret où l'on peut partager des secrets autour d'un des meilleurs steaks de la capitale et où l'on pouvait discuter, en toute décontraction, de la réputation de quelqu'un, tout en sirotant du porto au salon, à l'heure du digestif.

Six hommes en costume à fines rayures, ainsi qu'une femme en robe noire, passèrent devant la loge du concierge et s'engouffrèrent dans une arrière-salle. Elle avait été réservée par William Ehrman, le directeur général de la défense et du renseignement au Foreign Office. Un buffet self-service, composé de thé, de café, de boissons non alcoolisées et de la célèbre sélection de sandwichs du club avait été disposé sur la table : par respect pour les trois hommes qui attendaient déjà avec Ehrman, il n'y avait pas de jambon au menu. Il s'agissait de Libyens : Moussa Koussa, le chef des services secrets ; Ali Abdalate, l'ambassadeur à Rome ; et Mohammed Abdul Quasim al-Zwai, l'ambassadeur à Londres.

Ehrman les présenta à Eliza Manningham-Buller, la directrice générale du MI-5 ; John Scarlett, le chef du MI-6, David Landesman, responsable de la contre-prolifération au Foreign Office, ainsi qu'à deux officiers de haut rang de son propre département. Il leur indiqua leur place de chaque côté de la table d'acajou. Alors que l'horloge indiquait 12 h 30 précises sur le manteau de la fausse cheminée à gaz, Ehrman prit la parole.

« Messieurs, le premier pas est fait. Passons maintenant à la résolution. »

Ainsi commença une réunion de six heures durant lesquelles fut négocié l'un des coups les plus stupéfiants qu'on ait connu en matière de diplomatie internationale depuis des décennies. La rencontre avait, en effet, pour objectif de préparer et d'approuver chaque mot du texte qui allait permettre à Kadhafi – l'homme que le président Reagan appela un jour « le chien fou du Moyen-Orient » – d'abandonner volontairement les armes de destruction massive que possédait la Libye.

Au fil des ans, Kadhafi avait réussi à constituer l'arsenal le plus puissant du continent africain. Près de sa frontière avec l'Égypte, au Sud, se trouvait l'usine biologique et chimique de Kufra. Profondément enfouie sous le sable du désert, elle était hors d'atteinte des bombes « bunker buster » que les États-Unis avaient données aux forces aériennes israéliennes. La possibilité de réussir un sabotage avait également été écartée après qu'une taupe du Mossad soit parvenue à obtenir un plan de ces laboratoires souterrains hautement surveillés, où œuvraient des scientifiques, spécialistes du nucléaire, venus de l'ex-Union soviétique et de l'ancienne Allemagne de l'Est.

À Rabta, à quatre-vingt-dix kilomètres au sud de Tripoli, la capitale, se trouvait une usine d'armement chimique qui produisait du gaz moutarde, une arme remontant à la Première Guerre mondiale mais encore utilisée par les agents spécialistes des neurotoxiques. On en fabriquait également au centre de recherche nucléaire de Tajura, sur la côte méditerranéenne. En tout, il existait dix sites d'armes de destruction massive. Ils étaient tous protégés par des missiles longue portée Scud construits avec l'aide de la Corée du Nord.

En ce jour de décembre, la réunion dans l'arrière-salle du *Traveller's Club* était le point culminant des efforts déployés pour mettre fin à trente-cinq ans de relations extrêmement tendues entre Kadhafi et l'Occident et enfin pouvoir rayer la Libye de la liste des nations parias.

Cette voie vers la rédemption s'ouvrit à la chute du communisme soviétique qui fit perdre à la Libye son espoir que les pressions perpétuelles des États-Unis finiraient par cesser. L'échec de plusieurs programmes économiques avait rendu Kadhafi très désireux d'attirer les investissements étrangers. Il avait fini par comprendre que persévérer dans le militantisme islamique risquait d'entraîner des représailles à cause de son régime et de son soutien de longue date au terrorisme. Avant même la capture de Saddam, la Libye commença à bannir les groupes terroristes dont elle avait auparavant embrassé la cause ; parfois, il arrivait même que Kadhafi donne l'impression de s'exprimer d'une voix presque modérée. En avril 1999, la Libye accepta que deux de ses agents secrets soient présentés au parquet écossais pour y répondre de la destruction du vol Pan Am 103 au-dessus de Lockerbie. Après les attentats du 11 septembre, Kadhafi renseigna secrètement la CIA et le FBI sur Al-Qaïda. En 2002, il est allé jusqu'à soutenir l'initiative saoudienne de reconnaître l'existence diplomatique d'Israël (ce qui reste à faire) et demander à Arafat de ne pas déclarer l'État palestinien. Son fils, Saïf Al-Islam Kadhafi, résuma la situation en ces termes : « Si nous disposons du soutien de l'Occident et des États-Unis, nous réussirons plus en cinq ans que nous ne l'aurions fait en cinquante. » La présence des émissaires de son père dans le bastion de l'establishment britannique en était la preuve.

Durant l'entretien, à tour de rôle, Ehrman et Moussa Koussa allaient téléphoner dans une pièce adjacente. Ehrman appelait le Premier ministre Tony Blair, qui se trouvait en visite dans la circonscription de Sedgefield, au nord de l'Angleterre. Sur un autre poste, Blair tenait le président Bush au courant de l'évolution des négociations. Koussa appelait la tente de bédouin où Kadhafi était en train de passer l'un de ses nombreux séjours dans le désert.

Au cours des mois précédents, Koussa, muni d'un passeport diplomatique libyen, s'était rendu plusieurs fois à Londres. Étant l'homme en qui Kadhafi avait le plus confiance, sa mission consistait à donner son accord à un texte qui garantirait que le leader libyen ne perdrait pas la face, tout en donnant satisfaction à l'équipe britannique envers laquelle il se devait de tenir parole. Dans une planque du MI-6, près de l'aéroport de Gatwick, Koussa et les rédacteurs du Foreign Office qui travaillaient sur l'ébauche du document se donnaient un mal de chien sur chaque mot. Chaque fois qu'il semblait qu'on y était presque et qu'on envoyait l'ébauche en Libye par fax sécurisé, elle revenait avec des propositions ou des amendements inacceptables pour le Foreign Office.

Le fait que Koussa doute de la nécessité de faire participer Washington compliquait encore un peu plus les choses. Le gouvernement Bush, de son côté, était sceptique quant au bien-fondé d'approuver un accord avec la Libye. Mais quand les réunions secrètes eurent lieu, la CIA demanda à y assister. Là encore, Koussa était hésitant. Il craignait qu'Israël apprenne l'existence du projet par la CIA et tente de le saboter. Un officiel de Washington ayant pris part aux négociations déclara plus tard : « Koussa était en pleine parano, il avait peur que les

Israéliens décident de torpiller les négociations afin de pouvoir attaquer les sites d'armement de Kadhafi. En essayant de conclure ce marché avec Kadhafi, les British avaient vraiment l'impression de marcher sur des œufs. »

Telle fut la situation jusqu'au jour d'août 2002 où Mike O'Brien, le secrétaire d'État au Foreign Office, rendit visite à Kadhafi dans sa tente au milieu du désert. Il fut le premier Britannique à le faire. On le fit attendre pendant des heures avant que deux femmes gardes du corps le conduisent auprès d'un Kadhafi légèrement en sueur.

« Assis et portant des lunettes noires, Kadhafi s'exprimait par l'intermédiaire d'un interprète, bien qu'il ait appris l'anglais en Angleterre. Quand le moment adéquat s'est présenté, j'ai abordé le sujet de ses armes de destruction massive. À mon grand étonnement, il n'a pas nié en posséder et il a ajouté qu'il s'agissait d'un problème sérieux. Maintes fois, il a souligné qu'il souhaitait réellement améliorer ses relations avec l'Occident, en particulier pour attirer les investissements étrangers dans les industries libyennes du pétrole et du gaz », raconta plus tard O'Brien.

Le ministre rentra à Londres convaincu que Kadhafi était « réellement prêt à passer les accords ». Mais il restait encore du chemin à faire. O'Brien se rendit encore plusieurs fois en Libye. Il avait beau être certain d'avoir pris toutes les précautions possibles pour garder le secret, la taupe du Mossad en Libye avait repéré sa trace.

À Tel-Aviv, Meir Dagan décida de prendre un vol pour Londres. Il y arriva à la veille de la guerre en Irak. Lors de ses visites, Dagan se débrouilla pour rencontrer Scarlett et Manningham-Buller, ainsi que l'homme que Scarlett devait remplacer au MI-6, Sir Richard Dearlove. Grâce aux confidences d'une source israélienne, j'ai appris plus tard qu'avec sa brusquerie habituelle Dagan avait dit aux chefs des services secrets : « Soyez assurés qu'Israël n'essaiera pas d'empêcher vos projets. Mais j'espère que vous n'allez pas essayer de nous rouler. »

En 2003, la guerre en Irak étant terminée, Kadhafi demanda à O'Brien de s'organiser pour qu'une équipe, composée d'experts en armement britanniques ainsi que d'agents du MI-6 et de la CIA, vienne inspecter les sites d'armes de destruction massive libyens. L'un des experts entretenait des liens étroits avec le Mossad. Son compte-rendu reflète parfaitement l'ambiance du voyage :

« Les Libyens nous ont tout montré. C'était du genre : sur votre droite, nos fameuses armes chimiques ; sur votre gauche, notre centrifugeuse à uranium secrète ; et demain nous irons voir nos armes biologiques. À la fin de la visite, il apparaissait clairement que si la Libye n'avait pas encore acquis d'armement nucléaire, elle en était bien plus proche que nous le pensions. Elle travaillait également sur divers systèmes de livraison, dont des missiles balistiques d'une portée suffisante pour frapper n'importe quelle grande ville européenne. En vérité, Kadhafi représentait une bien plus grande menace militaire que Saddam. »

Mais Saddam vaincu, les négociateurs londoniens décidèrent de faire pression sur Kadhafi. Une équipe de hauts négociateurs du département d'État américain arrivèrent à Londres. Ils annoncèrent à Koussa qu'ils disposaient d'éléments « accablants » prouvant que la Libye ne pouvait pas avoir développé ses programmes d'armes de destruction massive sans l'aide de l'Iran et de la Corée du Nord.

« En tant que membre à part entière de l' "axe du mal", Koussa savait parfaitement que la Libye figurait toujours en bonne place sur la liste de nos cibles », m'expliqua un officiel ayant assisté aux entretiens.

On fit appel à Nelson Mandela, le président retraité de l'Afrique du Sud, pour avertir Kadhafi qu'il devait agir – ou affronter les conséquences. Mandela appela Bush et lui dit que Kadhafi prenait « les accords très au sérieux ».

Mais la barrière de la prudence persistait entre la Libye et les négociateurs. Pour finir, on fit clairement comprendre à Koussa qu'il finirait par être trop tard si Kadhafi continuait à tergiverser. La date limite fut fixée au 1er janvier 2005 et on organisa une nouvelle rencontre au *Traveller's Club*.

Il fallait que la partie centrale de l'accord figure dans le communiqué que Kadhafi devait faire le soir même à la télévision libyenne. Le texte fut envoyé à Tripoli pour y être endossé. Une copie fut faxée à Washington, à Condoleezza Rice, chargée par Bush de superviser les négociations. Elle demanda de légères modifications de formulation et d'intensité. Elles furent transmises à Koussa.

En souriant, le chef des services secrets déclara : « C'est une prérogative féminine. Mais c'est acceptable. Nous tenons notre accord. »

L'annonce historique devait avoir lieu le soir même à la télévision libyenne. On envoya une copie du texte à l'équipe de contrôle de la BBC à Caversham pour qu'elle en vérifie la diffusion. Peu après la fin de la réunion du *Traveller's Club*, on remit une autre copie du texte à Nathan. Quelques minutes plus tard, elle était sur le bureau d'Ariel Sharon.

Après avoir lu le document, le Premier ministre israélien dit à Dagan que le Mossad devait continuer à surveiller la Libye de près. Une copie fut envoyée aux archives, au troisième étage, et ajoutée au profil psychologique de Kadhafi. Le dossier contenait un rapport stipulant que Moussa Koussa avait été l'un des planificateurs de l'attentat contre le jet de la Pan Am qui avait explosé au-dessus de Lockerbie et fait deux cent soixante-dix morts quinze ans auparavant, à la semaine près. Que Kadhafi soit réadmis parmi les chefs d'État après avoir si longtemps été un tyran était surprenant.

À Londres, Jack Straw, le ministre des Affaires étrangères, loua les « immenses qualités d'homme d'État » de Kadhafi.

À Washington, le département d'État annonça que les sociétés américaines dont les contrats sur des gisements pétrolifères libyens devaient expirer en 2005 étaient autorisées à reprendre le dialogue avec Tripoli pour agrandir leurs concessions.

À Paris, le gouvernement confirma que Koussa était toujours recherché par rapport à l'attentat perpétré sur un DC10 de la compagnie française UTA en 1989. Mais un porte-parole reconnut qu'étant donné le statut diplomatique du chef espion, il était « fortement improbable qu'il soit jamais interrogé ». Dans la capitale française, une autre enquête interminable démarrait.

Le Mossad s'intéressait toujours aux événements relatifs aux décès de la princesse Diana et de Dodi al-Fayed. Face à la montée du doute dans l'opinion publique, le nouveau *royal coroner*, le docteur Michael

Burgess, ignora la décision d'arrêter l'enquête de son prédécesseur. Il annonça que les investigations seraient dirigées par Lord Stevens, l'ancien chef de la police métropolitaine de Londres. Ce dernier se rendit à Paris pour inspecter le site de l'accident. Parmi la foule de journalistes qui le suivaient dans le moindre de ses déplacements se trouvait une certaine Piet, une *katsa* née aux Pays-Bas, attachée à la base parisienne du Mossad. Son nom de code était « Monique ».

Lorsque Diana arriva dans un état critique à l'hôpital de la Pitié-Salpêtrière, Monique se trouvait dans la salle des urgences, avec pour mission de ne pas laisser entrer les médias. Peu après, Diana fut déclarée morte. On la vêtit d'une blouse propre et on la conduisit dans une pièce à l'écart. Deux infirmières lavèrent son corps. Plus tard, l'une d'entre elle déclara à un journaliste : « Elle était très belle, comme si elle dormait. »

En arrivant, la pathologiste Dominique Lecomte trouva une situation d'agitation maîtrisée : « Il y avait là des gens qui n'avaient rien à faire dans une salle d'opération », déclara-t-elle plus tard. Parmi eux, deux hauts diplomates de l'ambassade britannique, d'importants officiels du ministère français de la Justice et un dirigeant de la police parisienne. Les diplomates et les officiels français se tenaient en deux groupes distincts qui murmuraient entre eux. À part se trouvait un membre de l'équipe parisienne du MI-6 qui suivait Diana à la trace depuis qu'elle menait avec tant de détermination sa campagne contre les mines antipersonnel. Dans les cercles gouvernementaux londoniens on la décrivait comme « une femme qui ne sait pas trop quoi faire d'elle-même ». L'agent du MI-6 était là pour s'assurer qu'il n'y ait pas d'obstacle à ce qui fut présenté au docteur Lecomte comme la nécessité d'un « rapatriement rapide du corps de Diana en Angleterre ». On avait précisé : « L'ordre vient de très haut à Londres. »

Le docteur Lecomte demanda à ce que le corps soit transféré dans une salle voisine du bloc opératoire afin de pouvoir pratiquer l'autopsie. C'est à partir de cet instant que naquit la théorie de la conspiration. L'hôpital disposait d'une morgue parfaitement équipée où il était tout à fait possible de procéder à une autopsie. Avait-on renoncé à l'utiliser parce qu'en y transférant Diana, on retarderait les choses ? Seule avec le corps, le professeur Lecomte commença son autopsie et son embaumement « partiels ». Après l'autopsie, aussi expérimentée que puisse être la pathologiste, l'embaumement, bien que partiel, nécessita du temps. Le professeur Lecomte dut enlever certains des organes de Diana – dont, probablement, son cœur et ses reins. Elle dut également retirer les organes de la zone pelvienne. Plus tard, ces interventions allaient alimenter les spéculations selon lesquelles le professeur Lecomte aurait fait disparaître des preuves de la grossesse de Diana. La pathologiste pratiqua ensuite l'« embaumement partiel » qu'exige la loi française pour autoriser un corps à quitter le territoire. Même partiel, l'embaumement est généralement confié à un thanatopracteur expérimenté. Des connaissances professionnelles sont nécessaires pour diluer correctement le formol, de manière à ce qu'il ne blanchisse pas la peau et ne laisse pas une odeur chimique désagréable.

Au cours des années qui suivirent les événements de la nuit du dimanche 31 août 1997, le professeur Lecomte s'est toujours refusée à tout commentaire sur son rôle pourtant crucial. « En décidant d'embaumer le corps de Diana, on a faussé tous les examens de l'autopsie de Londres. Résultat : la question de la grossesse a été étouffée », a tenu à me dire Mohammed al-Fayed, le père de Dodi.

Les dossiers du Mossad sur les décès de Diana et Dodi contenaient des informations détaillées sur les rôles de la CIA, du MI-6, du MI-5 et des services secrets français. Ils apportaient une réponse à la spéculation selon laquelle Henri Paul était « utilisé par le MI-6 pour garder discrètement un œil sur Diana, dont l'histoire d'amour attirait toujours l'attention du monde », et énuméraient les références des treize comptes bancaires différents sur lesquels Henri Paul plaçait l'argent qu'il recevait des services secrets français. Le détective privé israélien Ari Ben Menashe m'a affirmé avoir proposé à Mohammed al-Fayed de lui remettre des copies des dossiers en lui affirmant qu'ils contenaient « les preuves indéniables qui permettraient de révéler l'importance du rôle des services secrets dans les décès de Dodi et de Diana ». Al-Fayed refusa de payer les sept cent cinquante mille dollars qu'il demandait en échange des documents, peut-être en raison de la réputation controversée d'A.B.M.

À Tel-Aviv, Meir Dagan estima que le Mossad n'aurait rien à gagner en offrant à Lord Stevens l'accès aux dossiers. En cette première semaine de 2005, il avait d'autres affaires sérieuses à traiter.

Une nouvelle fois, le spectre qui avait hanté les prédécesseurs de Dagan refaisait surface. Le FBI avait rouvert son enquête pour tenter d'établir l'identité de « Méga », le grand espion infiltré dans les hautes sphères de Washington. On savait déjà qu'il avait travaillé au sein du gouvernement Clinton. Mais le FBI était maintenant persuadé qu'il avait réussi à se trouver une planque sûre dans celui de Bush. Comme ses prédécesseurs, Dagan était probablement le seul chef espion en Israël à connaître la véritable identité de ce précieux informateur (voir *Histoire secrète du Mossad I*, chapitre V, Le glaive atomique de Gédéon).

Après le retour de George W. Bush à la Maison Blanche pour un nouveau mandat de quatre ans, Robert Mueller, le directeur du FBI, avertit Condoleezza Rice – alors membre du Conseil de sécurité nationale, bientôt secrétaire d'État – que c'était par l'intermédiaire de Méga que des documents politiques très sensibles sur l'Iran avaient été transmis au Mossad. Mueller expliqua à Rice que Méga allait devenir plus important que jamais pour Israël puisque Bush avait commencé à formuler sa politique pour le Moyen-Orient.

Cela faisait déjà plus d'un an que le FBI, à l'aide de matériel de surveillance dernier cri, enquêtait secrètement sur un officiel du Pentagone. Chargé des affaires moyen-orientales, Larry Franklin était l'un des plus importants analystes du Pentagone. Officiellement, il travaillait pour la Defence Intelligence Agency, l'agence de renseignement de la défense.

Le département de la Défense donna son aval à l'enquête en ajoutant que Franklin travaillait au bureau du sous-secrétaire Douglas J. Feith, un assistant influent du secrétaire à la Défense, Donald Rumsfeld.

Le FBI déclara publiquement que son enquête visait principalement à déterminer si Franklin « faisait passer des documents secrets américains concernant l'Iran à l'AIPAC (American-Israel Public Affairs

Committee), le Comité des affaires publiques américano-israéliennes ». L'AIPAC est un lobby israélien très influent à Washington. Comme Franklin, le comité s'empressa de nier « toute conduite criminelle ». En Israël, Ariel Sharon prit la mesure inhabituelle de faire un communiqué au contenu similaire : « Israël n'exerce aucune activité d'espionnage aux États-Unis. »

Meir Dagan connaissait la vérité. Après la condamnation pour trahison par la justice américaine, en 1985, de Jonathan Pollard, l'analyste de la marine qui avait pour mission de faire passer des informations en Israël, les États-Unis étaient restés l'une des principales cibles des opérations du Mossad.

Le FBI était alors convaincu que le Mossad était responsable du vol des secrets nucléaires américains stockés sur les disques durs d'ordinateurs de Los Alamos. Chacun des disques durs était de la taille d'un jeu de cartes. Ils étaient enfermés dans la salle la plus sécurisée du lieu, une cave de la division X enfouie six mètres sous les montagnes mexicaines, à laquelle on n'accédait qu'avec un mot de passe.

Le vol fut découvert après qu'un immense feu de forêt eut menacé la région et que les scientifiques eurent reçu l'ordre de retirer les disques durs. Mais à cause de la gravité de l'incendie, Los Alamos fut fermé pendant dix jours et l'on ne commença vraiment à chercher les disques durs qu'après cette période. Ceux-ci étaient conçus pour pouvoir être insérés dans les ordinateurs portables dont disposaient les membres du NEST (Nuclear Emergency Search Team), une équipe chargée des urgences nucléaires, toujours prête à s'envoler en cas de problème sur un site américain. Les escadrons du NEST utilisaient alors les informations techniques très détaillées contenues dans les disques durs pour désarmer le matériel nucléaire. Lors d'un inventaire de vérification en avril 2002, les disques avaient tous été déclarés présents.

Lorsque les hommes du FBI arrivèrent enfin sur les lieux au mois de mai de la même année, leurs premiers soupçons se tournèrent vers un groupe terroriste. Mais trois mois plus tard, ils renoncèrent à cette théorie quand les disques durs furent retrouvés derrière un photocopieur dans un autre laboratoire de Los Alamos. Dans un rapport adressé à

Bill Richardson, le secrétaire à l'énergie, responsable des laboratoires, et son chef de la sécurité, Eugene Habinger, le FBI concluait que le vol était l'œuvre de services secrets étrangers extrêmement professionnels « tels que le Mossad ».

Là, trois ans plus tard, Mueller expliquait à Condoleezza Rice que l'agence n'avait toujours pas changé de point de vue. Il restait également persuadé que Méga se trouvait caché quelque part, en toute sécurité, au sein de l'administration Bush. Le directeur du FBI trouvait cette idée assez inconfortable.

En fait, le vol de Los Alamos avait été organisé par le CSIS (les services secrets chinois) et effectué par l'APL-2, le personnel général du second service de renseignement de l'Armée populaire de libération. Les multiples fonctions de l'APL-2 comprenaient aussi bien l'organisation des missions des attachés militaires dans les ambassades chinoises à l'étranger que celle des opérations clandestines. Dans le cadre de sa planification, le CSIS mit à profit la relation de longue date qu'il entretenait avec le Mossad depuis l'époque de leur collaboration en Afrique (voir *Histoire secrète du Mossad I*, chapitre XV, Un dessin de trop). Pour le Mossad, l'opportunité d'apprendre certains des secrets de Los Alamos était trop belle pour la laisser passer. Le Mossad envoya à Pékin une équipe composée de programmeurs du LAKAM et de plusieurs experts en surveillance, sélectionnés parmi ses *yahalomin*. Ils intégrèrent la section qui allait piller électroniquement Los Alamos.

Le peaufinage de l'organisation de l'opération fut confié à Wang Tongye, du département de Science et Technologie, dépendant du quartier général du monolithique ministère de la Défense, situé à Pékin, dans le quartier de Dincheng. En tout, des centaines d'experts furent envoyés pour commettre ce casse sans précédent. Un grand nombre d'entre eux étaient des spécialistes du piratage informatique indétectable. Certains avaient acquis leur savoir en travaillant pour diverses compagnies à Silicon Valley, en Californie. L'un après l'autre, ils avaient été convoqués à Pékin pour mettre leurs talents de spécialistes au service du vol.

La date fut fixée au 5 mai 2004. La cible était la cave haute sécurité qui se trouvait à l'intérieur de ce qui était déjà le site le plus secret de Los Alamos. La division X était un réseau de bureaux entassés au troisième étage du principal bloc de laboratoires. Uniquement accessibles grâce à des cartes magnétiques codées dont les chiffres étaient changés quotidiennement, les informations les plus sensibles de la division X étaient stockées dans une chambre forte munie de tous les dispositifs connus des experts de la sécurité américains. On prétendait qu'elle était plus sûre que les entrepôts d'or de Fort Knox. À l'intérieur de la cave se trouvait un sac ignifugé, que l'on ne pouvait ouvrir qu'avec un mot de passe, dans lequel étaient enfermés les disques durs. Chacun d'entre eux contenait des informations techniques détaillées, telles, par exemple, la façon de désamorcer une bombe fabriquée par un état voyou comme la Corée du Nord. Quiconque les possédait disposait de l'énorme avantage de connaître les secrets nucléaires des États-Unis.

Les techniciens chinois et israéliens avaient conçu un système de piratage capable de franchir électroniquement toutes les défenses de la division X. On construisit une réplique de la cave de Los Alamos au sous-sol du département de Science et Technologie. On plaça un sac ignifugé entre ses murs d'acier. À l'intérieur du sac, on mit des disques durs contenant des informations sans intérêt. La tâche des pirates consistait à s'emparer de ces données sans que cela ne soit décelable. Ils ne devaient pas le faire depuis Pékin mais depuis des endroits situés à une distance considérable de la capitale chinoise. Ils furent donc envoyés à Shangaï, à plusieurs centaines de kilomètres de là. Ils se mirent au travail. Plus tard, lorsqu'on ouvrit la cave, on ne trouva aucun signe d'effraction au niveau du sac. L'équipe de pirates revint au sous-sol. Ils apportaient des copies conformes des données qu'ils avaient réussi à voler sur les disques durs enfermés dans le sac.

Les planificateurs chinois étaient partis du principe que, de temps en temps, on sortirait forcément les disques durs de Los Alamos de leur sac ignifugé pour les installer dans un ordinateur qui, ils en étaient convaincus, se trouvait dans la cave de la division X. Soit cette manœuvre aurait pour but de vérifier une information, soit de s'assurer que les disques étaient toujours en parfait état de fonctionnement. À Shangaï, les pirates avaient attendu plusieurs jours avant que les disques de la réplique de la cave soient insérés dans l'un des ordinateurs qui se trouvaient à proximité.

L'équipe sino-israélienne s'était également basée sur l'hypothèse que dans l'éventualité d'une situation d'urgence à Los Alamos, il y avait de fortes chances que les disques durs restent à l'intérieur de l'ordinateur. Pour générer de telles circonstances, les agents du CSIS allumeraient un feu de forêt qui, en tenant compte de la direction du vent, se dirigerait vers Los Alamos.

L'essai suivant fut conduit dans le détroit de Luzon entre Taïwan et les Philippines. Cette fois-ci, l'équipe de pirates se trouvait à bord d'un sous-marin nucléaire de la flotte « Eaux bleues », qui dépend de la marine de l'Armée populaire de libération. Le sous-marin monta près de la surface et les pirates se mirent au travail. Une fois de plus, ils réussirent à infiltrer la réplique pékinoise de la cave. Ils rentrèrent annoncer leur réussite au haut responsable du CSIS.

Tout était prêt. L'équipe de pirates arriva à Puerto Peñasco, à l'extrême nord du golfe de Californie, au Mexique. On leur fournit du matériel de pêche et de pleines caisses d'équipement. Le voyage fut long. Depuis Hongkong, ils s'étaient envolés pour Mexico, puis on les avait conduits jusqu'à Puerto Peñasco. Leur bateau de location les y attendait. Un agent du CSIS au Mexique avait caché leur matériel de piratage à bord. Ils prirent la mer, en apparence pour une partie de pêche.

Quand Los Alamos fut évacué parce que le feu de forêt menaçait de toucher le site, l'équipe se mit à l'œuvre. À l'aide des coordonnées qu'on leur avait fournies, les pirates pénétrèrent la cave de la division X. Exactement comme ils l'avaient fait à Shangaï, ils attendirent le moment propice et volèrent toutes les données des disques durs par voie électronique. Une semaine plus tard, l'équipe était de retour à Pékin.

Quand, par la suite, on retrouva les disques, personne ne put jamais établir comment ils avaient bien pu se retrouver derrière le photocopieur. Y avait-il un agent du Mossad ou du CSIS à Los Alamos ? À la fin du mois de novembre 2004, on y organisa une réunion pour débattre de cette possibilité. Rassemblés dans une salle de conférence de la division X, se trouvaient George Tenet, alors directeur général de la CIA ; Dearlove, le chef du MI-6 à l'époque ; Freeh, du FBI (qui allait bientôt perdre sa place) ; et Eugene Habinger, le chef de la sécurité de Los Alamos. Tout le monde s'accorda sur le fait que ce vol venait de changer, très vraisemblablement pour longtemps, les liens de Washington et de Londres avec Israël en matière de renseignement.

Au vu du professionnalisme, aussi froid qu'irréprochable, de l'opération, le Mossad se mit à considérer le CSIS comme l'unique service de renseignement qu'il pouvait estimer comme son égal. Cependant, dans le passé, la CIA avait également travaillé avec le CSIS. En 1984, William Casey, qui dirigeait alors l'Agence, rencontra secrètement un haut responsable du CSIS et le persuada d'agir contre les triades chinoises qui détenaient plus de soixante pour cent du marché de l'héroïne à New York. Chaque grande ville américaine avait son parrain chinois et ils importaient tous des quantités de plus en plus importantes de cocaïne en provenance de Colombie ou du Triangle d'or, en Asie du Sud-Est. La drogue était ensuite vendue par des dealers descendant d'une lignée qui remontait à l'époque des fumeries d'opium des années 1800. Casey proposa une opération secrète commune pour lutter contre les trafiquants qui commençaient également à cibler les étudiants sur les campus chinois. À l'hôtel Mandarin de Hongkong, en janvier 1985, le Mossad organisa une réunion à laquelle participèrent des officiers de haut rang du CSIS et une équipe composée de membres de la CIA, du FBI et de la DEA (l'administration américaine spécialisée dans les affaires de stupéfiants). Ce fut un nouvel exemple frappant des interdépendances et des liens cachés qui peuvent exister entre les services secrets.

La participation du CSIS permit des résultats spectaculaires en matière de lutte contre la drogue, dont la désormais célèbre affaire du Golden Aquarium à San Francisco. Plus de 450 tonnes d'héroïne, emballée dans des paquets de Cellophane ou des préservatifs, avaient été découvertes au milieu de poissons importés d'Asie. Publiquement, les agents fédéraux s'étaient attribués ce coup de filet mais, en privé, ils reconnaissaient qu'ils n'y seraient jamais parvenus sans l'équipe du CSIS qui avait suivi l'expédition à la trace à travers l'océan Pacifique. Plus tard, après le vol de Los Alamos, le chef des services secrets chinois donna au Mossad les précieuses informations dont il disposait sur les triades. Fortes d'un réseau estimé à un million de membres répartis sur toute la planète, les triades étaient les plus puissants trafiquants de drogue du monde. Même après ces événements, le CSIS conserve des liens étroits avec elles.

II

Vieux ennemis, nouveaux dangers

Depuis le jour où, trois ans plus tôt, Meir Dagan était monté sur une table de la cantine du Mossad et avait frappé son poing dans sa main, depuis ce 11 septembre 2001 où il avait annoncé métaphoriquement à ses agents qu'il voulait qu'ils mangent la cervelle de leurs ennemis, le nombre de ces derniers et leurs actions, avait considérablement augmenté.

Les kamikazes continuaient à frapper ; certains d'entre eux étaient à peine sortis de l'enfance. L'approvisionnement en martyrs semblait inépuisable.

Des matières fissibles avaient été volées dans les stocks de l'ancienne Union soviétique ; des scientifiques de l'Institut des transuraniens de Karlsruhe, en Allemagne, chargés de rechercher ce genre de matériaux avaient trouvé une petite quantité d'uranium 235 dans l'appartement parisien de trois criminels connus pour organiser des ventes d'armes avec des groupes terroristes tels qu'Al-Qaïda. L'uranium était du type que l'on utilise pour l'armement. Deux des hommes – Sergei Salfati et Yves Ekwella – voyageaient avec des passeports camerounais. Le troisième, Raymond Loeb, était muni de papiers sud-africains. Le matériau provenait du site de stockage de Chelyabinsk-70, dans les profondeurs des montagnes de l'Oural. Informée par le Mossad, la police française arrêta les criminels.

Le Mossad avait découvert que des employés de Semion Mogilevich avaient transporté l'uranium jusqu'à Paris, en traversant l'Ukraine, puis la Pologne et l'Allemagne. Depuis l'effondrement de l'Union soviétique, Mogilevich faisait non seulement du trafic d'hommes et d'armes mais également de matières fissibles. Des matériaux avaient disparu de plusieurs sites mal gardés, comme dans l'Oural.

Le président Vladimir Poutine avait sombrement évoqué « un nouveau réseau de terrorisme dont nos forces ont de plus en plus de mal à venir à bout ».

En Afghanistan et dans les provinces pratiquement sans loi du Pakistan, on entraînait des milliers de combattants du Djihad – la guerre sainte – pour ce qu'on leur promettait d'être la fin de la partie, la disparition d'Israël de la surface de la Terre. Certains de ceux qui avaient terminé leur formation rentraient chez eux, en des lieux tels que la bande de Gaza, la Cisjordanie, les souks égyptiens, le Yémen ou, bien plus loin encore, dans diverses villes britanniques. Aucun d'entre eux ne cachait qu'il était prêt à mourir pour le Djihad et faire usage de ses nouvelles compétences partout où cela pourrait porter tort aux structures financières et économiques israéliennes.

Le terrorisme était souvent subventionné par des États, soit parce que ces derniers adhéraient à la même idéologie, comme l'Iran avec le Hezbollah, soit pour des raisons calculées de *Realpolitik*, comme la Syrie avec le Hamas. Israël fit tout pour obtenir des Nations unies qu'elles fassent cesser le financement du terrorisme en appliquant des sanctions, voire en engageant des actions militaires. Le département de guerre psychologique du Mossad fit circuler le bruit qu'Israël était sur le point de lancer une attaque préventive si les ayatollahs continuaient à soutenir le Hezbollah et le Djihad islamique. La menace effraya la population iranienne bien que les tacticiens militaires aient informé les dirigeants du pays que, sur le plan géographique, Israël était suffisamment loin pour ne pas représenter un sérieux danger à long terme. En ce qui concernait la Libye, le département du Mossad intervint en coulisses et persuada Kadhafi que ses intérêts ne prospéreraient que mieux s'il se dispensait de jouer les trésoriers pour plusieurs groupes terroristes.

Pour le Mossad, comme pour tous les grands services secrets occidentaux, Al-Qaïda représentait la menace numéro un. Peu après que Meir Dagan eut pris ses fonctions, les noms de deux compagnons de combat d'Oussama Ben Laden émergèrent. Le premier était celui d'Ayman al-Zawahiri, qui jouait de plus en plus le rôle de chef de la propagande télévisée d'Al-Qaïda. En 2005, ce médecin égyptien, formé à Londres et à Paris, était déjà l'auteur d'au moins six enregistrements vidéo et audio qui, à leur diffusion, lui valurent l'adulation du monde arabe qui se mit à le considérer comme la force motrice intellectuelle de l'organisation. Les analystes du Mossad savaient que Ben Laden réservait désormais ses apparitions personnelles pour les grandes occasions, comme lorsqu'il s'adressa au peuple américain quatre jours avant les présidentielles, assis derrière un bureau à la manière d'un présentateur de journal télévisé, pour promettre qu'il y aurait de nouveaux attentats si Bush était réélu, ou comme lorsqu'il réitéra ses menaces, après l'explosion du train à Madrid qui fit deux cents morts et presque deux mille blessés. L'autre membre de cette trinité du mal était Abou Moussab al-Zarqaoui, un paysan jordanien peu éduqué, responsable de certaines des pires atrocités commises en Irak. Avant d'avoir atteint l'âge de trente ans, il avait déjà décapité une douzaine d'Irakiens et d'étrangers, et fait diffuser les vidéos de leur assassinat sur tous les sites islamistes de la planète. Lui aussi a promis que viendrait le jour où il se joindrait à Saad, le fils de Ben Laden, à la tête d'une marche triomphale dans Jérusalem.

Là, durant les premières semaines de 2005, Meir Dagan n'était plus uniquement confronté aux terroristes. Il commençait à avoir des doutes sur le nouveau directeur général du MI-6, Sir John Scarlett. Sa réserve était due au fait qu'un extrêmement mauvais travail de renseignement du MI-6 avait conduit à la politisation des informations concernant les armes de destruction massive que Saddam était censé détenir. Cela avait confirmé l'opinion de Dagan, qui pensait que Scarlett avait tendance à « tirer sans viser ». Il était certain que, par rapport au chef du Mossad, coiffé à la militaire et amateur de chemises à col ouvert, Scarlett était très différent. Avec son costume sur mesure de chez Gieves – le tailleur de Saville Row –, et ses chemises de coton cousues main qui s'accordaient si bien avec ses dossiers haute sécurité couleur peau de chamois ornés de la croix rouge de Saint-George, il était la quintessence même du maître espion britannique. Pendant le dîner au *Traveller's club*, on avait pu constater le goût de Scarlett pour les grands crus de Bordeaux et les plats gastronomiques. Après avoir travaillé dans le renseignement pendant trente-deux ans, à Moscou, au Kenya ou à Paris, Scarlett était devenu le président du JIC (Joint Intelligence Committee [Commission mixte pour le renseignement]), dont le rôle consistait à surveiller les autres services secrets britanniques et à en faire le rapport directement à Tony Blair, à Downing Street. Il était de notoriété publique que Blair avait profité de sa prérogative de Premier ministre pour nommer Scarlett à la tête du MI-6. Cette promotion conféra à Scarlett une noblesse qui vint s'ajouter à ses dignités de compagnon de l'ordre de Saint-Michel et Saint-Georges (CMG) et d'officier de l'ordre de l'Empire britannique (OBE). Elle renforça également les liens étroits qu'il entretenait avec Blair, et Dagan n'était pas le seul, dans le milieu du renseignement, à sentir la patte de Downing Street dans ses décisions. Cela allait à l'encontre des convictions de Dagan qui pensait que des services secrets devraient toujours être libres de toute influence politique.

L'inquiétude de Dagan tourna à la colère lorsque Scarlett, avec l'accord du Premier ministre Tony Blair, envoya secrètement une équipe d'agents à Gaza pour y négocier un cessez-le-feu avec le Hamas. Cette délégation était dirigée par Alistair Cooke, un vétéran du renseignement au Moyen-Orient. Pour Dagan, l'arrivée de ces services secrets que personne n'avait invités sur le pas de sa porte était une entrave à ce qu'il percevait comme un arrangement de longue date sur les règles de la coopération. Lorsqu'il se confronta à Scarlett, on lui rappela que le MI-6 était fort d'une longue expérience de négociateur avec les groupes terroristes, notamment avec l'IRA dans les années 1980, et que le dialogue avait fini par aboutir à ce que la lutte armée au nord de l'Irlande cède le pas aux négociations politiques.

« Gaza n'est pas Belfast », avait rétorqué Dagan avant de mettre fin à la conversation. Pour lui, c'était le signe d'un point faible dans les relations qu'entretenait le Mossad avec le MI-6. Ce ne fut d'ailleurs pas la première fois qu'on l'entendit dire que les Anglais n'avaient jamais vraiment accepté de ne pas être les meilleurs maîtres espions du monde. Carlo de Stefano, le directeur de l'unité antiterroriste italienne, Manolo Navarette, le chef de la Guardia civil en Espagne et Porter Goss, qui avait remplacé George Tenet à la tête de la CIA, partageaient cette opinion. Goss n'était pas du genre à se laisser bousculer. Comme Dagan, il avait été fondu dans le moule du « tous les coups sont permis ». Il clamait haut et fort que Tenet avait négligé « la mission première [de l'Agence] et qu'il fallait revenir au "bon vieux temps de l'espionnage humain", quand on ne recueillait pas les informations à l'aide d'ordinateurs, de satellites ou autres appareils d'écoute sophistiqués, mais lorsqu'on implantait des agents au sein des lignes ennemies ou derrière elles ».

La contrariété de Dagan augmenta encore lorsqu'il entendit parler de la participation du MI-6 aux opérations de renseignement qui avaient conduit le Premier ministre Tony Blair et le président George Bush à aller en Irak. Le service avait apporté ce qu'il tenait à présenter comme des « preuves formelles » que d'énormes quantités d'oxyde d'uranium, à partir duquel on produit l'uranium, avaient secrètement été importées par bateau du Niger, un pays pauvre d'Afrique de l'Ouest. Cette certitude reposait sur des documents que le MI-6 affirmait formellement tenir d'une « source digne de confiance ». Dagan savait qu'il était inconcevable de lever l'anonymat d'un contact aussi précieux, mais encore fallait-il qu'il ou elle le soit vraiment. À part le MI-6, personne n'avait vu les documents et l'on soupçonnait de plus en plus qu'ils n'étaient pas du tout ce que le service britannique prétendait. À défaut d'autre chose, Dagan en arriva à la conclusion que l'insistance avec laquelle Scarlett continuait de défendre la véracité du contenu de ses documents soulevait des questions quant à son jugement.

Si les opérations truffées de coups fourrés sont monnaie courante dans le monde de l'espionnage, la saga qui s'ensuivit allait devenir un classique du genre. Elle connut son point culminant en octobre 2005 lorsque Lewis Libby, secrétaire général du vice-président Dick Cheney, fut mis en accusation pour parjure, et qu'un grand jury menaça d'inculper Karl Rove, le conseiller en chef du président Bush à la Maison

Blanche. On leur reprochait principalement d'avoir contribué à faire démasquer un agent de terrain de la CIA, Valérie Plame, l'épouse de Joseph Wilson, ancien ambassadeur au Niger. Aux États-Unis, révéler l'identité d'un agent secret actif est un délit. Le rôle du Mossad dans la chute de ces deux puissantes figures est dévoilé dans ces pages pour la première fois.

Ce fut durant l'été 2004 que l'affaire commença réellement, avec un ancien employé du SISMI, l'équivalent italien de la CIA. Un an auparavant, Giancomo Martino avait démissionné du service pour s'installer comme « analyste en renseignement ». En un rien de temps, à Rome, une ville où les journalistes et les espions sont légion, il devint, entre autres, une source pour la base locale du Mossad, située près du Vatican.

Pour les espions et les reporters, toujours à l'affût des nouvelles, Giancomo s'avérait un contact très pratique lorsqu'il s'agissait de regarder par le trou de la serrure de l'appareil de sécurité italien. Bronzé, ce sexagénaire à lunettes aimait les vêtements de couleur sable et parlait anglais avec un accent américain. Il avait quelques fois fourni des bribes d'informations qui, si elles n'étaient pas forcément extraordinaires, n'en étaient pas moins intéressantes. Son plus récent cadeau consistait en quelques photocopies de documents du SISMI démontrant que l'agence était impliquée dans la célèbre affaire Roberto Calvi (voir *Histoire secrète du Mossad I*, chapitre XX, Le banquier de Dieu). L'ancien directeur de la banque Ambrosiano entretenait des liens étroits avec la Banque du Vatican, dont les activités intéressaient toujours le Mossad. En 1989, on avait retrouvé Calvi à Londres, pendu sous le pont de Blackfriars. Les documents produits par Giancomo révélaient que trois agents de haut rang du SISMI avaient fréquenté Calvi peu avant sa mort.

En ce jour d'été, à Rome, Giancomo rencontra son contact du Mossad, « Sammy-O » (dans le monde du renseignement, les pseudonymes se résument généralement à un prénom, une ficelle du métier qu'utilisent pratiquement tous les services). Mais tout en sirotant un verre à une terrasse de restaurant, ce n'était pas ce qu'il savait des sombres connexions entre la finance et le renseignement que Giancomo avait l'intention de divulguer. Les dix-sept pages enregistrées sur son ordinateur portable remontaient à l'époque où la CIA et le MI-6 avaient reçu de leurs supérieurs politiques l'ordre de trouver des preuves pour étayer les revendications de Washington selon lesquelles Saddam Hussein s'était procuré du *yellowcake* au Niger. Ce concentré était non seulement un matériau central pour la fabrication d'uranium enrichi mais surtout un élément crucial pour que Bush et Blair puissent justifier leur guerre. En étudiant les documents pour la première fois, Sammy-O avait remarqué que certains étaient codés, ce qui semblait confirmer leur authenticité. Mais ils contenaient également des fautes d'orthographe et quelques incohérences au niveau des dates. S'agissait-il des documents que George W. Bush et Tony Blair avaient utilisés pour justifier l'invasion de l'Irak ? Giancomo haussa les épaules, un de ses gestes préférés lorsqu'il n'avait pas envie de s'engager.

Sammy-O demanda à Giancomo des explications sur les fautes d'orthographe. L'informateur haussa une nouvelle fois les épaules. D'où provenaient les documents ? Selon le rapport que l'agent rendit plus tard à Tel-Aviv, Giancomo répondit qu'un contact au sein du SISMI lui avait présenté une officielle de l'ambassade du Niger à Rome. Après avoir échangé quelques mots, elle lui avait remis les documents. Qui d'autres les avait vus ? Pourquoi la femme avait-elle fait cela ? Quel marché Giancomo avait-il passé avec elle ? Giancomo refusa de répondre. Les documents indiquaient que le *yellowcake* avait été vendu secrètement à l'Irak. Ils semblaient confirmer que Bush et Blair avaient eu raison de partir en guerre.

Le *yellowcake* nigérien était extrait de deux mines contrôlées par une société française opérant dans le cadre des lois internationales très strictes qui régissent l'exportation de ce minerai. Un document indiquait que le minerai provenait de « chantiers officieux » dont le produit se vendait au marché noir. C'était à ce marché que Saddam était censé s'être servi. Combien voulait Giancomo pour ces documents ? Cinquante mille francs suisses fut sa réponse immédiate. Giancomo ne tarda pas à briser le silence qui suivit.

« Ces documents sont des faux. Ils ont été fabriqués par le SISMI pour que le CIA et le MI-6 soutiennent Blair et Bush lorsqu'ils prétendent que

Saddam Hussein a réussi à obtenir le minerai. Vous ne comprenez pas ce que cela signifie ? »

Sammy-O comprenait. Les faux étaient bien les documents que le MI-6 avait déclarés authentiques, ceux que Tony Blair et George Bush avaient utilisés pour justifier la guerre en Irak. Ces documents infirmaient les affirmations de Joseph Wilson, l'ancien ambassadeur au Niger, que Bush avait envoyé là-bas pour vérifier leur authenticité et qui avait annoncé que le *yellowcake* n'était jamais parti en Irak. Le président Bush avait alors rejeté son rapport et entamé la guerre. À la fin du conflit, Wilson révéla enfin publiquement ses découvertes et fut discrédité par une campagne orchestrée par Karl Rove et Lewis Libby, durant laquelle ils trahirent l'identité de Valérie Plame, agent de la CIA et épouse de Wilson.

La conversation secrète qu'eurent Sammy-O et Giancomo sous l'auvent du café aboutit aux résultats suivants : le Mossad paya le prix demandé pour les documents. Dans un premier temps, l'Institut l'utilisa comme outil pédagogique dans son centre d'entraînement, pour donner un exemple d'une opération susceptible de mettre les deux dirigeants internationaux dans un sérieux embarras. On ne découvrit pas qui avait demandé au SISMI de fabriquer les faux mais le Mossad savait que, par le passé, le service avait déjà placé des micros au palais présidentiel italien et à la bibliothèque du Vatican pour rendre service à la CIA. Et que l'Agence avait toujours désapprouvé que la Maison Blanche ait volontairement déformé la vérité au sujet de l'arsenal de Saddam. Le Mossad pensait que la CIA avait cherché à mettre l'administration Bush en mauvaise posture. Celle-ci avait ignoré le dispositif d'espionnage de la CIA, à Langley, avant la guerre en Iran, et une fois le conflit terminé, lui avait reproché de ne pas avoir fourni suffisamment d'informations. En faisant appel au SISMI – ce qui ne serait pas une première – la CIA pouvait raisonnablement espérer que sa complicité ne serait jamais découverte. Cela s'était déjà produit auparavant, lors d'opérations noires en Amérique latine. Ce à quoi la CIA n'avait pas pensé, c'était à la cupidité de Giancomo. Il savait qu'une fois qu'il serait clair que ces documents étaient ceux qui avaient servi de justification à Bush et à Blair pour partir en guerre, le Mossad paierait pour les avoir, qu'ils soient authentiques ou faux. Le fait que Giancomo refuse de dire qui d'autre les avait vus laissait fortement penser qu'il les avait également vendus à la base romaine du MI-6. Ce fut de cela que découla tout le reste.

En plus de l'insistance avec laquelle le MI-6 maintenait que les faux étaient authentiques, on entendait des choses qui inquiétaient le Mossad quant à la façon dont fonctionnait le service sous la houlette de Scarlett. Celui-ci affirmait qu'une autre « source très fiable » avait fourni de « bonnes raisons de penser » que, quelques jours avant la guerre, Saddam Hussein avait envoyé des laboratoires mobiles dans les déserts irakiens, prêts à lancer des ogives contenant des agents chimiques et biologiques. Le secrétaire d'État américain de l'époque, Colin Powell, confirma cette thèse lors du discours qu'il prononça aux Nations unies à la veille de la guerre, en précisant que sa source était le MI-6. Après le conflit, les taupes du Mossad découvrirent qu'il n'y avait jamais eu le moindre laboratoire mobile.

Selon un analyste de haut niveau du Mossad : « Le MI-6 se contentait, au mieux, de spéculations et, au pire, d'informations non fondées présentées comme des faits. Seule la constante promesse que les renseignements provenaient d'une source fiable, cautionnée par Scarlett, les rendait acceptables. Ce ne fut que plus tard, la guerre terminée, que nous constatâmes que les informations de Londres ne valaient guère mieux que les fantasmes de l'espion du film *Notre agent à la Havane*, qui utilisait les plans d'un aspirateur pour étayer ses rapports. Le MI-6 avait fourni à Powell des laboratoires mobiles miniatures, des jouets, pour qu'il puisse les montrer aux Nations unies. »

Peu avant l'élargissement de l'Union européenne, en mai 2004, le MI-6 avertit le Mossad qu'il se pouvait que cette expansion engendre une augmentation du nombre de terroristes en Grande-Bretagne, dont l'une des premières cibles serait le milieu industriel juif. La base londonienne ne trouva pas le moindre indice pour appuyer cette théorie.

En mai 2004, sentant une vague de changements arriver sur Langley, Dagan estima que le Mossad devrait en profiter. Il connaissait déjà Porter

Goss de réputation pour avoir déclaré ouvertement que la CIA était devenue un peu « timide du flingue » après les attentats terroristes de 1998 contre des ambassades américaines en Afrique de l'Est, à l'époque où il présidait la commission permanente de la Chambre des représentants sur le renseignement (*House Permanent Select Committee on Intelligence*). Dagan avait été encore plus conquis lorsque Goss avait dit publiquement qu'il n'avait rien contre les assassinats. Après avoir été nommé directeur de la CIA par le président Bush, il avait affirmé : « Je suis convaincu que c'est un concept que la plupart des Américains acceptent relativement bien. Quand toutes les autres options sont épuisées, la possibilité de l'emploi d'une force mortelle se comprend facilement. » Ses paroles trouvèrent un soutien considérable chez les conservateurs à une époque où le fait qu'Oussama Ben Laden soit toujours en liberté représentait un grand danger pour l'Amérique.

Les deux chefs espions s'entendirent dès leur première rencontre. Goss écouta Dagan lui expliquer comment il avait hérité d'un Mossad dont le moral et la réputation étaient sérieusement à la baisse, puis comment il l'avait revitalisé avec pour seule méthode d'être un directeur impliqué. Depuis sa prise de fonction, Dagan avait fait près de cinquante déplacements à l'étranger. Goss parla du travail qu'il avait effectué à la CIA dans les années 1960, à l'époque de la crise des missiles cubains et des tentatives d'assassinat contre Fidel Castro, à l'aide d'un cigare empoisonné ou d'un coquillage piégé lors d'une partie de plongée du dirigeant cubain. Goss expliqua que des raisons de santé l'avaient poussé à abandonner le poste de directeur des opérations, c'est-à-dire de responsable de toutes les missions d'espionnage. Il était alors entré en politique, obtenant un siège pour les républicains en Floride. Mais il n'avait jamais coupé le contact avec le milieu du renseignement international. À Londres, à Paris et dans d'autres capitales européennes, il avait entretenu un réseau qui s'avérait fort utile dans ses nouvelles fonctions.

Pour concrétiser leur alliance, Goss et Dagan envoyèrent leurs espions dans les badlands du Kazakhstan, les montagnes du Cachemire, les ports maritimes de la Corne de l'Afrique, ou les hautes terres kenyanes et éthiopiennes. Ils renforcèrent également leur présence en Arabie saoudite.

L'instabilité croissante du royaume, déchiré par une lutte de pouvoir, en faisait une terre fertile pour le recrutement des combattants du Djihad et l'obtention des fonds apparemment inépuisables qui permettaient de les financer. Le roi Fahd, qui, âgé de soixante-dix-neuf ans, s'accrochait à son dernier souffle de vie (il est mort en août 2005), ainsi qu'une grande partie des cinq mille princes de la famille royale – qui vivaient dans la crainte des groupes fondamentalistes qui bourgeonnaient autour d'eux –, leur donnèrent des milliards de pétrodollars, dans l'espoir qu'une insurrection extrémiste leur soit épargnée. Les plus radicaux parlaient du jour où Oussama Ben Laden, lui-même saoudien, aurait la famille royale à ses pieds, et comparaient ce jour à celui du retour triomphal de l'ayatollah Khomeini en Iran. Déjà, Ben Laden fulminait, estimant que la *charia* n'était pas assez strictement appliquée dans le royaume.

Avec le soutien du gouvernement Bush, la maison des Saoud commença à sanctionner sévèrement les intégristes. Les affrontements armés entre les forces de sécurité et les fondamentalistes devinrent routiniers. Les combattants du Djihad qui se faisaient prendre étaient décapités et leurs têtes, exposées sur des pieux sur toutes les places publiques du pays. Ces démonstrations n'aboutirent qu'à un redoublement de la violence. En 2004, plus de cent cinquante étrangers, agents des forces de sécurité et terroristes furent tués.

Si la CIA travaillait étroitement avec les services secrets saoudiens pour repérer les islamistes, le rôle du Mossad était tout différent. Étant donné qu'il n'y avait pas d'intérêts économiques juifs à attaquer à l'intérieur des frontières saoudiennes, les agents du Mossad s'occupaient plutôt de suivre les traces des combattants du Djihad qui quittaient le pays pour se diriger vers Israël. Bien souvent, avant même d'arriver aux frontières, ils se faisaient tuer par le *Kidon*, l'escadron d'assassinat du Mossad.

L'une des premières décisions de Dagan fut de passer le nombre de ses membres de quarante-huit à soixante; dont huit femmes. Chaque *kidon* avait réussi ses études au centre de formation du Mossad, à Herzeliya, avant d'être soumis à un entraînement spécial dans un site militaire, dans le désert du Néguev. À la sortie, l'âge moyen tournait autour des vingt-cinq ans. Les futurs assassins passaient régulièrement les mêmes examens médicaux que les pilotes de chasse de l'aviation israélienne. Au *Kidon*, on parlait couramment l'arabe et les grandes langues européennes telles que l'anglais, l'espagnol ou le français. Certains étaient même diplômés de chinois.

Dans une industrie mondiale du renseignement représentant cent milliards de dollars et employant plus d'un million de personnes, le *Kidon* a toujours été respecté. Avec son budget confidentiel et n'ayant de comptes à rendre à personne quant à la façon dont il le dépense, il a toujours été envié par tous les autres services secrets. Seul le CSIS, le service de renseignement chinois, dispose d'une telle liberté de tuer.

Au cours des trois années précédentes, Dagan avait envoyé des *kidonim* à la recherche de tous ceux qui avaient été condamnés lors d'une réunion qu'il avait conduite dans son bureau. Les assassins étaient donc partis dans divers pays du Moyen-Orient, en Iran, au Pakistan et en Afghanistan, frappant dans des lieux où les souks et les ruelles n'ont pas de nom ; chaque fois, le meurtre était rapide et inattendu – balle unique dans la nuque, étranglement avec un fil à couper le beurre ou coup de couteau dans le larynx. Le *Kidon* avait également ses spécialistes de l'empoisonnement, dotés d'un arsenal de substances préparées spécialement pour eux. Les façons de tuer ne manquaient pas et les *kidonim* les connaissaient toutes.

Pour se perfectionner, ils allaient voir travailler certains des plus grands médecins légistes israéliens à l'institut de recherche médico-légale de Tel-Aviv où on leur enseignait comment mieux faire passer un assassinat pour un accident. Ils apprenaient comment ils pouvaient être trahis par un minuscule détail ou une infime trace de piqûre sur la peau d'une victime. Pendant qu'ils regardaient les médecins couper et disséquer les cadavres, on les encourageait à poser des questions. Comment un médecin arrivait-il à déterminer les circonstances exactes de la mort ? Qu'avait-on fait pour tenter de dissimuler la méthode d'assassinat ? Que signifiaient les petites marques sur la peau ou les lésions des organes internes qu'avait remarquées le spécialiste et qui l'avaient conduit à sa conclusion finale ? Ensuite, lorsque les *kidonim* rentraient à la base, un instructeur leur demandait ce qu'ils avaient appris et en quoi cela pouvait leur être utile dans leurs activités. Il était rare qu'un membre de l'unité ne soit pas à la hauteur, ce qui aurait signifié sa disparition de l'organigramme des missions d'action pour retourner étudier le travail des médecins.

Régulièrement, les *kidonim* se rendaient en voiture à l'institut de recherche biologique de Nes Ziona, afin de s'entretenir avec les scientifiques qui, dans leurs laboratoires sécurisés, testaient l'efficacité d'armes biologiques et chimiques fabriquées en Iran, en Corée du Nord ou en Chine. Certains des chimistes juifs de l'institut avaient travaillé pour le KGB ou la Stasi, les services secrets d'Allemagne de l'Est. Le Mossad les avait recrutés lorsque ces services avaient disparu à la fin de la guerre froide.

Dans une salle de conférence réservée à cet effet, les chimistes et les assassins débattaient des avantages et inconvénients des méthodes disponibles pour un meurtre spécifique. Aurait-il lieu de jour ou de nuit ? Certains pathogènes mortels fonctionnaient moins bien à la lumière du jour. L'exécution aurait-elle lieu en plein air ou dans un espace clos ? Il était fréquent que les gaz toxiques réagissent différemment dans l'une ou l'autre de ces situations. Un aérosol serait-il plus efficace qu'une injection ? Dans les deux cas, quelle partie du corps faudrait-il viser ? Derrière l'oreille, sur le dos de la main, une piqûre dans le mollet ou la cuisse ? Ces questions exigeaient des réponses précises. La vie d'un *kidon* pouvait en dépendre.

Le choix du lieu était également important. Certains neurotoxiques dégageaient une odeur de pelouse fraîchement coupée, d'autres, de fleurs printanières. Les utiliser dans un milieu désertique aurait pu faire naître quelques soupçons. Parfois, cependant, il fallait absolument laisser des traces indiquant qu'il s'agissait de l'œuvre d'un *kidon* pour répandre la peur chez les autres.

Récemment, dans le désert, on avait laissé sur les bords des pistes qui se trouvaient à la sortie de l'Arabie saoudite les corps de combattants du Djihad qui étaient partis commettre des actes terroristes contre Israël – mais qui avaient rencontré le *Kidon*.

De toutes les aventures exotiques du Mossad, son expédition africaine, dans les années 1970, fut l'un des plus grands moments. La façon dont Meir Amit avait mis en place cette opération modèle figurait parmi les exemples que l'on utilisait au centre de formation du Mossad. Dès son entrée en service, il avait non seulement étudié comment on avait pu lancer une guerre aussi secrète que mortelle contre le KGB et le CSIS mais également pourquoi elle avait réussi. Les deux services secrets apprenaient à des révolutionnaires africains comment organiser les attaques de la guérilla qu'ils menaient contre les intérêts occidentaux depuis les côtes de l'océan Indien jusqu'à l'Atlantique.

La perspective de milliers de combattants entraînés et armés à quelques heures d'Israël préoccupait les politiciens du pays. Meir Amit envoya donc tous les *katsas* – les agents de terrain – et tous les *kidonim* – les spécialistes de l'assassinat – disponibles en Centrafrique. Pendant trois ans ils livrèrent une impitoyable guerre à l'usure aux agents russes et chinois. Plusieurs *katsas* furent tués avec la même brutalité que celle dont ils pouvaient faire preuve. Plus tard, à Glilot, on grava leurs noms sur les murs de grès du mémorial, en forme de cerveau, qui commémore les morts du Mossad. En 2005, on en comptait quatre-vingt-onze.

Ce nombre risquait d'augmenter depuis que Dagan avait envoyé ses agents dans la jungle vénézuélienne, les montagnes de Colombie, les petites rues du Mexique ou de l'Amazonie et jusqu'au Chili ou en Argentine ; dans tous les pays où Al-Qaïda fomentait la haine envers Israël. Une fois de plus l'organisation terroriste était soutenue par le CSIS, le second département d'espionnage de l'Armée populaire de libération de la Chine.

Al-Qaïda et le CSIS étaient tous deux fortement implantés au Salvador – travaillant conjointement, d'une part, pour faire de l'Amérique latine un nouvel acteur de poids favorable à la Chine sur le continent et, d'autre part, pour fournir à Al-Qaïda une présence opérationnelle plus menaçante envers les intérêts juifs de la région. Les banques de San Salvador – dont des succursales d'institutions financières israéliennes, britanniques et américaines – devinrent un passage routinier pour les énormes sommes d'argent que le CSIS et Al-Qaïda blanchissaient en les faisant circuler à travers le monde. Ces bénéfices tirés du trafic de stupéfiants venaient s'ajouter au marché qu'Al-Qaïda avait conclu avec les cartels de la drogue colombiens.

Les *katsas* et les *kidonim*, avec l'aide d'agents de la CIA et du DAS (les services secrets colombiens), menaient un combat à mort – où l'on tuait ou était tué – dans la jungle dense du Venezuela pour empêcher Al-Qaïda de faire sortir du pays des quantités colossales de cocaïne destinée aux États-Unis, à l'Europe ou à Israël. On laissait pourrir les morts d'Al-Qaïda dans la jungle en guise d'avertissement pour les autres. Les corps des agents, eux, étaient rapatriés par avion et enterrés dans leur pays. En Israël, on ne donnait aucune explication officielle sur l'endroit d'où ils venaient et ce qu'ils y avaient fait. Tout ce que l'on savait, c'était qu'un maçon de Glilot gravait fièrement leur nom.

Dans des planques d'Al-Qaïda, dans la jungle, on découvrit que l'organisation avait réussi à s'infiltrer suffisamment aux États-Unis pour y acheter des actions dans plus de trois mille compagnies, dont une grande partie dans la technologie de pointe. Les officiels du Trésor américain calculèrent qu'en 2004 le groupe terroriste avait investi plus d'un milliard de dollars. Les parts avaient été acquises en Asie, à Malte et en Pologne par le truchement de courtiers en investissement et les paiements s'effectuaient sur des banques saoudiennes ou libanaises. Robert Mueller, le directeur du FBI, confia à cent soixante-sept agents la tâche d'essayer de démêler la structure complexe qui offrait désormais à Al-Qaïda une présence croissante sur les marchés financiers internationaux.

David Szady, le directeur adjoint du contre-espionnage au FBI, m'a un jour confié qu'il considérait la situation comme « un très grave danger actuel » et a ajouté que « cela pourrait ébranler la sécurité nationale et l'avantage économique des États-Unis ».

Le logiciel *Promis* était au centre des activités de blanchiment d'argent d'Al-Qaïda. Il avait été développé par Inslaw, une société spécialisée de Washington, puis Israël avait réussi à l'obtenir. Par la suite, une copie était tombée entre les mains d'Oussama Ben Laden. Au départ, le logiciel avait été volé par Robert Hannsen, une taupe du KGB infiltrée depuis longtemps au FBI. Il l'avait transmis au KGB et ses agents l'avaient vendu à Ben Laden.

Pendant qu'à Washington on démêlait lentement le réseau financier d'Al-Qaïda, en Amérique latine, le Mossad découvrit que les hommes du groupe terroriste pénétraient sur le continent par le Honduras et le Venezuela. À Cuba, le CSIS chinois disposait d'embarcations rapides capables de traverser la mer des Caraïbes et de les transporter jusqu'aux côtes pratiquement sans surveillance de ces deux pays.

Lorsque le président chinois, Hu Jintao, se rendit à Cuba à la fin de l'année 2005, il accepta de fournir à Castro les derniers équipements électromagnétiques de renseignement et les équipements électroniques de guerre. Le complexe était situé près de Bejucal, à une trentaine de kilomètres au sud de La Havane. À l'autre bout de l'île, des techniciens chinois installèrent un système de surveillance capable d'écouter des communications militaires américaines secrètes en interceptant des signaux satellites. La présence de ces puissants appareils de contrôle permit à la Chine de surveiller électroniquement le sud des États-Unis et toute l'Amérique centrale. Ainsi, les cellules d'Al-Qaïda sur le continent disposaient à l'avance d'informations cruciales sur les prochaines offensives du Mossad et de la CIA.

À Tel-Aviv, Meir Dagan expliqua à ses officiers supérieurs que, comme Porter Goss, il trouvait très frustrant qu'il soit impossible d'attaquer des sites cubains par surprise.

« Le souvenir du fiasco de la baie des Cochons hante toujours Washington », aurait-il ajouté.

Par un après-midi du début de février 2005, alors que même la pollution de l'air était supportable, un agent du Mossad – nom de code, « Manuel » – atterrit à Mexico. Il était parti de Floride, muni d'un passeport espagnol ; sa base se trouvait en ville, une planque dans un quartier principalement habité par des Juifs retraités.

Au cours des semaines précédentes, il avait visité le quartier général du DAS, le service de renseignement colombien, ainsi que ceux du Pérou, de la Bolivie et de la République dominicaine. Ses hôtes lui avaient parlé de l'infiltration d'Al-Qaïda dans leurs pays. En Colombie, les hommes d'Al-Qaïda avaient rencontré ceux des FARC, le groupe terroriste national, et ceux du Sentier lumineux, les anarchistes péruviens. Avant son départ, le DAS avait fourni à Manuel de nombreux documents illustrant les difficultés rencontrées pour faire face au terrorisme qu'Al-Qaïda avait introduit à l'intérieur des frontières et sur lequel il ne disposait que de très peu d'informations de première main. Manuel leur promit que les membres clés des forces de sécurité colombiennes seraient conviés en Israël où on les renseignerait.

Cela faisait des années que le Mossad opérait ainsi avec les pays du tiers-monde. Ainsi, il disposait de ses propres contacts, bien placés pour lutter contre le terrorisme depuis l'intérieur.

À Mexico, Manuel n'était pas encore tout à fait sûr qu'il parviendrait à trouver des contacts adéquats. L'appareil juridique de la ville, particulièrement la police, était tristement célèbre pour sa corruption. Les policiers étaient impliqués dans la contrebande de drogue, les kidnappings, les extorsions et les meurtres. Mais ce qui était plus inquiétant encore, c'était tous les liens qui existaient entre Al-Qaïda et l'EPR (Ejército popular revolucionario [l'Armée révolutionnaire populaire]). Des documents dévoilant ces rapports avaient été découverts durant les opérations antiterroristes que la CIA avait menées au Pakistan dans le but de localiser Oussama Ben Laden. Des copies furent transmises au Mossad à l'initiative de Porter Goss. Tout en confirmant les liens d'Al-Qaïda avec les nombreux musulmans qui étudient en République dominicaine et le grand nombre d'Arabes qui vivent à la frontière du Pérou et du Chili, les documents révélaient que l'EPR jouait un rôle majeur dans le passage des hommes d'Al-Qaïda aux États-Unis, *via* Tijuana, la ville frontière la plus active du monde.

Les analystes du Mossad pensaient que les documents avaient été rédigés par Ayman al-Zawahiri, le stratège en chef d'Al-Qaïda. Dans les archives de l'Institut, son profil psychologique signalait que l'un des rares plaisirs qu'il s'autorisait consistait à regarder des vidéos des attentats du 11 septembre. Les rapports mentionnaient également que, depuis, il s'était rendu plusieurs fois en Amérique latine.

Manuel était impatient de savoir si, à Mexico, le CISEN, le Centre d'investigation et de sécurité nationale, pourrait lui en fournir des preuves supplémentaires. Il n'eut pas cette chance. Eduardo Medina, le directeur, tint à insister sur le fait que son service n'avait aucune raison de croire en la présence d'Al-Qaïda au Mexique. « De pures spéculations médiatiques » avait-il ajouté.

Le lendemain, Manuel prit l'avion pour rentrer en Floride. Dans le milieu du renseignement mexicain, il n'avait trouvé personne qu'il aurait pu recommander d'inviter en Israël. Lorsqu'il eut rédigé son rapport, il s'envola pour Washington où l'attendait une autre mission.

Le 14 janvier 2005, à dix heures du matin (heure standard de l'est de l'Amérique), par un froid glacial, POTUS – l'acronyme de *President of the United States*, employé à la Maison Blanche – entra dans la salle de bal d'un hôtel du centre de Washington pour y conduire une rencontre au sommet avec plusieurs dirigeants mondiaux. Ils pensaient avoir été convoqués pour parler de la meilleure façon de gérer le plus grand désastre naturel de l'histoire contemporaine, le tsunami de l'océan Indien, dont on estimait alors le nombre de victimes décédées à cent mille. Il s'avéra par la suite avoir fait plus de trois cent mille morts.

Au lieu de cela, Manuel faisait partie des observateurs officiels qui avaient été sélectionnés pour étudier la manière de contrer une crise encore plus dangereuse. Une menace que les directeurs successifs du Mossad, comme beaucoup de chefs de services secrets dans le monde, craignaient bien plus que toute autre attaque. Le danger dont on allait parler dans la salle de bal était pratiquement indécelable dans ses phases initiales.

La CIA avait appris qu'une faction dissidente d'Al-Qaïda avait volé une petite quantité de virus de la variole dans un laboratoire de bioconfinement en Sibérie. Ce laboratoire était l'un des deux endroits au monde où l'on conservait ce virus conformément aux règles intransigeantes de l'Organisation mondiale de la santé. L'autre était le CDC, Center for Disease Control [le Centre de contrôle des maladies], à Atlanta, en Géorgie. Bâti par le groupe Bechtel et financé par le gouvernement américain, le site sibérien était conçu pour protéger les congélateurs qui contenaient cent vingt échantillons différents de variole.

La CIA ne comprenait toujours pas comment on avait pu commettre ce vol et s'emparer des virus.

Le président fut averti que ce virus pouvait propager l'une des maladies les plus mortelles du monde ; rien qu'au XXe siècle, il avait entraîné la mort de trois cent millions de personnes. L'OMS n'avait annoncé son éradication qu'en 1980. Là, en ce matin de janvier, le président des États-Unis avait convoqué ses homologues internationaux pour leur annoncer que le virus était redevenu dangereux.

Ils s'assirent autour de tables en U sur lesquelles se trouvaient des téléphones, des ordinateurs et des écrans de télévision. Sur chaque bureau il y avait un écriteau marqué d'un nom : Premier ministre du Royaume-Uni, président de la République française ; chancelier de la République fédérale d'Allemagne ; Premier ministre du Canada ; Premier ministre de la Pologne ; président de la Commission européenne ; Premier ministre de la Suède ; directeur général de l'Organisation mondiale de la santé.

POTUS prit un siège parmi eux et commença à leur décrire, dans ses grandes lignes, le vol qui avait été commis dans le laboratoire sibérien. Il était encore en train de parler quand, sur les bureaux, les écrans de télévision se mirent en route. On y voyait un homme masqué affirmant représenter le Nouveau Djihad, un groupe affilié à Al-Qaïda, et revendiquant le vol du virus. Il ajoutait qu'il serait utilisé contre les ennemis de l'Islam.

Les écrans revinrent au noir et les spectateurs hébétés s'observèrent les uns les autres, incrédules. Les sonneries des téléphones brisèrent le silence. Les appels signalaient que les premiers cas de varioles avaient été rapportés aux Pays-Bas ; à Rotterdam, plus de huit cents personnes avaient été touchées par le virus qui s'était répandu par les conduits d'aération du métro de la ville. Certaines des victimes souffraient déjà d'éruptions cutanées et de lésions buccales, ce qui signifiait qu'elles étaient plus contagieuses que jamais. Des cas similaires furent signalés à Istanbul. Les médecins turcs remarquèrent que les papules, c'est-à-dire les boutons dus à cette maladie, commençaient à devenir des pustules. Ce phénomène se produit généralement au bout du sixième jour. Quelques gouttelettes de salive pouvaient suffire à conduire quelqu'un à la mort.

Le rapport suivant arriva de l'aéroport international de Francfort, où plusieurs passagers montraient des difficultés à manger ou à déglutir. Certains arrivaient de Munich d'où provenaient les premiers rapports signalant la présence de variole ; une famille en avait présenté les symptômes à son retour de Turquie. Vers midi, deux heures après les premiers appels, le nombre de cas enregistrés atteignait les trois mille trois cent vingt. La plupart se trouvaient en Europe, mais en début d'après-midi, on signala des passagers infectés, en provenance du Mexique, à l'aéroport international de Los Angeles.

Pendant ce temps, des émeutes antimusulmanes avaient éclaté à Rotterdam, et des Polonais paniqués se battaient contre les patrouilles de douaniers qui essayaient de les empêcher d'entrer en Allemagne. En Pologne, le stock de vaccins antivarioliques ne permettait que de traiter environ cinq pour cent de la population. La République fédérale faisait partie des rares pays à en posséder suffisamment pour tous ses citoyens. Les autres étaient les États-Unis, la Grande-Bretagne, la France et les Pays-Bas. Le gouvernement américain avait mis fin aux vaccinations de masse une vingtaine d'années auparavant lorsqu'on avait estimé qu'il était plus probable de souffrir de leurs effets secondaires que d'être atteint par la maladie elle-même. On avait calculé que sur cent millions de personnes vaccinées, une centaine mouraient des effets secondaires.

Comme cela s'était produit le 11 septembre, cinq heures après l'annonce du danger, les États-Unis fermèrent leurs frontières. Mais il était trop tard. À Wall Street, toutes les transactions furent suspendues, comme ce fut le cas à Londres, à Tokyo, à Francfort et dans tous les autres centres financiers de la planète. C'était le début d'un effondrement économique à l'échelle mondiale.

On prenait des décisions à mesure que la crise s'étendait. Un appel de la Turquie – un pays islamique modéré et membre de l'OTAN –, qui demandait que les États-Unis lui fournissent des vaccins, fut rejeté.

« À l'heure actuelle, les États-Unis ne se sentent pas appréciés à cause de la condamnation mondiale de notre position en Irak. De nombreux

Américains se demandent pourquoi nous devrions aider des pays qui ne nous soutiennent pas », déclara POTUS.

Le Premier ministre britannique rafraîchit la mémoire de ses homologues : « Le climat de tension économique qui a suivi la chute de l'Union soviétique a entraîné le départ de plusieurs anciens scientifiques qui avaient travaillé sur les programmes d'armement biologique de ce pays. Partant par troupeaux, certains sont allés en Syrie, en Iran et en Corée du Nord. Le résultat est ce à quoi nous nous trouvons confrontés aujourd'hui. »

En début d'après-midi, POTUS et les autres dirigeants mondiaux étudièrent des prévisions sur la propagation de la variole. En l'espace d'un mois, il y aurait des centaines de milliers de morts. Au bout d'un an, la population mondiale serait réduite à quelques dizaines de millions de personnes. Selon les prédictions de l'ordinateur, la « mort noire », la peste bubonique qui avait failli anéantir l'Europe au Moyen Âge, et l'épidémie de grippe espagnole de 1918 n'étaient rien à côté du désastre qu'allait générer la pandémie variolique de 2005.

Ce n'est qu'à ce moment-là que POTUS dévisagea ses homologues et prit la parole. « Messieurs, maintenant, nous savons tous ce que nous risquons. Nous devrions remercier le ciel que cela ne soit pas réellement arrivé. » On entendit dans la salle des murmures d'acquiescement.

Ce qui venait d'avoir lieu dans la salle de bal de Washington n'était qu'un jeu de rôle conçu par les plus grands experts en bioterrorisme du monde. Intitulé *Atlantic Storm*, « Tempête sur l'Atlantique », il était dirigé par l'ancienne secrétaire d'État, Madeleine Albright, qui interprétait le rôle de POTUS. D'anciens premiers ministres ou hauts diplomates représentaient les autres pays. Pendant cinq jours intenses, ils essayèrent de faire face à une pluie de rapports d'alerte. Plus les jours passaient, plus leurs tentatives d'enrayer l'épidémie de variole capotaient. Albright prévint les autres « dirigeants mondiaux » : « Un jour nous serons confrontés à la crise que nous n'avons pas réussi à endiguer ici, si ce n'est pas demain, ce sera après-demain. Mais cela arrivera… »

Après avoir lu ces mots, Meir Dagan s'en fit l'écho. En collaboration avec Porter Goss, il rédigea alors un document qui fut transmis à tous les chefs de services secrets européens. Il avait pour titre *L'Avenir de l'armement biologique* et se terminait ainsi : « Al-Qaïda sera bientôt en mesure de fabriquer des agents biologiques capables de propager une maladie à une échelle sans précédent. On peut désormais adapter les connaissances scientifiques enseignées dans les universités pour créer les armes les plus effrayantes du monde. Nous devons bien comprendre que, lorsque Al-Qaïda envoie de jeunes musulmans étudier dans nos campus, il s'agit d'un investissement, tout comme lorsqu'elle a envoyé les pilotes du 11 septembre dans nos écoles d'aviation. »

Les directeurs de services de renseignement s'en tinrent à une réponse polie. L'impression générale était qu'une fois de plus le Mossad et la CIA s'étaient associés pour exagérer l'ampleur de la menace terroriste. Ce sentiment était particulièrement présent à Londres, où le MI-5 et le MI-6 étaient encore irrités par le fait qu'Israël demande constamment à la Grande-Bretagne de réfréner les activités des prêcheurs intégristes autorisés à séjourner dans le pays. Dans les mosquées londoniennes et dans celles des autres villes britanniques, ils prônaient ouvertement la haine envers Israël et les États-Unis.

À Tel-Aviv, par un lundi matin de la première semaine de mars 2005, les dirigeants des divers services de renseignement israéliens descendirent en voiture l'avenue Rehov Shaul Hamaleku et tournèrent vers la *Kirya*, le quartier général des forces de défense. On comptait parmi eux le directeur du Shin Beth, le service de sécurité intérieure ; les chefs des services de renseignement de l'aviation et de la marine ; le commandant de *Shaldag*, une unité de forces spéciales ; et le patron du Centre de recherche et de politique, chargé de conseiller les décideurs sur les stratégies à long terme. Meir Dagan, en tant que *menume*, ce qui se traduit plus ou moins par « premier parmi les égaux », dirigeait la réunion. Le sujet à l'ordre du jour n'était jamais loin des préoccupations des participants : l'Iran.

Chacun de ces hommes se souvenait des années de tension que cette république islamique avait imposées à Israël depuis 1979. Cela faisait vingt-six ans qu'à Téhéran sa politique était résumée sur une immense bannière flottant au-dessus de l'entrée du ministère des Affaires étrangères. On pouvait y lire, en farsi, un avertissement à faire froid dans le dos : « Israël doit brûler. »

Durant tout ce temps, l'Iran finança les terroristes et, en particulier, le Hezbollah, avec qui il entretenait des liens étroits. C'était de ce pays que provenaient la plupart des armes du groupe. Il faisait alors tout ce qui était en son pouvoir pour déstabiliser la jeune démocratie irakienne en soutenant un terrorisme de plus en plus important. Pourtant, les diplomates du département d'État à Washington et ceux du Foreign Office à Londres restaient persuadés que l'Iran était en train de vivre une période de transition vers la démocratie. Ils estimaient possible de pousser certains éléments modérés du régime à chercher des « arrangements » avec l'Occident et d'obtenir que le Hezbollah et les autres groupes terroristes mettent fin à leurs attaques contre Israël. Les espions et les informateurs du Mossad à Gaza avaient entendu l'équipe du MI-6 réitérer cette affirmation.

À force que John Scarlett refuse de retirer son équipe, les relations du Mossad avec le MI-6 s'étaient progressivement refroidies. D'importants renseignements continuaient à circuler entre les deux services parce que le besoin de les connaître était vital. Cependant, Nathan, le chef de la base londonienne de l'Institut, avait perdu l'habitude de quitter l'ambassade israélienne à Kensington pour prendre un taxi jusqu'au bâtiment à la façade de verre, au bord de la Tamise, que l'on surnommait le « gâteau d'anniversaire » à cause de sa structure en forme de pièce montée. Il n'y avait pas si longtemps, il était courant qu'il y passe une heure avec des officiers de haut rang du MI-6, en toute convivialité, autour de quelques boissons et de quelques sandwichs. Ces occasions permettaient d'apprendre ce que pensait le MI-6 de divers sujets et les discussions étaient souvent animées lorsqu'il s'agissait de ce qu'un officier du service britannique appelait « l'état actuel du jeu » à Damas, à Riyad ou en Égypte. Dans ce monde fermé, dans la suite d'accueil du cinquième étage, ce qui ne se disait pas était aussi important que ce qui se disait. Lors de ces rencontres, il arrivait que Scarlett passe demander des nouvelles de Tel-Aviv.

Mais jusqu'à ce que « les histoires de Gaza » soient réglées, les contacts avec le MI-6 se limitaient au strict nécessaire. L'humeur du Mossad ne s'améliora pas lorsque l'agent de liaison de Nathan avec le MI-6 lui annonça que les représentants du Hamas pensaient être en train de faire de bon progrès pour ce qui était de convaincre le Hezbollah de cesser ses attaques contre Israël.

Quoi qu'il en soit, pour l'instant, les relations tendues avec Londres étaient moins importantes que la raison pour laquelle on se réunissait. Pour les hommes assis autour de la table de conférence, qui s'étaient toujours battus pour qu'Israël survive à la guerre et aux Intifadas, les photos-satellite haute résolution étalées sous leurs yeux étaient de mauvais augure. Les images montraient les sites nucléaires iraniens, des clichés pris une semaine plus tôt par un satellite israélien. On y voyait les six principaux sites répartis d'un bout à l'autre du pays. Chacun d'entre eux était enterré sous des tonnes de béton armé, pratiquement impénétrable, même pour les bombes BLU-109 « bunker buster » que les États-Unis avaient récemment vendues à Israël.

Des rapports des taupes du Mossad en Iran accompagnaient ces images. L'identité de ces agents était un secret bien gardé que seuls Dagan et son directeur adjoint, au septième étage, connaissaient. L'un d'eux avait révélé que le site de Natanz, dans le sud de l'Iran, travaillait vingt-quatre heures sur vingt-quatre pour que ses milliers de centrifugeuses, ensevelies sous des structures hautement fortifiées, puissent produire d'énormes quantités d'uranium enrichi. Un autre rapport démontrait que la Russie avait fourni cent cinquante techniciens pour augmenter les capacités de la centrale nucléaire de Busher, dans le golfe Persique, gravement endommagée durant la guerre entre l'Iran et l'Irak. Un troisième rapport décrivait les installations de l'université technologique de Sharif qui comportaient des centrifugeuses permettant de conduire un programme d'enrichissement d'uranium. Un autre rapport encore soulignait que le réacteur nucléaire de l'université de Téhéran pouvait très bien entrer en production pour satisfaire la volonté de l'Iran de construire une bombe atomique. Un agent avait localisé, dans le désert, les entrées des sites souterrains situés dans les places fortes de la province de Yazd. Le rapport le plus détaillé dépeignait un site se trouvant aux alentours de la ville antique d'Ispahan. À proximité de la banlieue est, l'ensemble de bâtiments modernes côtoyait la haute mosquée de l'Imam et le magnifique pont du XIe siècle sur la rivière Zâyandeh – qui permet aux fabricants de tapis d'exporter leur travail depuis un millénaire.

Les participants à la conférence constatèrent que la sécurité de ce site de conversion d'uranium avait récemment été renforcée, ce qui faisait de lui le mieux protégé d'entre tous. Un périmètre de défense, constitué de canons antiaériens, de barbelés et de milliers de soldats armés jusqu'aux dents, entourait maintenant le site, lui-même construit dans le flanc d'une colline. C'était parce que ce site avait la capacité d'enrichir l'hexafluoride d'uranium (UF6) que la communauté israélienne du renseignement était réunie dans cette salle. L'agent du Mossad concluait son rapport en révélant que le site d'Ispahan avait déjà produit trois tonnes de gaz UF6. C'était une quantité suffisante pour enrichir de l'uranium pour l'énergie civile – l'usage que l'Iran affirmait vouloir en faire – ou pour permettre aux cinquante mille centrifugeuses de Natanz, à cent cinquante kilomètre au nord-ouest, de fabriquer une arme nucléaire.

Le rapport de l'agent dressait également la liste des sites où l'on était en train de produire des missiles. Le plus grand était celui de Darkhovin, au sud de la ville d'Ahvaz. Il était hautement surveillé par deux bataillons des Gardiens de la Révolution. Il employait trois mille scientifiques et ingénieurs qui passaient le plus clair de leur temps sous terre, à construire des moteurs de missiles. Mu-Allimn Kalayeh était situé dans les montagnes, près de Qasvin ; ses centrifugeuses produisaient de la matière enrichie spéciale pour l'armement, destinée aux ogives. Saghand se trouvait dans le désert, à l'est de Téhéran. Le site employait huit cents techniciens qui construisaient des coques de missiles. Neka, près de la mer Caspienne, était enfoui dans le sol ; le complexe employait plus d'un millier de scientifiques. Il était équipé d'un réacteur nucléaire acheté à la Corée du Nord.

Sur la table autour de laquelle se trouvaient les directeurs de services de renseignement se trouvait un rapport séparé émanant des experts israéliens. Ces derniers estimaient qu'avec mille cinq cents à deux mille centrifugeuses, on pouvait produire suffisamment d'uranium enrichi pour fabriquer une bombe atomique par an, et que cela serait possible dès 2007, lorsque les centrifugeuses de Natanz seraient totalement opérationnelles.

Dagan révéla que le Mossad avait découvert que Ali Shamkhani, le ministre de la défense iranien, conversait secrètement avec la Syrie dans l'optique de faire venir onze scientifiques, spécialistes du nucléaire, de Damas à Téhéran. Ils étaient arrivés en Syrie peu avant la chute du régime de Saddam, apportant avec eux les CD des recherches effectuées dans le cadre du programme nucléaire irakien. En Syrie, on leur avait donné de nouvelles identités avant de les cacher dans une base militaire au nord de Damas. Le président syrien, Bachar al-Assad, posa une condition à leur transfert en Iran. Le pays devait partager le fruit de ses recherches nucléaires avec la Syrie. Ceci offrirait à Al-Qaïda toutes les bases nécessaires pour fabriquer une bombe sale – bombe composée d'un mélange d'explosifs et d'éléments radioactifs appauvris – encore une menace que les hommes présents redoutaient depuis longtemps.

Six ans plus tôt, le 21 avril 1999, plus de cent marins israéliens étaient arrivés dans de petits hôtels ou des *Gasthausen* de la ville portuaire de Kiel, en Allemagne. Ils portaient des tenues décontractées et lorsqu'on leur posait des questions, ils répondaient qu'ils étaient membres d'un club de vacances. En réalité, ils appartenaient à la Force 700, créée pour offrir à Israël un troisième pilier à sa défense nucléaire afin qu'elle puisse égaler les capacités de son armée de terre et de son aviation, déjà très puissantes.

Trente-deux ans auparavant, leurs prédécesseurs avaient effectué une mission similaire à Cherbourg pour y voler sept vedettes de lancement de missiles payées par Israël mais que le gouvernement français de l'époque refusait de livrer, suite à la destruction d'un avion libanais par un commando israélien à l'aéroport de Beyrouth – en représailles à l'attaque de l'OLP contre un 707 d'El Al à l'aéroport d'Athènes deux jours auparavant.

La décision de créer la Force 700 n'arriva que beaucoup plus tard, à l'époque où Israël avait commandé aux chantiers navals de la

Howaldtswerke-Deutsche Werft trois sous-marins Dolphin d'une valeur de trois cents millions de dollars pièce, qui comptaient parmi les plus modernes et pouvaient transporter mille sept cent vingt tonnes. L'arrivée des marins à Kiel par une belle journée de printemps fut entourée d'un secret encore plus grand que celui de l'Opération *Noah* durant laquelle on avait volé les vedettes en France.

Le point critique de l'opération de Kiel était de ne pas laisser transpirer que parmi les trente-cinq officiers de la marine israélienne se trouvaient cinq techniciens spécialisés, chargés de lancer les armes nucléaires que contenaient les sous-marins s'ils en recevaient l'ordre. Ces armes seraient mises en place lorsqu'ils atteindraient Haïfa.

Les trois Dolphin quittèrent Kiel et se dirigèrent donc vers Haïfa où les attendaient des abris spécialement prévus pour eux. Pendant les six semaines qui suivirent, on les équipa du logiciel *Promis*, développé par Inslaw, la société spécialisée basée à Washington. Le logiciel permettrait à chacun d'entre eux de localiser et détruire une cible jusqu'à une distance de mille cinq cents kilomètres. *Promis* était également programmé pour sonder les défenses d'une cible et faire les calculs nécessaires pour les atteindre immanquablement du premier coup. Le logiciel installé, chaque sous-marin fut équipé de vingt-quatre missiles de croisière. Doté d'une ogive nucléaire, chaque missile avait un pouvoir de destruction supérieur à celui de la bombe d'Hiroshima. On avait déjà effectué des tests dans l'océan Indien en utilisant des ogives factices.

Là, en ce jour de mars 2005, les trois Dolphin partirent se disposer sur les fonds marins du golfe Persique et orientèrent leurs armes vers les sites nucléaires iraniens.

Déterminer *si* il allait falloir lancer une offensive préventive contre l'Iran, et *quand*, exigeait que le Mossad donne des recommandations claires au Premier ministre Ariel Sharon. Tandis que l'atmosphère devenait de plus en plus enfumée dans la salle de conférence de la *Kirya*, tout le monde savait que, selon la réponse, le plan de paix au Moyen-Orient du président Bush pourrait être réduit à néant – alors qu'il était déjà incertain – et déclencher de violentes représailles de Téhéran contre Israël et les intérêts juifs dans le monde entier. Une attaque préventive contre l'Iran pourrait également amener la Syrie à entrer en guerre et lancer tous les groupes terroristes dans un Djihad totalement déchaîné.

Le directeur du Centre de recherche et de politique aborda d'autres considérations. Comment l'Amérique, la Grande-Bretagne et le reste du monde réagiraient-ils à une telle attaque ? Aux États-Unis comme en Europe, de puissantes voix s'élèveraient avec véhémence contre Israël, car une offensive contre l'Iran générerait une catastrophe écologique comparable à celle de la catastrophe de Tchernobyl en 1986. Politiquement et économiquement, Israël se retrouverait coupé du monde.

Cependant, toute attaque éventuelle nécessiterait une coordination avec les forces américaines dans le golfe Persique. Les avions israéliens auraient probablement besoin de survoler la Turquie et de passer près de l'espace aérien irakien, totalement contrôlé par le Pentagone. En outre, cela poserait un autre problème avec Washington. Dans le monde arabe, et, vraisemblablement, également ailleurs, on percevrait une attaque aérienne comme une collaboration avec les États-Unis. Il était pratiquement certain que des attentats sur le sol américain s'ensuivraient.

Les hommes qui se trouvaient dans la salle de conférence de la *Kirya* se disaient de plus en plus qu'il allait falloir prendre toutes les précautions nécessaires mais renoncer à une attaque préventive. En attendant, Meir Dagan allait ordonner à certains de ses agents – pourtant déjà bien sous pression – de retourner à leurs postes d'écoute proches de l'Iran, dans le Kurdistan irakien, et dépêcher d'autres *katsas* dans un pays qui le préoccupait toujours plus : le Pakistan.

III

Marché noir nucléaire au Pakistan

Les fleurs printanières des montagnes de l'Hindu Kush vivaient leur brève floraison quand l'agent du Mossad rencontra son informateur pakistanais. Les deux hommes étaient liés par cette cause commune qu'est la lutte contre le terrorisme. Depuis qu'Al-Qaïda s'était imposée comme le plus important groupe terroriste du monde, le Pakistan était devenu l'un des premiers champs de bataille de l'Institut. Recruter des informateurs dans ce pays était donc une priorité. « Jamal », le nom de code de l'agent du Mossad, avait rencontré Horaj lors d'un premier voyage dans la région en 2001. Il l'avait écouté attentivement exprimer ses craintes que le Pakistan devienne un foyer du fanatisme islamique et expliquer qu'il était prêt à tout pour enrayer cela. Au départ, Jamal se demanda si Horaj avait réellement proposé d'informer le Mossad dans le but de rendre sa respectabilité à sa religion, qui avait été kidnappée par les dirigeants talibans et Oussama Ben Laden. Mais les psychologues de l'Institut étudièrent les rapports sur son passé et estimèrent qu'il pourrait s'avérer utile. Apparemment, à Washington, le Pakistan ne figurait pas sur la liste des pays qui soutenaient le terrorisme. En fait, après les attentats du 11 septembre, Condoleezza Rice avait souvent salué le Pakistan, l'appelant « notre allié de poids dans la guerre contre le terrorisme ». Parmi les numéros préenregistrés de son téléphone fixe sécurisé s'en trouvait un qui lui permettait d'accéder immédiatement à Pervez Musharraf, le président du Pakistan. Un autre correspondait à la ligne directe de George Bush. Madame Rice, quinquagénaire, ancienne universitaire et spécialiste de l'Union soviétique, avait encouragé Bush à ne pas s'occuper du Pakistan, oubliant volontairement que, depuis 1989, le pays soutenait de nombreux groupes terroristes du Cachemire en guerre contre l'Inde. Ces derniers étaient responsables de plusieurs génocides dans le sous-continent. Les agents des services secrets pakistanais les avaient aidés à choisir leurs cibles et à préparer leurs attaques, y compris pour l'attentat contre le Parlement indien de 2001.

Le Mossad commença à s'inquiéter lorsque le Pakistan développa sa force nucléaire et que Musharraf en vanta les mérites en l'appelant « notre égalisateur qui fait office de frein sur l'Inde ». À Washington, on sous-estimait la crainte qu'avaient les Israéliens que le Pakistan dispose d'une arme représentant un danger pour l'État hébreu. De nombreux officiers des services de renseignement appartenaient non seulement à des groupes religieux radicaux pakistanais mais étaient également de fervents partisans d'Al-Qaïda. Pourtant, dans la capitale américaine, on continuait à ne pas apprécier les inquiétudes israéliennes à leur juste valeur. Ces terroristes auraient-ils un jour les moyens de fabriquer une « bombe sale » ou même de se procurer de véritables armes nucléaires ? Au sein du Mossad, on débattait constamment de cette question et c'était à cause d'elle que Jamal se retrouvait une fois de plus à voyager dans les ravins glacials et sur les montagnes ensevelies sous les nuages pour arriver à temps à son rendez-vous. Horaj, son informateur, l'attendait. Il se pouvait très bien que la présence d'Horaj dans la blême immensité du toit du monde soit partiellement motivée par la somme qu'il recevait à chaque fois qu'il rencontrait Jamal.

Dans ce pays, Alexandre le Grand avait perdu une division entière en l'espace d'un hiver et, des siècles plus tard, les Russes y avaient combattu et perdu la guerre contre les *moudjahidin* afghans. Ici, contre un pic constamment enneigé, parmi les rochers profondément crevassés, les forces spéciales américaines perdirent certains de leurs meilleurs éléments en tentant de capturer Ben Laden.

Pour cette traque, on eut recours aux technologies les plus avancées. Un satellite fournissant des données en hyperespace spectral, le premier de sa génération, fut même positionné géographiquement dans les noires profondeurs du cosmos. Ses centaines d'ondes étroites permettaient de refléter l'énergie des objets au sol afin de détecter des types de terrains spécifiques tels que rochers, végétation, bâtiments et grottes, ou encore la présence d'êtres humains. Un autre satellite utilisait les « empreintes spectrales » pour prendre des photos en noir et blanc d'une résolution de l'ordre de dix centimètres. Un radar à ouverture synthétique pouvait transmettre les images de nuit, malgré les conditions climatiques souvent abominables de la région. Des drones – avions indétectables – prenaient vingt-quatre heures sur vingt-quatre des clichés d'une zone d'une superficie égale à celle de la Californie depuis une altitude de croisière de soixante mille pieds (environ vingt mille mètres). Plus proches de la Terre, des Predator – d'autres avions indétectables radiocommandés –, volant à une altitude oscillant entre cent et vingt-cinq mille pieds (soit entre trois cents et sept mille six cents mètres) relayaient les informations vers le lieu où les forces spéciales attendaient à côté de leurs hélicoptères, équipés de « moteurs silencieux » faisant que l'on ne les entendait pratiquement pas s'approcher. Ils étaient armés de missiles AGM-130 que l'on pouvait diriger au radar dans les grottes où se cachait Ben Laden. Mais les cibles étaient peu nombreuses et espacées. Aucune d'entre elles ne s'avéra être la planque de l'homme le plus recherché du monde.

Au printemps 2005, les armes américaines miracles partirent poursuivre leurs recherches ailleurs. Leur départ fit monter un sourire narquois aux lèvres de Meir Dagan qui constatait une fois de plus que la technologie ne donnait toujours pas de meilleurs résultats que le renseignement humain. Au Mossad, un dicton affirme qu'une information ne vaut que ce que vaut sa source. Jamal était convaincu qu'en la personne d'Horaj, il avait la meilleure qui soit. Non seulement Jamal parlait couramment l'ourdou, la langue officielle du Pakistan, mais il maîtrisait également plusieurs autres dialectes. Mais, comme tout ce qui concernait les deux interlocuteurs, le dialecte qu'ils employaient faisait partie intégrante du grand secret dont dépendaient leurs vies. Seuls Jamal et son directeur d'opérations connaissaient l'appartenance ethnique d'Horaj – d'après la langue qu'il parlait : le pendjabi, le sindhi, le pachtou, le baloutch ou l'ourdou. Ses caractéristiques personnelles, telles que son âge ou son statut marital, étaient tout aussi confidentielles.

Ce qui l'était plus encore, c'était l'endroit où il travaillait et dans quelle mesure il avait accès à des informations importantes pour Israël. Par conséquent, aux archives du Mossad, aucun des rapports rédigés par Horaj n'était classé dans le dossier de l'individu dont les actes avaient, une fois de plus, conduit les deux hommes à se rencontrer ce jour-là.

L'individu en question était Abdul Qader Khan, le plus grand scientifique nucléaire du Pakistan. La petite taille de ce savant au physique anodin était compensée par le sourire vainqueur qu'il décochait aux femmes qui lui tapaient dans l'œil – et il y en avait beaucoup. En outre, il faisait preuve d'une imposante arrogance envers quiconque osait le défier. Il avait facilement accès aux dirigeants du pays ; les politiciens de moindre envergure ne prononçaient son nom qu'avec une certaine crainte. Ceux qui refusaient de faire ce qu'il leur demandait se retrouvaient exclus de son cercle de proches ; l'ancien Premier ministre, Benazir Bhutto, reconnaissait que, durant son mandat, même elle n'était pas autorisée à visiter les laboratoires de Khan. C'était là qu'en juillet 1976, il avait mis à profit ses années de recherches en Allemagne, en Belgique et aux Pays-Bas pour travailler sur les techniques de production de l'uranium enrichi nécessaire à la fabrication d'une bombe atomique. Huit ans auparavant, après que l'Inde voisine eut testé sa propre bombe atomique, Khan avait été nommé responsable du programme nucléaire pakistanais.

Le Mossad découvrit qu'à l'époque où il travaillait aux Pays-Bas pour le laboratoire de dynamique physique FDO, il avait accès au site d'enrichissement d'uranium du consortium Urenco à Almelo. Construite en 1970 par la Grande-Bretagne, la RFA et les Pays-Bas, l'usine produisait de l'uranium enrichi pour les réacteurs nucléaires européens. Pour cela, elle utilisait des centrifugeuses à la technologie ultrasecrète qui séparaient l'uranium fissible 235 de l'uranium 238 en faisant tournoyer un mélange de ces deux isotopes à une vitesse pouvant atteindre cent mille tours minute. Le Mossad découvrit que la maîtrise de cette technologie complexe avait permis à Khan de créer l'arsenal nucléaire pakistanais dans le plus grand secret. Sa mission accomplie, il s'en vanta à la une des journaux nationaux : « Nos détracteurs, ceux qui ont dit aux États-Unis que le Pakistan était incapable de fabriquer une bombe atomique, savent maintenant que c'est chose faite. » Pour des millions de Pakistanais, il devint une figure adorée et respectée, le génie qui avait procuré un moyen d'empêcher toute attaque préventive de la part de l'Inde.

Peut-être plus encore que tous les autres personnages du monde musulman dont parlaient les journaux, la radio ou la télévision, Khan conserva, au Pakistan, ce statut de figure légendaire. Adulé par le milieu des gens riches et célèbres, il se rendait régulièrement en jet privé sur la Côte d'Azur où on l'invitait à faire quelques tours en mer sur des yachts de luxe.

Le Mossad savait qu'Abdul Qader avait une autre face, plus sombre et beaucoup plus dangereuse pour Israël. Pendant l'une de ses virées européennes, un agent de l'Institut parvint à pénétrer dans sa chambre et ouvrir son attaché-case. À l'aide d'un appareil de la taille d'une boîte d'allumettes, il photographia des documents qui prouvaient que le scientifique avait acheté cinq mille aimants spéciaux à une société gouvernementale de Pékin. Ces aimants servaient à accélérer le processus d'enrichissement de l'uranium. D'autres documents démontraient qu'il était en contact avec d'autres pays aspirant à l'armement nucléaire tels que, notamment, la Corée du Nord, l'Irak et l'Iran. Dans son bureau aux murs couverts de livres se trouvait un rapport de la John F. Kennedy School of Government de l'université d'Harvard. Khan aimait montrer à ses visiteurs le passage qu'il avait surligné : « Une bombe de dix kilotonnes est introduite en secret à Manhattan et explose à Grand Central. Environ un demi-million de personnes sont tuées et les États-Unis subissent un dommage économique direct d'un milliard de dollars. » Khan refermait alors le livre d'un coup sec et le replaçait sur l'étagère sans le moindre commentaire, sachant avec certitude qu'il avait créé l'arme capable de permettre au Pakistan de faire une réalité de cet affreux scénario. Il était le type même du savant fou, motivé non seulement par la cupidité mais également par le fanatisme religieux et le mépris des valeurs occidentales. Ses laboratoires de recherche étant devenus une Mecque pour tous les scientifiques du tiers-monde qui sollicitaient son aide pour acquérir les compétences nécessaires à ce sombre art qu'est la fabrication des bombes atomiques, il gagna fortune et puissance. Mais il comptait désormais parmi les cibles du *Kidon*. L'unité avait déjà commencé le long et méticuleux processus qui consistait à s'assurer de la véracité de toutes les informations dont les assassins auraient besoin pour déterminer la façon la plus sûre de l'éliminer.

Le Mossad s'était déjà occupé d'un scientifique étranger considéré comme dangereux. Il s'appelait George Bull. Il avait créé pour Saddam Hussein un super canon capable de lancer depuis l'Irak des ogives nucléaires droit sur Israël. Le 20 mars 1990, trois *kidonim* l'exécutèrent sur le pas de la porte de son luxueux appartement bruxellois (voir *Histoire secrète du Mossad I*, chapitre VI, Les vengeurs). Cependant, il était plus compliqué d'assassiner Khan. C'était un héros national et les répercussions iraient au-delà de représailles directes contre Israël. Bien que Washington ait imposé des sanctions au Pakistan et à l'Inde pour avoir effectué des essais nucléaires, les États-Unis voulaient continuer à lutter contre la constante expansion de la Chine ; ils condamneraient Israël pour ce meurtre. Quoi qu'il en soit, on demanda au *Kidon* de préparer plusieurs « options » – c'est-à-dire d'effectuer les recherches approfondies qui constitueraient le prélude d'un éventuel assassinat de Khan. Un jour, Ari Ben Menashe qui, en son temps, ordonnait aux *kidonim* de préparer les « options » m'expliqua : « Cette partie du travail était essentielle dans ce genre d'opération. La tâche consiste principalement à apprendre à connaître la cible, ses habitudes et son mode de vie. Comment il réagit dans telle ou telle situation, ce qui déclenche certains comportements. Ce n'est qu'après cela qu'il devient possible d'élaborer un projet d'opération. »

Le *Kidon* étudia les images des apparitions de Khan aux informations télévisées et cinématographiques, ainsi qu'un nombre incalculable d'interviews dans la presse écrite ou de portraits parus dans les magazines. On nota le nom de ses associés – des collègues scientifiques au passé énigmatique qui travaillaient directement avec lui sur le programme nucléaire. On répertoria soigneusement ses voyages à l'intérieur du Pakistan, en Asie et en Europe. On enregistra que, lorsqu'il empruntait Pakistan Airways, il aimait avoir son siège préféré, le 3A en première classe, et que, dans les capitales européennes, il séjournait généralement dans des suites présidentielles. C'était là qu'il avait rencontré des diplomates chinois, iraniens et irakiens. Un grand nombre de ces suites étant déjà dans les ordinateurs du *Kidon*, il était possible d'y installer des micros si nécessaire. On enquêtait également sur ses préférences sexuelles. Y avait-il un type de femme qui lui plaisait particulièrement ? Parmi celles avec qui il avait été vu en public, y en avait-il que l'on pourrait faire chanter ?

À partir de nombreuses sources, le profil d'Abdul Khan fut soigneusement établi. Le recrutement d'Horaj faisait également partie du plan. Jamal ne le revit qu'après le 4 février 2004, le jour mémorable où Khan, assis dans un studio d'Islamabad, fit l'une des confessions les plus surprenantes de toute l'histoire de la félonie.

« Je suis entièrement responsable des activités du marché noir international de matériel d'armement nucléaire », avait-il déclaré.

Avant que sa nation, sous le choc, n'ait eu le temps de digérer l'information, le président pakistanais, Pervez Musharraf, vêtu d'un treillis de commando – il avait été général – prit sa place et annonça que, bien qu'il soit « choqué par ces révélations », il pardonnait néanmoins le scientifique – qu'il appelait « mon héros » –, compte tenu de ses services rendus au Pakistan. Ce prétexte était très loin de la réalité. Le Mossad savait parfaitement que Musharraf ne pouvait pas se permettre de faire passer Khan devant un tribunal.

Alors que le *Kidon* continuait de préparer le terrain en attendant la décision d'assassiner Khan, Meir Dagan et ses analystes interprétèrent les confessions du scientifique et la réaction tout aussi extraordinaire de Musharraf comme les signes évidents d'une vaste opération de camouflage visant à dissimuler l'importance de la complicité du Pakistan dans la prolifération nucléaire. Une couverture étayée par de cyniques manœuvres politiques. Tout avait commencé lorsque le Pakistan avait remporté l'estime de la Chine en prenant son parti dans son litige frontalier avec l'Inde. Les relations entre Islamabad et Pékin s'en étaient trouvées renforcées. Dans le casse-tête que forment les alliances politiques dans cette région, des contacts cordiaux s'établirent alors entre le Pakistan et la Corée du Nord, vieille alliée de la Chine. Au départ, il ne s'agissait que d'inviter des diplomates à des rencontres culturelles ou préliminaires. Mais à Islamabad, Khan attendait sans en perdre une miette ; son instinct politique affûté lui disait que la voie des transactions nucléaires ne tarderait pas à s'ouvrir.

La Chine prit également soin d'entretenir de bonnes relations avec l'Iran. Leurs bons rapports débutèrent en octobre 1984, lorsque le premier avion chargé de composants nucléaires atterrit à Téhéran. Par la suite, Pékin fournit trois réacteurs sous-critiques de puissance zéro ainsi qu'un séparateur électromagnétique d'isotopes destiné à la production d'uranium enrichi. Un réacteur thermique de recherche d'une puissance de quatre-vingts kilowatts suivit. Toutes les livraisons étaient observées par des taupes du Mossad en Iran.

Pendant ce temps, Saddam Hussein, en guerre contre l'Iran depuis huit ans, se tourna vers l'Inde pour commencer à bâtir son arsenal nucléaire. Pour encourager Delhi, il approuva publiquement les essais nucléaires indiens et l'Irak commença à recevoir du matériel permettant de produire de petites quantités d'uranium enrichi. Tout cela s'opéra dans le plus grand secret. Le matériel voyageait sous le libellé de « composants de machines agricoles ». Le Mossad décida de dévoiler l'affaire. Il ressortit une copie d'un vieux traité oublié de coopération nucléaire signé entre l'Inde et l'Iran en 1974. Puis, ce document fut remis aux médias iraniens. À Téhéran, la révélation causa la pagaille qu'espérait le Mossad.

Alarmés, les ayatollahs appelèrent la Chine à la rescousse. Mais, à ce moment-là, le gouvernement de Pékin s'était déjà engagé, aussi secrètement que lorsqu'il avait armé l'Iran, à fournir des missiles à l'Irak pour aider Saddam à réaliser son rêve de remodeler le Moyen-Orient à son image et ébranler la sécurité économique et politique du monde entier. Pékin suggéra que les ayatollahs invitent Abdul Qader Khan à Téhéran. Ce fut rapidement organisé. Khan reçut un faux passeport et des papiers le présentant comme un marchand de tapis. En vérité, l'homme n'était qu'un opportuniste, un scientifique qui, avec la bénédiction de son pays, partait échanger les plus grands secrets du Pakistan contre de l'argent.

Il rentra quelques semaines plus tard, perçu par ses hôtes comme le parrain de leurs espoirs nucléaires, non sans qu'une somme substantielle lui ait été versée sur un compte suisse. Ayant indubitablement apprécié les faveurs dont l'avaient gratifié les ayatollahs, Khan chercha les pays auxquels il pourrait fournir le même genre de services. Pour cela, il fit appel à l'Inter-Service Intelligence – ISI –, le plus puissant dispositif de sécurité pakistanais. L'agence employant un grand nombre d'agents antisémites, Khan y fut chaleureusement accueilli du fait de ses fréquentes attaques verbales envers Israël. Les documents qui allaient permettre au scientifique de transférer du matériel nucléaire étaient déjà prêts.

Après Téhéran, pour l'inépuisable Khan, l'étape suivante fut ce monde fermé qu'est la Corée du Nord. Il utilisa le fait que le Pakistan voulait acquérir du matériel militaire conventionnel auprès de Pyongyang. En échange, il accepta de livrer les plans de centrifugeuses dernier cri, les P1, idéales pour le programme nucléaire nord-coréen. Ce qui avait commencé par une transaction reposant sur les faits que la Corée du Nord avait besoin de devises solides et que le Pakistan manquait de matériel militaire conventionnel devint rapidement une opération de troc.

« L'un des plans de projet de Khan s'avéra valoir un plein container d'artillerie de terrain nord-coréenne », m'expliqua un analyste du Mossad.

En faisant du Pakistan la première puissance nucléaire du monde musulman, le travail de Khan avait rendu le pays beaucoup plus influent ; les énormes sommes versées sur ses divers comptes bancaires le prouvaient bien. Le Mossad calcula qu'à l'époque de ses aveux télévisés, il avait déjà perçu plus de dix millions de dollars. Cela faisait de lui l'une des plus grosses fortunes du Pakistan.

Le Mossad avait transmis toutes ces informations à la CIA au moment où George Tenet était sur le point de démissionner. Mais rien n'indiquait que l'administration Bush ait averti Musharraf qu'il devait mettre fin aux activités de Khan. On ne lui avait même pas demandé d'explications. En fin de compte, Washington se contenta de réagir modérément aux aveux télévisés de Khan. En fait, Richard Armitage, le secrétaire d'État adjoint, était très satisfait du pardon de Musharraf. Le visage impassible, il déclara : « Le président du Pakistan est l'homme qu'il faut où il faut. »

Les paroles d'Armitage vinrent renforcer l'idée que, pour Washington, la traque d'Oussama Ben Laden était devenue – ainsi que le formula un agent du Mossad fort d'une longue expérience de l'antiterrorisme – « ce qu'il y a de plus dangereux dans le milieu du renseignement, une chasse à l'homme motivée par une obsession qui écrase tout le reste. Dès le 11 septembre, Bush a fait une affaire personnelle de la capture de Ben Laden. Il était prêt à réquisitionner de gigantesques moyens financiers, humains et matériels pour le capturer. Quiconque était susceptible de l'y aider pouvait demander n'importe quoi. Musharraf appartenait à cette catégorie ».

Le président s'était accaparé le pouvoir lors d'un coup d'État en 1999. Après le 11 septembre, malgré la grande majorité de musulmans au Pakistan, dont une fraction est extrémiste, Musharraf apporta son soutien inébranlable à la guerre contre le terrorisme de Bush. C'était un énorme pari pour un président qui, à l'époque, avait déjà du mal à rester au pouvoir. Il avait déjà survécu à trois tentatives d'assassinat et se trouvait quotidiennement confronté non seulement aux dirigeants religieux dont l'antiaméricanisme était profondément enraciné, mais également à l'armée et à l'ISI qui désapprouvaient son soutien à la guerre contre le terrorisme. Pour un grand nombre d'entre eux, Ben Laden était un héros populaire. Quand il déménageait d'un point à l'autre dans les montagnes afghanes qui longent la frontière nord-ouest, avec toujours un temps d'avance sur les forces spéciales américaines qui étaient à ses trousses, il était aidé par l'ISI.

À l'époque où Khan fit ses aveux télévisés, les forces spéciales repérèrent une fois de plus les traces de Ben Laden près des provinces du nord du Pakistan. Les images furent envoyées au Commandement des opérations spéciales mixtes, à Fort Bragg, en Caroline du Nord, ainsi qu'à la CIA, puis enfin au Pentagone et au département d'État. Tout le monde s'accordait à admettre que les temps étaient sensibles. Juste une semaine plus tôt, au Forum économique mondial de Davos, en Suisse, Musharraf avait déclaré qu'il n'autoriserait pas les troupes américaines à rechercher Ben Laden au Pakistan. Washington s'était contenté de grincer des dents en silence.

À la base du Mossad, dans la capitale américaine, on avait reconstitué le puzzle qui permettait de comprendre ce qui ressortait réellement de ces événements. Washington ne voulait pas forcer Musharraf à faire juger Khan pour son trafic d'armes nucléaires. Au contraire, le gouvernement américain restait concentré sur le fait que le Pakistan continuait à soutenir la guerre contre le terrorisme. En échange, l'armée pakistanaise et l'ISI devaient rechercher Ben Laden. Les forces spéciales américaines seraient autorisées à participer mais sous commandement pakistanais. Sur le terrain, cela ne pouvait aboutir qu'à une suspicion réciproque, et ce fut donc sans surprise qu'après quatre semaines sans la moindre trace de Ben Laden, les recherches furent abandonnées.

Depuis son premier discours enregistré, dans lequel il se réjouissait de la destruction des tours jumelles et du Pentagone, Ben Laden en avait réalisé bien d'autres. Selon les spécialistes du Mossad – psychiatres, psychologues et comportementalistes –, il parlait toujours comme un homme qui se serait forgé sa propre réalité. Leur conclusion (qu'il m'a été donné de lire) était la suivante : « C'est la mort qui est au centre de ses pensées. Son attitude et sa façon de parler indiquent que la mort fait désormais partie intégrante de son existence. Il n'est pas motivé par la haine. Il y a en lui une force plus profonde, bouillonnante et émergeante. Il ne se contente pas de parler comme un démagogue de rue ordinaire. Sa voix exprime ce que l'on pourrait appeler "le mal du véritable mal". Hitler et Staline possédaient les mêmes caractéristiques oratoires. Il est poussé par une violence masquée. Cela lui permet d'agir de façon totalement détachée envers ceux qui, selon lui, n'ont pas le droit de vivre. »

L'arrivée de sa dernière vidéo en novembre 2004 causa un frisson d'excitation chez les analystes du Mossad. Elle avait été réalisée dans un studio de télévision, avec un bon son et un bon éclairage. Il était filmé devant une tenture de soie ; on savait que sa couleur jaune était celle de sa fleur afghane préférée. Mais c'était Ben Laden lui-même qui intéressait les analystes. Ses djellabas n'étaient plus celles d'un montagnard mais celles d'un citadin fortuné. Sa canne et sa kalachnikov en bandoulière – accessoires toujours présents sur les vidéos précédentes – avaient disparu. Sa barbe était bien taillée, son regard clair et sa peau saine. Il ne ressemblait plus à un homme malade comme sur les autres enregistrements. Son élocution était calme et mesurée alors que, sur les anciennes cassettes, on avait noté qu'il marmonnait et hésitait. Tout portait à croire qu'il avait été conseillé. Lorsqu'il parlait, il s'adressait à la caméra.

Les analystes du Mossad se demandaient si la vidéo avait pu être enregistrée au Pakistan, voire dans l'une des provinces du nord-est de la Chine, où plusieurs millions de musulmans cohabitaient tant bien que mal avec le régime de Pékin. Secrètement, des milliers d'entre eux étaient des partisans d'Al-Qaïda, appartenant à des gangs de contrebandiers qui faisaient passer des êtres humains et des narcotiques en Occident. Les analystes étaient convaincus qu'on avait confié à l'une de ces bandes la mission de livrer la cassette à Al-Jazeera. Comme d'habitude, la chaîne affirma formellement, et publiquement, ne pas savoir comment l'enregistrement était arrivé entre ses mains.

Mais en cette journée de printemps 2005, si Jamal rencontrait Horaj, ce n'était pas pour avoir une confirmation de plus que, malgré ses vives protestations, la Chine offrait *bel et bien* l'asile à Ben Laden, mais pour en savoir plus sur un passage souterrain qu'empruntaient les transfuges chinois et nord-coréens lorsqu'ils entamaient leur périlleux voyage vers la liberté occidentale. Le Mossad était surtout intéressé par un scientifique nord-coréen qui avait travaillé sur l'armement génétique.

Depuis mars 1984, quand les pilotes de Saddam Hussein avaient fait cinq mille morts en quelques minutes en larguant des bidons de cent litres d'agents chimiques sur la population kurde du bidonville de Halabja, la menace d'une attaque biologique contre Israël était devenue une priorité pour le Mossad.

Des agents russophones repérèrent des scientifiques qui avaient travaillé autrefois pour le très secret département 12 du premier directorat général du KGB. Ils étaient chargés de l'espionnage biologique ainsi que de la préparation et de la planification du terrorisme et de la guerre biologiques. Les États-Unis, la Grande-Bretagne et Israël comptaient parmi les cibles de prédilection du département 12. Dans leurs laboratoires moscovites, les biologistes avaient réussi à transformer en armes certains des plus dangereux virus du monde : Ebola, anthrax, variole et baculovirus. Ils travaillaient également sur les gènes responsables des caractéristiques sexuelles, ethniques ou anthropologiques. Ils faisaient également des recherches sur une toxine qui dégradait les processus mentaux humains, entraînait une peur incontrôlable et finissait par tuer. On avait également élaboré des substances spécialement conçues pour empoisonner les réservoirs d'eau, les stocks alimentaires et les usines pharmaceutiques. D'autres scientifiques du département 12 avaient échafaudé un complexe système aéroporté de propagation de la peste, la « mort noire » du Moyen Âge, et du tout aussi mortel botulisme. Les agents du Mossad découvrirent qu'après la chute de l'Union soviétique, de nombreux scientifiques furent recrutés en Corée du Nord et en Chine.

On découvrit également des liens entre ces pays et des recherches sur les armes génétiques, menées en Afrique du Sud du temps de l'apartheid : le projet Coast avait pour objectif spécifique de créer une bombe ethnique. Le directeur de ce projet, Wouter Basson, était un scientifique talentueux mais aussi impitoyable qu'amoral, dont les compétences en matière de fabrication d'armes biologiques lui valurent, plus tard, d'être présenté par l'archevêque Tutu comme « le disciple du diable, au service du plus diabolique aspect de l'apartheid ». Derrière des sociétés écrans qui prétendaient faire des recherches classiques, le projet Coast recueillait des informations scientifiques dans le monde entier. Certaines d'entre elles arrivaient dans un petit cottage de location près d'Ascot, dans le Berkshire, en Angleterre. Une adresse aux sonorités aussi bucoliques que *1, Faircloth Farm Cottage, Watersplash*, n'était pas de celles que l'on soupçonnerait de recevoir du matériel d'armement bactériologique provenant, entre autres, de scientifiques nord-coréens. Mais, pour les chercheurs du projet Coast – vu à quel point l'Afrique du Sud était isolée de la communauté scientifique internationale du temps de l'apartheid –, ce cottage était un moyen d'échanger des données en échappant à la surveillance du MI-5. Plus tard, ils s'installèrent en Irak et en Libye, puis enfin, en Iran.

Au début les ayatollahs refusèrent de continuer à produire des armes biologiques car elles étaient contraires à la doctrine islamique, une vérité que les propagandistes du Mossad surent adroitement promouvoir dans tout le Moyen-Orient. Mais après que l'Irak eut massacré des civils kurdes, le régime de Téhéran détourna cet enseignement du Coran et le Majlis, c'est-à-dire le Parlement iranien, vota à l'unanimité en faveur de la production massive d'armes biologiques et chimiques. Les documents que les scientifiques sud-africains avaient laissé derrière eux après leur visite à Téhéran furent ressortis du placard par les récentes Brigades Al-Quds (le nom arabe de Jérusalem) à qui fut également confiée la mission de fournir une force de feu à l'Iran en attendant que son arsenal nucléaire soit opérationnel. Grâce aux travaux des Sud-Africains, les progrès ne pouvaient qu'être rapides.

Dans l'un des documents du projet Coast (que j'ai eu entre les mains), on pouvait lire : « Pour parvenir à fabriquer une bombe ethnique, il est impératif d'isoler des différences minimes, mais fondamentales, du code génétique humain. Elles sont de l'ordre de moins d'un dixième de pour-cent mais ce chiffre minuscule, qui représente cependant trois millions de lettres dans le code génétique, permet de différencier un individu d'un autre. Cela permet également d'identifier les dissemblances entre les grands groupes ethniques. Celles-ci sont exploitables en tant qu'arme militaire. » Le projet Coast avait pour objectif d'isoler l'ADN de certains gènes spécifiques afin qu'ils puissent être attaqués par les micro-organismes mortels que les chercheurs étaient en train d'élaborer dans leurs laboratoires. Comme au département 12, le procédé était baptisé « bombe ethnique » et son but était de frapper d'incapacité, voire de tuer, la population noire d'Afrique du Sud. Les travaux en étaient encore à leurs balbutiements lorsque le régime de l'apartheid s'effondra.

En la personne du docteur Larry Ford, un gynécologue mormon, basé à la faculté de l'université de Californie, à Los Angeles, le Mossad découvrit un individu haut en couleur qui, lui aussi, avait travaillé avec l'Afrique du Sud et la Corée du Nord. Avec sa feinte prévenance, sa tenue décontractée et ses baskets montantes, aucune de ses patientes ne se serait jamais doutée qu'il était pareil aux méchants des thrillers de la bibliothèque de sa salle d'attente. Le docteur Ford avait noué des liens étroits avec Wouter Basson et, par son intermédiaire, avec les tout aussi sinistres scientifiques nord-coréens. Pas une de ses patientes ne soupçonnait le docteur Ford de transporter des toxines mortelles dans ses bagages lorsqu'il se rendait régulièrement en Afrique du Sud. Où il se les procurait, qui autorisait leur passage hors des États-Unis, et qui était l'utilisateur final étaient autant de mystères que le docteur Ford emporterait dans sa tombe. Il se suicida au printemps 2000. Lorsque les policiers qui travaillaient sur l'affaire ouvrirent le réfrigérateur de sa maison d'Irvine, en Californie, ils y trouvèrent suffisamment de fioles pour empoisonner, selon l'un des agents, « tout l'État, sans le moindre problème. Nous savions qu'il ne s'agissait pas d'une affaire de suicide ordinaire ». Certains flacons contenaient des cultures de choléra, de botulisme ou de fièvre typhoïde. On n'a jamais su comment ils étaient arrivés là.

Après la guerre en Irak, le Mossad fut autorisé à interroger le docteur Rihab Taha, la célèbre Dr Germ (« Dr Microbe »), qui avait dirigé le programme d'armement biologique de Saddam Hussein. Toujours prête à faire des expériences terminales sur des humains et constamment à l'affût de nouveaux moyens de transformer des microbes en armes redoutables, cette biologiste mince aux cheveux châtains était très appréciée par le dictateur irakien. Née dans une famille dirigeante baath, elle avait acquis ses connaissances à l'université d'East Anglia, à Norwich, en Angleterre. Elle était arrivée à l'aéroport d'Heathrow en 1979, en première classe, sur un vol d'Iraqi Airlines en provenance de Bagdad. Ses valises contenaient des vêtements de stylistes parisiens. Taha paya ensuite une course de cent cinquante dollars pour se rendre à l'université en taxi. Personne n'y prêta attention : les étudiants étrangers avaient la réputation d'être dépensiers. Elle s'était inscrite pour étudier les maladies des cultures agricoles. Elle avait vingt-trois ans et l'habitude de mâchonner, sans grâce, des tiges de fleurs, ce qui lui avait prématurément jauni les dents. Bien que les autres étudiants la trouvaient hautaine, ses professeurs appréciaient son acharnement et avaient de la peine pour elle lorsque ses résultats trimestriels s'avéraient décevants. Personne ne soupçonnait qu'il s'agissait là d'un stratagème ayant pour but de s'assurer qu'elle resterait bien dans cette université jusqu'à la fin de ses études.

L'idée venait de son contrôleur, un membre des services secrets irakiens basé à l'ambassade londonienne. Ainsi, elle avait accès en permanence à des documents confidentiels concernant l'armement biologique, dont certains émanaient de Porton Down, le centre britannique de recherches sur les armes biochimiques. On y expliquait comment l'anthrax, le botulisme et diverses autres toxines pouvaient être transformés en armes. Elle apprit comment pulvériser des germes mortels dans une galerie marchande ou disposer des minibombes en divers endroits d'un stade. On pouvait accomplir tout cela avec à peine plus de matériel que celui que l'on trouve généralement dans un laboratoire scolaire. Lorsque Taha rentra en Irak en 1984, titulaire d'une licence en microbiologie, elle intégra une petite équipe d'autres Irakiens formés en Grande-Bretagne dont le rôle consistait à piloter le programme biologique de Saddam. Après en être devenue la directrice en 1986, elle abandonna ses vêtements de haute-couture pour les treillis de combat qui avaient la préférence de Saddam et teignit ses cheveux au henné. Elle installa ses laboratoires dans la périphérie de Bagdad, à l'institut Al-Hasan Ibn al-Haythan. Ce fut là qu'elle tua ses premières victimes : des nourrissons enlevés à des prisonnières à qui elle injectait les germes de la dysenterie.

Pendant l'été 2004, le docteur Taha, alors aux mains des Américains, essaya d'échanger sa vie contre celles des otages américains, britanniques et irlandais que détenait un groupe de terroristes islamistes fanatiques en Irak. Quand les États-Unis refusèrent le marché, les otages furent décapités par le chef de ce groupe, un certain Abou Moussab al-Zarqaoui.

À Tel-Aviv, le comité des directeurs de services se réunit cette année sous la présidence de Meir Dagan et ses membres s'entendirent sur le fait qu'après l'Iran, c'était la Corée du Nord qui représentait le plus important danger bioterroriste pour Israël. Le régime continuait à menacer de détruire l'État hébreu en fournissant à l'Iran des fusées capables de larguer des ogives bactériologiques. Le Mossad savait que Pyongyang avait failli expédier par bateau un container d'ogives à Téhéran. Grâce à ses contacts officieux avec la CIA, Meir Dagan avait demandé à Porter Goss de persuader la Maison Blanche de faire pression sur Pékin pour annuler la livraison. Un coup de téléphone de Condoleezza Rice produisit l'effet escompté. Mais à Tel-Aviv, on estimait que cette intervention était bien loin d'être suffisante pour interrompre le trafic mortel et illégal entre les deux États parias.

La réunion s'acheva sur une requête. Dagan devrait envoyer une petite équipe d'agents en Corée du Sud pour découvrir ce qui se passait de l'autre côté de la frontière, chez les voisins du Nord. Jamal faisait partie de cette unité. Sous la couverture d'homme d'affaires iranien vendant des produits manufacturés, il échafauda un réseau d'informateurs dans toute l'Asie du Sud. L'un d'entre eux était Horaj, l'homme qui, le premier, l'avait renseigné sur ce qu'on allait bientôt appeler au Mossad, le « Nouvel Exode », c'est-à-dire le passage secret qu'empruntaient les fuyards pour échapper au dur régime de la Corée du Nord. Pour ces derniers, la situation était devenue similaire à celle de l'Exode biblique.

Ce passage avait une longue et fascinante histoire. Créé par la CIA à la fin de la guerre de Corée, il avait servi à faire passer en Chine ses propres agents et des informateurs importants venus de Corée du Nord. Ces hommes étaient transférés d'une planque à l'autre et escortés par des guides pour traverser les villes et les villages chinois jusqu'aux frontières du Cambodge, du Laos ou de Hongkong. Les guides n'étaient pas payés, ou très peu, pour accomplir cette tâche dangereuse. L'un d'entre eux s'exprima probablement au nom des autres lorsqu'il déclara à un contrôleur de la CIA : « Je fais ça pour la démocratie. »

Le voyage pouvait prendre des semaines, parfois des mois. Plus tard, un agent de la CIA qui participa à l'organisation de l'opération me confia : « C'était comme avancer sur une voie ferrée sur laquelle on ne peut jamais savoir quand le feu va passer du vert au rouge. Ensuite, tout s'arrêtait jusqu'à ce que le vert revienne. »

Pour sortir de Chine, l'itinéraire était des plus tortueux. Il fallait souvent revenir sur ses pas, et on se déplaçait aussi bien par la route que par les voies fluviales ou le train. Parmi ceux qui se sont lancés, beaucoup ne sont jamais arrivés jusqu'à la frontière ; le risque de trahison était une menace permanente. Les espions de la Sécurité publique chinoise et les formidables services secrets du pays formaient un duo effrayant. Nul ne sait combien d'agents de la CIA et d'informateurs se sont fait prendre et n'ont plus jamais donné signe de vie. Finalement, l'itinéraire fut abandonné. Ensuite, dans les années 1990, on a recommencé à entendre parler de la perversion du régime nord-coréen. Les transfuges tenaient tous le même discours et décrivaient une nation au bord de la famine où sévissaient la torture et les travaux forcés. Le plus terrifiant, c'était lorsque des membres de leur famille racontaient les expériences inhumaines que l'on faisait subir à ceux qui avaient été pris après avoir réussi à franchir l'un des points de passage de la frontière longue de plus de mille quatre cents kilomètres qui les séparaient de la Chine. Ceux qui avaient fui leur pays ne trouvaient pas vraiment de soulagement dans celui-ci. Selon les estimations, on y comptait cinq millions de prisonniers, enfermés dans des camps aussi sordides que les goulags nord-coréens. Lorsqu'ils se faisaient arrêter, les demandeurs d'asile étaient immédiatement reconduits de l'autre côté de la frontière où les y attendait inévitablement interrogatoires, torture et mort.

Pour les aider, deux remarquables activistes, défenseurs des droits de l'Homme, rouvrirent le passage. Dans les dossiers du Mossad, leurs profils les dépeignaient comme deux êtres nobles.

Douglas Shin et Norbert Vollertsen approchaient tous deux de la cinquantaine et venaient de milieux culturels foncièrement différents. Shin était un pasteur américano-coréen, ordonné après une carrière d'homme d'affaires et de réalisateur de cinéma. Il vivait dans la paroisse dont il était responsable dans la banlieue de Los Angeles. Il était poli mais méfiant ; il ne cédait à une ardeur néanmoins maîtrisée que lorsqu'il parlait des forfaitures inacceptables de la Corée du Nord envers son peuple. Dans ces moments-là, son discours débordait de métaphores religieuses et, dans ses yeux, il était impossible de ne pas lire sa douleur et sa colère. Il avait tendance à vous faire sentir que si vous n'apportiez rien à la solution qu'il attendait, alors c'était que vous faisiez partie intégrante des nombreux problèmes qu'il rencontrait en essayant de sauver des gens de la terreur du régime de Kim Jong-Il. Il était l'un des deux « chefs de gare » du Nouvel Exode. L'autre était Vollertsen.

Assez grand, robuste et large d'épaules, Vollertsen ressemblait physiquement, et parfois dans son discours, à l'un de ces manifestants hippies qui avaient, en leur temps, envahi les rues pour protester contre la guerre du Vietnam et, plus tard, contre la fabrication d'armes nucléaires. Certains le trouvaient « un peu fou » ; d'autres estimaient que le monde aurait besoin de davantage d'hommes de sa trempe. Vollertsen acceptait les louanges de la même façon qu'il accueillait les propos de ses détracteurs ; en laissant un sourire monter lentement sur ses lèvres et en passant sa main dans ses longs cheveux, symbole d'une génération passée. « Cela le rendait désarmant, même lorsqu'il continuait à défendre ses positions jusqu'à ce qu'il ne reste plus un seul point sur lequel argumenter », pouvait-on lire dans son dossier au Mossad.

Après avoir étudié, entre autres, la politique et le journalisme à Düsseldorf, Vollertsen devint médecin, se maria et eut quatre enfants. Mais à la veille du nouveau millénaire, tout cela allait changer. Il reprochait aux autorités médicales allemandes leur façon de gérer les affaires de santé publique. Ignoré, il invita ses patients à participer à une manifestation. C'était la première fois qu'un médecin faisait cela en Allemagne. Mais on ne faisait toujours pas attention à ses revendications. Il organisa de nouvelles manifestations de patients. Dans la ville conservatrice de Göttingen, l'association médicale dont il faisait partie le désavoua. Sa femme finit par divorcer, affirmant qu'il était « fou ». Avec ses longs cheveux blonds et son épaisse moustache, il avait l'air d'une rock star vieillissante. Il intégra ensuite une organisation appelée « German Emergency Doctors » qui envoyait des médecins là où l'on avait besoin d'aide humanitaire. On lui donna le choix entre le désert brûlant du Soudan ou la Corée du Nord. Il lut plusieurs guides de voyages sur le premier de ces pays mais n'en trouva aucun sur le second. Il décida que ce serait donc là qu'il irait.

Shin était arrivé de la Corée du Sud en Californie à l'âge de vingt ans. Mais il n'avait jamais oublié ce qu'il se passait en Corée du Nord et, à l'époque où il devint pasteur, tout ce qu'il avait lu ou entendu jusque-là l'avait beaucoup marqué. Il commença à tracer les grandes lignes de ce qui allait devenir le Nouvel Exode et s'intéressa aux organisations humanitaires du monde entier.

Pendant ce temps, en Corée du Nord, Vollertsen se trouvait régulièrement confronté au silence terrifié des patients lorsqu'on les interrogeait sur leur vie. Lorsqu'il quitta le pays, à la fin de son contrat, il se lança dans une campagne féroce contre le régime. Il se mit à la recherche de réfugiés nord-coréens et répéta inlassablement leur histoire à qui voulait l'entendre : journalistes, politiciens et organisations consacrées aux droits de l'homme. Il voyagea dans toute l'Asie, y donna des conférences et y lança des appels ; il reconnaissait qu'il était animé par la colère de celui dont on a ouvert les yeux. Son mot d'ordre – « informer, provoquer, mobiliser » – devint son cri de ralliement. Sa voix et celle de Shin s'unirent dans l'objectif commun de faire connaître la situation critique de tous ceux qui étaient pris au piège de la Corée du Nord ou qui avaient fui leur pays pour l'environnement hostile de la Chine. Le Nouvel Exode devint le point central de leurs actions. En 2004, plus de trois cent mille personnes l'avaient vécu.

En Chine, le long de « quais de gare » invisibles – des planques urbaines, des fermes en pleine campagne, des bateaux sur les cours d'eau –, des agents secrets et leurs informateurs attendaient. Comme d'habitude, Jamal et les autres agents du Mossad travaillaient seuls. C'était leur méthode. Leurs ordres étaient simples : repérer tout transfuge susceptible de fournir des informations récentes sur la Corée du Nord et le développement d'armes de destruction massive. Par la suite, les espions et les informateurs s'unirent pour une mission commune : localiser le docteur Ri Che-Woo. Il s'agissait indubitablement du plus important des fuyards qui parcouraient la route du Nouvel Exode.

Microbiologiste, le docteur Ri dirigeait un projet plus confidentiel encore que tous les autres, dans un pays où le secret lui-même est inculqué dès la naissance. Tout comme le projet Coast du département 12 avait tenté de fabriquer des bombes ethniques, le docteur Ri, à l'institut 398, situé à Sogram-ri, dans le sud de la province de Pyongyang, travaillait au développement d'une arme similaire visant, cette fois, les populations blanches de la planète. Le fait que l'institut soit entouré par trois bataillons de troupes dénotait bien son importance. C'était un transfuge qui avait fourni les premiers éléments sur le travail du docteur Ri. Au cours des mois qui suivirent, d'autres apportèrent de nouvelles informations donnant à penser que le docteur et ses deux cent cinquante généticiens étaient allés plus loin dans leurs recherches que les Sud-Africains et les Russes ne l'avaient jamais été. Là, plusieurs mois plus tard, Horaj avait demandé à voir Jamal pour lui donner des renseignements que le Mossad, plus que tout autre service, attendait avec impatience. Le docteur Ri était quelque part sur la dangereuse route du Nouvel Exode, à essayer de s'échapper vers la liberté. Norbert Vollertsen avait appris que le docteur transportait un dossier décrivant les expériences sur les humains qui avaient lieu dans le cadre du programme d'armement biologique de la Corée du Nord. Les agents secrets occidentaux surveillaient la Sécurité publique et le SIS chinois qui, eux, tentaient de localiser le docteur Ri. Mais dans une population de plus de un milliard trois cent mille individus, habitués à être constamment espionnés, le microbiologiste avait réussi à se volatiliser dans les airs plus vite que les feux d'artifice des célébrations du nouvel an chinois.

À Tel-Aviv, les scientifiques du Mossad consultèrent les chercheurs qui, travaillant dans certains des plus grands instituts du monde, appartenaient à leur réseau. L'un d'entre eux se souvenait qu'au plus fort de l'intervention américaine au Nicaragua, l'idée de créer une bombe ethnique avait mobilisé les généticiens de la CIA. On leur avait demandé de localiser ce qu'on appelait à l'Agence « le gène nicaraguayen ». On dépensa des sommes astronomiques pour obtenir des échantillons sanguins de Nicaraguayens et les étudier dans les laboratoires de la CIA. On n'identifia aucun gène spécifique au Nicaragua. On abandonna le projet qui fut plus tard ressuscité pour tenter d'isoler « le gène cubain ». Ces recherches n'aboutirent à rien non plus.

Mais les recherches du docteur Ri démontrèrent que la fabrication d'une bombe ethnique ne relevait plus du fantasme. Elle était devenue ce que le Prix Nobel de physiologie, Joshua Lederberg, appela le « monstre dans notre cour ». Selon les prévisions de l'anthropologue John Moore, un expert reconnu en ce qui concerne une telle menace, une bombe ethnique déclencherait des variations génétiques qui, à leur tour, pourraient entraîner une contagion humaine à grande échelle, susceptible d'atteindre des taux de mortalité qui, comme dans la fiction de Michael Crichton, *La Variété Andromède*, aboutiraient à l'anéantissement de toutes les espèces.

Quand Jamal et Horaj se séparèrent après leur rencontre dans l'Hindu Kush, l'agent du Mossad était en possession d'une photo du docteur Ri. On y voyait un Coréen typique, petit et râblé, avec un agréable visage arrondi et des yeux très écartés derrière des lunettes. La photo était accompagnée d'un *curriculum vitae* révélant son importance. Il était, en effet, diplômé de l'université d'industrie chimique de Hamhung, qui formait des scientifiques pour les programmes nucléaires, chimiques et biologiques de la Corée du Nord.

Au cours des années qui suivirent, le docteur Ri fut transféré d'un centre biotechnologique à l'autre et il lui arriva de rencontrer certains des trente-huit mille scientifiques et techniciens recrutés dans l'ex-Union soviétique pour travailler sur le programme d'armement biologique. D'autres étaient partis en Chine, en Syrie, en Libye et en Iran.

En 1999, il fut muté à l'institut 398 de Sogram-ri. Des images satellites que la NSA transmettait régulièrement au Mossad montraient que l'enceinte faisait environ huit cent mètres carrés et était bordée de routes où circulaient de nombreuses patrouilles. Parmi les bâtiments d'apparence quelconque qui composaient le site se trouvaient le quartier général, le service des communications, une caserne et des réservoirs pour le stockage du carburant. Les logements des officiers et des scientifiques étaient situés sur un côté, près de l'entrée d'un tunnel. Les photos-interprètes pensaient qu'il conduisait au complexe souterrain dans lequel travaillaient le docteur Ri et son équipe.

Cet institut était dirigé par le docteur Yi Yong Su. Des sources avaient établi que cette généticienne de cinquante et un ans était très respectée, et même crainte, par ses collègues. On la savait très proche de Kim Jong-Il, qui avait succédé à son père en 1994 en tant que chef suprême du pays.

La nouvelle que le docteur Ri avait l'intention de fuir n'alerta pas uniquement le Mossad mais également la CIA, le MI-6 et les services secrets allemands, français et australiens. Ainsi que cela se produit souvent dans le monde du renseignement, on eut vent d'une rumeur : le docteur Ri se dirigerait vers Guangzhou, la ville portuaire de la province de Canton dans le sud de la Chine. Hongkong ne se trouvant pas loin, il serait peut-être possible de faire embarquer clandestinement le microbiologiste sur l'un des nombreux bateaux étrangers qui mouillaient au port. Au premières lueurs du jour – la date exacte ne fut jamais révélée –, le docteur Ri, vêtu d'un bleu de travail foncé, se présenta à l'entrée de service de l'hôtel Guangdong. En plus de tous ses luxueux équipements, l'hôtel abritait également plusieurs consulats étrangers à son quinzième étage. Le docteur Ri y entra à l'aide d'une carte magnétique ; nul n'a jamais su comment il l'avait obtenue. Mais, à l'intérieur de l'hôtel, il se retrouva face à des agents de la Sécurité publique chinoise. Peu de temps après, on le fit monter dans une camionnette de police et on l'emmena.

À Tel-Aviv, le dossier du docteur Ri fut fermé et envoyé aux archives. Jamal et les autres agents du Mossad qui avaient espéré trouver le scientifique et le convaincre de travailler pour Israël furent dépêchés à d'autres missions. Ils savaient que, par la nature même de leur travail, une autre « cible opportune » finirait inévitablement par apparaître.

Au début du mois de mai 2005, un des informateurs de Jamal lui signala qu'à Rawalpindi deux hommes détenus par l'ISI avaient révélé à leurs interrogateurs qu'on leur avait demandé de participer à un attentat dans le métro londonien. Les deux hommes furent identifiés comme Zeeshan Hyder Siddiqui, arrêté par des agents pakistanais à Peshawar et Mohammed Naïm Noor Khan, arrêté à Lahore.

Sur les ordinateurs du Mossad, ils figuraient déjà tous deux sur la liste des membres des quarante-cinq groupes extrémistes pakistanais. Khan appartenait au Jundullah, la « Brigade divine », et Siddiqui, au Harkat Jihad-e-Islami, le « Mouvement pour le Djihad islamique ». Les deux groupes étaient affiliés à Al-Qaïda.

Aussi insuffisantes qu'aient pu être les informations recueillies par Jamal, Meir Dagan n'en envoya pas moins un message codé à Eliza Manningham-Buller, la directrice du MI-5. Après des mois de froid entre le Mossad et les services britanniques – à cause de la présence du MI-6 à Gaza pour tenter de trouver un arrangement avec le Hamas –, les relations étaient redevenues normales depuis que le patron du Mossad était allé parler à John Scarlett. Les deux hommes et Eliza Manningham-Buller s'étaient réunis pour déjeuner dans une salle privée du *Traveller's Club*. Leurs propos n'ont jamais été révélés. Mais, peu de temps après, les agents du MI-6 quittèrent Gaza, et Nathan, le chef de la base londonienne du Mossad, reçut un compte-rendu détaillé des réponses que Siddiqui et Khan avait données aux questions des deux agents du MI-5 qui étaient allés les interroger au Pakistan. Les détenus avaient avoué être de proches associés des musulmans britanniques qui avaient perpétré un attentat-suicide dans une discothèque de Tel-Aviv deux ans auparavant. Ils donnèrent également de nouveaux renseignements sur l'étendue du réseau d'Al-Qaïda dans la communauté musulmane britannique.

IV

Terreur sur le Web

À la base londonienne du Mossad, se procurer tous les journaux en arabe, ourdou et autres langues moyen-orientales qui paraissaient dans la capitale britannique faisait partie de la routine quotidienne car la ville restait un centre névralgique pour les intégristes islamiques qui abhorraient Israël et l'Occident.

Après une première évaluation, les analystes de la base londonienne faisaient parvenir les articles à Tel-Aviv par la valise diplomatique qui partait chaque jour de l'ambassade. Là-bas, on comparait les noms publiés à ceux qui figuraient sur la liste toujours plus longue des hommes d'Al-Qaïda qui avaient été pris et expédiés secrètement par la CIA vers des centres d'interrogatoire où les conventions de Genève et la loi américaine n'avaient pas cours. Il arrivait parfois que des membres de la famille des présumés terroristes fournissent des précisions sur les lieux de leur capture dans les journaux arabophones, ce qui aidait les analystes du Mossad à se faire une idée plus précise des activités de la CIA. Si l'Institut agissait ainsi, ce n'était pas parce qu'il désapprouvait la torture – loin de là – mais simplement pour protéger Israël. Pendant des années, Amnesty, la Croix-Rouge internationale et plusieurs autres organisations consacrées aux Droits de l'homme ont condamné l'État hébreu pour la dureté des ses techniques d'interrogatoire et de ses conditions d'emprisonnement. Si jamais, un jour, les États-Unis se trouvaient obligés d'enquêter sur les interrogatoires coercitifs israéliens, le dossier que le Mossad était en train de construire prouverait qu'il n'était pas la seule agence à utiliser de telles méthodes.

Deux avions loués à une compagnie privée du Massachusetts, Premier Executive Transport Services, jouèrent un rôle central dans l'une des opérations de la CIA. L'un était un Gulfstream de quatorze places, immatriculé N379P, et l'autre, un Boeing 737 blanc, immatriculé N313P (plus tard, la compagnie refusa de me parler de cette location). Le Mossad se procura les carnets de bord des deux avions. Ils retraçaient tous les voyages qu'ils avaient effectués vers divers pays réputés ne pas attacher trop d'importance aux Droits de l'homme ; en octobre 2005, on recensait quarante-neuf vols vers la Jordanie, l'Ouzbékistan, l'Égypte et la baie de Guantanamo. Bob Baer, un ancien agent de la CIA au Moyen-Orient, déclara plus tard (au *Washington Post*) : « Si on veut un interrogatoire musclé, on envoie les prisonniers en Jordanie. Si on veut qu'ils soient salement torturés, on les envoie en Égypte, d'où ils ne reviennent jamais. Si on veut qu'ils soient encore plus salement torturés pour obtenir des informations, on les envoie en Ouzbékistan. » Craig Murray, l'ancien ambassadeur britannique en Ouzbékistan, fut renvoyé à l'automne 2004 pour avoir laissé fuir une note de service adressée à Jack Straw, secrétaire des Affaires étrangères, dans laquelle le diplomate avouait que certains prisonniers étaient « bouillis vivants » avant d'ajouter : « Les interrogateurs formés en Union soviétique pratiquent la torture sous l'œil des agents de la CIA basés dans ce pays que l'on considère comme un proche allié du gouvernement Bush. »

Un agent du MI-6 m'a également confié : « Je sais personnellement que les prisonniers sont attachés à leur siège et qu'ils sont souvent bâillonnés et drogués pendant les vols. »

Certains avions ont été autorisés à traverser l'espace aérien israélien en revenant du centre d'interrogatoire de la CIA à Kaboul que l'on surnomme « le trou ». Ce dernier n'était que l'un des très nombreux centres secrets de détention répartis dans le monde entier, dont certains ne dépassaient pas la taille d'un container de cargaison alors que d'autres étaient aussi grands que le complexe de Guantanamo. Najib al-Nuaimi, ancien ministre de la Justice du Qatar, représentant les familles de douzaines de ceux qu'il appelle « les disparus » m'a déclaré : « Personne ne saura jamais combien sont partis. Mais il s'agit probablement de plusieurs milliers. »

Les conditions d'incarcération ont été observées par l'organisation new-yorkaise, Human Rights Watch : « Ils sont continuellement attachés, forcés à rester éveillés pendant de longues périodes et contraints de demeurer agenouillés ou debout pendant des heures dans des positions douloureuses. »

Le Mossad a découvert que certaines des techniques utilisées dans les centres d'interrogatoire secrets étaient basées sur le célèbre programme de lavage de cerveau, MK-ULTRA, que mena la CIA à l'apogée de la Guerre froide (cf. Gordon Thomas, *Les armes secrètes de la CIA*, Nouveau Monde éditions, 2006). L'agent du MI-6 qui avait vu les prisonniers attachés durant leur vol vers l'Ouzbékistan m'a raconté ce qu'ils subissaient à leur arrivée : « Privations sensorielles pendant de longues périodes, fausses exécutions, privations de nourriture, violences sexuelles, viols, immersions dans l'eau jusqu'au seuil de la noyade, coups, expositions à une chaleur ou un froid intenses, blocages de la circulation sanguine avec du fil de fer, strangulations interrompues juste avant la mort, brûlures de cigarettes et administrations de diverses drogues destinées à affaiblir la résistance. »

Pendant ce temps, le Mossad continuait à repérer, dans les journaux arabes, les noms des terroristes envoyés en chambre de torture. Quotidiennement, on rassemblait les derniers articles qui présentaient les kamikazes du 11 septembre comme des « héros » et qui publiaient des mises à jour de la liste des synagogues britanniques et des adresses personnelles de leurs rabbins. « Il faut rappeler aux Juifs les crimes qu'ils ont commis contre les musulmans », s'exclamait le groupe radical londonien, Al-Muhajiroun. Un autre groupe, les Brigades d'Abou Hafs Al-Masri, lançait également un appel du même ordre. Il affirmait à ses partisans, de plus en plus nombreux en Grande-Bretagne : « Nous avons déclaré une guerre sanglante à nos voisins non musulmans. Nous raserons totalement les villes d'Europe. Nous les ferons baigner dans le sang jusqu'à ce que leurs dirigeants retirent leurs troupes d'Irak. »

Les membres du clergé musulman étaient régulièrement invités à la BBC pour justifier le « martyre » des kamikazes qui, selon les déclarations du docteur Youssouf al-Qardaoui à « Newsnight », le fleuron de la société en matière d'émissions d'actualités, était « un signe de la justice d'Allah tout-puissant ». De nombreux jeunes Britanniques portaient toujours en eux la *fatwa* lancée par Oussama Ben Laden en février 1998 : « Tuer les Américains et leurs alliés – civils et militaires – est un devoir individuel pour tout musulman qui en a la possibilité et qui se trouve dans un pays où cela est faisable, afin de libérer les grandes mosquées de La Mecque de leur emprise et pour que leurs armées quittent les terres de l'Islam. »

Grâce à son réseau de *sayanim* – les volontaires juifs – en Grande-Bretagne, la base londonienne du Mossad rassembla de nombreux éléments révélant la mesure du danger que représentait l'extrémisme musulman pour le Royaume-Uni. En 2005, on comptait désormais presque cinq mille *sayanim* qui se comportaient comme « les yeux et les oreilles » que Meir Dagan avait voulus en créant le réseau. Il ne s'agissait plus des descendants des Juifs européens qui étaient arrivés dans les années 1930 pour fuir le nazisme mais de Juifs libanais et syriens ou, depuis peu, irakiens et iraniens : des commerçants, des propriétaires, des patrons de café qui fournissaient un flot régulier d'informations.

Un libraire irakien de Wembley, dans la banlieue nord de Londres, apporta la preuve que les extrémistes islamistes s'étaient infiltrés au cœur du gouvernement Blair. Ahmed Thomson, avocat et haut membre de l'Association des magistrats musulmans, avait été nommé pour conseiller le Premier ministre sur la façon de gérer le problème. Thomson était également l'auteur d'un ouvrage qui s'était rapidement vendu dans la communauté musulmane. Le livre, intitulé *Le Nouvel Ordre mondial*, affirmait qu'il existait « un projet sioniste visant à façonner le cours des événements du monde entier » et prédisait que des actes tels que ceux du 11 septembre ou que les attentats-suicides en Israël « étaient voués à faire partie intégrante de la confrontation à venir entre les *muninun* (ceux qui adhèrent à l'islam) et les *kaffirun* (les mécréants) ». Avant leur entrée en service, d'autres conseillers musulmans du gouvernement avaient régulièrement parlé d'Oussama Ben Laden comme d'un « guerrier saint » et des kamikazes comme d'« authentiques martyrs ».

Bien que le gouvernement Blair ait fini par promettre que les prêcheurs et les érudits extrémistes qui encourageaient le terrorisme seraient expatriés, ces imams et ces professeurs intégristes continuèrent, pendant tout l'été 2005, à débiter dans leurs mosquées leurs diatribes sur la guerre sainte et à publier des articles sur leur sites Internet pour les faire circuler dans le monde entier.

En juin 2005, Mohammed al-Massari, un militant saoudien, d'âge moyen, qui avait fui son pays pour s'installer en Grande-Bretagne et qui avait réussi à convaincre le gouvernement qu'il serait tué s'il remettait les pieds dans ce royaume du désert, montrait toujours des vidéos d'otages britanniques et américains décapités en Irak sur son site Web. Il dirigeait également une station de radio Internet appelant à la guerre sainte. Abou Qatada, qui avait quitté la Jordanie pour se réfugier à Londres en affirmant qu'il avait été persécuté pour ses convictions religieuses, fut également autorisé à rester en Grande-Bretagne. Il remercia le pays qui l'accueillait en incitant ses partisans à se rendre en Irak pour tuer les troupes de la coalition. Le parti pakistanais Hizb-a-Tehia, le « Parti de libération » interdit dans son propre pays, utilisait son bureau de Londres pour recruter de jeunes musulmans et les envoyer en Afghanistan pour y être formés à faire la guerre à l'Amérique. Dans d'autres enclaves musulmanes, dans les banlieues nord et ouest de Londres, tout comme dans les villes de Leicester, Manchester, Leeds, Bradford et Glasgow, des imams prêchaient la violence ; des milliers de jeunes musulmans impressionnables, dont beaucoup étaient nés en Grande-Bretagne, se laissaient endoctriner dans la haine de leur propre pays.

Nathan enregistrait toutes ces informations sur son ordinateur. Certaines provenaient de son agent de liaison au JTAC, Joint Terrorism Analysis Center [Centre conjoint d'analyse du terrorisme], situé dans les bureaux du MI-5 à Millbank. À sa création, en 2003, dans le cadre de la participation britannique à la guerre contre le terrorisme, le JTAC recruta sa centaine d'employés dans tous les secteurs du monde du renseignement qui combattaient le terrorisme international. Ceux-ci travaillaient au sous-sol de l'immeuble, dans une pièce sans fenêtre mais fortement éclairée ; la porte de la salle, sur laquelle ne figurait aucune mention, ne s'ouvrait que grâce à des cartes magnétiques dont les codes étaient régulièrement changés. Un flot d'informations arrivait continuellement de bases de travail équipées de matériel à la pointe de la technologie. Les données sensibles, qui autrefois n'étaient partagées qu'avec la CIA, le Mossad et les services secrets français et allemands, étaient plus largement diffusées depuis les attentats de Bali et Madrid. Il en résulta l'émergence d'un travail de renseignement de grande qualité de la part d'organisations telles que le GROM, l'unité antiterroriste polonaise formée par le SAS. Le GROM donna des informations sur Jamal Zougam qui était impliqué dans les attentats de la gare de Madrid et en avait planifié d'autres pour Noël à Varsovie. Les services secrets espagnols avaient communiqué ce qu'ils savaient de la visite de Zougam à Londres, durant laquelle il s'était rendu à la mosquée intégriste de Finsbury Park. Son imam, Abou Hamza, après avoir prôné le soutien à Ben Laden, se battait maintenant depuis sa cellule pour éviter son extradition aux États-Unis suite à son rôle dans l'assassinat de citoyens américains au Moyen-Orient. En 2006, il fut condamné à sept ans de prison « pour avoir promu des activités terroristes et y avoir participé ». Après avoir purgé sa peine, il sera envoyé outre-Atlantique où il sera jugé pour « complicité d'assassinat sur des citoyens américains au Moyen-Orient ».

Selon un rapport des services secrets français, grâce au travail de recrutement d'Al-Qaïda, ses partisans dans l'Hexagone « sont plus de trente-cinq mille, dont beaucoup sont des convertis. Ils sont organisés en unités de type militaire et se rencontrent régulièrement pour s'entraîner à la manipulation des armes et des explosifs, aux tactiques de combat et à l'endoctrinement. Ils sont contrôlés par des centres de commandement locaux ou de quartier, eux-mêmes dépendants de la direction nationale d'Al-Qaïda ». Après avoir effectué des recherches approfondies, le BND allemand a rapporté qu'il évaluait, en juin 2005, le nombre de sympathisants d'Al-Qaïda en République fédérale à trente mille âmes. Nathan a également dévoilé que, selon un agent de liaison du Mossad, les dirigeants du mouvement seraient basés à Hambourg, la ville portuaire d'où provenaient plusieurs des kamikazes du 11 septembre.

En juin 2005, Nathan et son agent de liaison se rendirent une nouvelle fois dans diverses villes du nord de l'Angleterre pour participer à une opération de sécurité sans précédent. Vingt services secrets différents avaient associé leurs forces pour participer à la protection du sommet du G8 à Gleneagles, en Écosse, au mois de juillet.

À eux tous ils créèrent un périmètre de sécurité incluant la frontière germano-polonaise, pour intercepter les terroristes en provenance des Balkans. Grâce aux postes d'écoute britanniques de Gibraltar et de Chypre, les agents des services secrets espagnols surveillèrent la côte nord-africaine, cette voie étant l'une des plus couramment empruntées par les membres d'Al-Qaïda pour entrer en Europe. Le SISMI, l'agence de renseignement italienne, déploya un grand nombre d'agents pour guetter les terroristes passant des républiques islamiques vers l'ex-Union soviétique. Les services secrets français et hollandais étaient en poste dans les ports de la Manche.

Au GCHQ (Government Communication Headquarters), le service de renseignement électronique du Royaume-Uni, des analystes et techniciens continuaient de suivre à la trace, intercepter ou chercher les premiers signes d'un danger éventuel. Les ordinateurs avaient déjà déchiffré des « bavardages » indiquant que des anarchistes italiens avaient l'intention d'entrer en Grande-Bretagne quelque temps avant le sommet. Les satellites américains, contrôlés par la base du NSA de Menwith Hill, dans le nord de l'Angleterre, surveillaient une zone qui s'étendait des déserts irakiens, à l'ouest, aux montagnes de l'Oural, à l'Est.

La DGSE, le service de renseignement français chargé de la protection du président Chirac durant le sommet, découvrit que des anarchistes européens, dont le groupe Ya Basta avait récemment rencontré à Calais une célèbre organisation anarchiste britannique, Class War. On savait que ces deux groupes étaient adeptes des manifestations violentes. Le BND, le service de renseignement allemand, confirma que les anarchistes de la République fédérale avaient également participé récemment à « une conférence d'anarchistes » dans les environs de Nottingham, en Angleterre.

Le MI-5 qui devait coordonner les opérations internationales en collaboration avec le MI-6, recherchait déjà un terroriste italien surnommé « le Corbeau », dont on pensait qu'il était entré en Grande-Bretagne et entretenait des liens avec une cellule italienne d'Al-Qaïda, à Bologne, un foyer terroriste bien connu. Des détails le concernant furent découverts lors d'un raid, mené par des agents italiens, qui aboutit à l'arrestation de quatre-vingts anarchistes projetant de se rendre à Gleneagles. La CIA consacra deux cents agents et le meilleur équipement technologique dont elle disposait à la protection du président Bush. Les trois services secrets russes – le GRU, le FSB et le SVR –, fournirent au MI-5 les kits d'identité des terroristes tchétchènes susceptibles de tenter un attentat pendant le sommet. Le FSB (le Service fédéral de sécurité), prévint le JTAC qu'il ne devait pas exclure l'éventualité d'un attentat-suicide durant le sommet.

Afin d'essayer de prévenir une telle catastrophe, Nathan se rendit de nouveau dans les enclaves musulmanes du nord de l'Angleterre. Non seulement le Mossad y avait des *sayanim*, mais il y avait également élaboré un réseau d'informateurs au sein de la communauté islamique. Ces indicateurs, souvent jeunes, risquaient leur vie et celles des membres de leur famille en agissant ainsi. À eux aussi, on avait demandé de guetter le moindre signe d'un éventuel attentat-suicide.

À Londres, dans le cadre des préparations pour le sommet du G8, le Mossad avait déjà communiqué à la police et aux services de sécurité un document expliquant comment identifier un poseur de bombe. En voici un extrait :

« Un kamikaze est jeune, au maximum dans les vingt-cinq ans. Il est généralement de sexe masculin mais il ne faut pas oublier que les femmes sont de plus en plus nombreuses. Un poseur de bombe porte soit un sac à dos rempli d'explosifs, soit toute autre forme de sac équipé de la même façon. Un individu qui s'apprête à prendre de grands risques transpire beaucoup. Regardez ses mains ; paraissent-elles moites ? Observez son regard ; est-il furtif ? Regarde-t-il constamment autour de lui ? Évite-t-il, de toute évidence, de regarder les autres dans les yeux ? En général, un kamikaze porte une casquette de base-ball ou tout chapeau susceptible de cacher son visage aux caméras de surveillance. Si la bombe se trouve dans un sac, il est possible que le kamikaze n'arrête pas de vérifier sa présence, surtout dans les transports en commun. Faites attention aux silhouettes. Des jambes de taille moyenne vont avec un corps de taille moyenne. Si l'individu semble plus massif que la normale par rapport à ses jambes, son cou ou son visage, cela peut être suspect. En aucun cas, vous ne devez mettre le suspect au défi. Si vous criez "C'est une bombe!", il y a de fortes chances pour qu'il panique et déclenche l'explosion. Souvenez-vous qu'un poseur de bombe vit quelque part. Son comportement est susceptible d'avoir entraîné des soupçons dans son entourage. Un bon service de renseignement aura probablement été informé par un membre de sa communauté. Enfin, n'oubliez pas qu'il n'existe aucune technique précise pour repérer un poseur de bombe. Tout repose sur les expériences passées et la chance. »

Le Mossad n'était pas seul à avoir infiltré les milieux musulmans. Le MI-5 avait organisé des sites de surveillance sophistiqués dans des zones où les communautés asiatiques étaient intégrées à la société britannique – où les jeunes avaient des emplois stables et se rendaient au Pakistan ou ailleurs pour devenir des terroristes nés en Grande-Bretagne. Les téléphones portables des sujets concernés furent mis sur écoutes. On enregistra et analysa leurs conversations. On filma leurs moindres mouvements et leurs contacts firent l'objet de la même vigilance. Depuis des fenêtres bien situées, on envoyait des ondes radio pour espionner les conversations qui avaient lieu dans des espaces clos. On avait également recours aux dernières nouveautés technologiques pour visionner des courriers électroniques ou chercher sur Internet des dossiers révélateurs. Chacune des unités de surveillance du MI-5 était accompagnée d'un avocat du JTAC qui supervisait les opérations pour s'assurer que tous les éléments trouvés puissent être utilisables devant un tribunal. Il y eut peu d'arrestations.

En partie parce que les groupes islamistes n'avaient pas attendu pour user des nouveautés informatiques susceptibles de les aider à atteindre leurs objectifs. Dans le monde arabe, on prit conscience de tout le potentiel d'Internet dès le début de la seconde Intifada palestinienne, en 2000. Le site qui obtint le plus de succès s'appelait « Electronic Intifada ». Yasser Arafat le surnommait « notre arme de destruction massive ». Ses fondateurs étaient basés aux Pays-Bas, au Canada, à Chicago et à Leicester, en Angleterre, dans les Midlands. Depuis ces lieux, ils entamèrent une

« guerre asymétrique », ayant recours aux plus récentes technologies pour diffuser leur message de haine sur tout le cyberespace.

À l'instar du MI-5, la base londonienne du Mossad téléchargeait le magazine bihebdomadaire en ligne destiné à tous les partisans du Djihad et, depuis 2001, la version trimestrielle s'adressant aux femmes moudjahidine. Ces sites étaient également surveillés par les diplomates de l'ambassade américaine de Londres, à Grosvenor Square. Il y avait pourtant une grande différence. La base du Mossad disposait de personnel capable de comprendre instantanément ce qu'on pouvait lire sur le site alors que nul n'avait de telles compétences chez les diplomates. Ces derniers se contentaient plus ou moins de transmettre les documents au Département d'État ou à la CIA. Leurs analystes et leurs traducteurs, déjà sous pression, affrontaient ce flot quotidien de nouveaux textes rédigés en langues étrangères en se livrant à ce que l'un d'entre eux appelait « la bonne pioche ». Ce traducteur me confia : « Écoutez, rien n'a vraiment changé depuis la fois où, une semaine avant le 11 septembre, le Mossad a intercepté un appel de Ben Laden à sa mère – oui, à sa mère, nom de Dieu ! – pour lui dire qu'il ne pourrait pas venir à son anniversaire parce qu'il était trop occupé. Le message a été transmis aux cadres moyens de la CIA. On l'a trouvé trop vague pour justifier une action. »

Grâce à ses contacts avec ses *sayanim* et ses informateurs à Leeds, où les Juifs et les musulmans vivent côte à côte, Nathan apprit que des intégristes rédigeaient des messages sur des comptes de courriers électroniques Hotmail ou Yahoo mais qu'ils ne les envoyaient pas. Ils les stockaient seulement dans leurs dossiers « brouillons ». Puisqu'ils n'étaient pas expédiés, ils ne pouvaient pas être interceptés. Cependant, où qu'il se trouve sur la planète, tout autre intégriste connaissant le mot de passe pouvait accéder au message.

Un informateur donna un mot de passe à Nathan. Mais rien sur le site ne laissait présager d'un attentat-suicide imminent, ni de quelque autre forme d'attaque, pendant le sommet de Gleneagles.

Durant la première semaine de juillet 2005, les journées de Nathan commençaient, comme toujours, en écoutant l'émission *Today*, sur la BBC Radio 4, sur le chemin du travail. Cela faisait déjà longtemps que cette émission s'était imposée comme une référence incontournable pour les politiciens londoniens, les diplomates étrangers, les pontes de Whitehall et le milieu du renseignement de la capitale. Tous s'attendaient à de nouvelles dissensions entre le gouvernement Blair et la BBC au sujet des retombées persistantes de la participation britannique à la guerre en Irak. Bien que la guerre soit terminée, la question des armes de destruction massive de Saddam était restée au centre d'un maelström politique qui menaçait les gouvernements de Blair et de Bush. Une affirmation à l'antenne se trouvait à l'origine de cette tempête de plus en plus violente. En effet, *Today* avait accusé Blair d'avoir accepté de rendre plus « sexy » un dossier indiquant que Saddam avait la capacité de lancer des armes de destruction massive sur l'Occident, la raison invoquée par Blair pour suivre Bush dans sa guerre. Le nom du docteur David Kelly, le scientifique qui avait fourni aux reporters de l'émission les preuves que le dossier avait été rendu plus « sexy », avait été cité à l'antenne.

Le docteur Kelly travaillait pour le gouvernement britannique. C'était un expert mondialement reconnu en matière d'armement biologique. Il officiait à Porton Down, au Chemical and Biological Defence Establishment (« Institut pour la défense chimique et biologique ») et dirigeait son propre département de microbiologie. Dans le monde encore très secret de la lutte contre l'armement biologique, le docteur Kelly était devenu une autorité indétrônable que les agents des bureaux de la contre-prolifération du Foreign Office ou du ministère de la Défense, le MI-5, le MI-6 et le Mossad consultaient régulièrement. Depuis dix ans, il était confronté aux leurres, aux mensonges et aux tricheries qui entouraient le programme d'armement biologique de Saddam. À son bureau – salle 2/35, au secrétariat de contrôle de la prolifération et de l'armement, au ministère de la Défense, à Whitehall –, il recevait quotidiennement des e-mails et des appels téléphoniques de gens qui sollicitaient son aide.

Nathan avait rencontré le docteur Kelly à son retour d'une opération mixte du Canada et du Mossad; l'objectif était d'empêcher que de l'équipement biologique soit expédié par bateau depuis Montréal vers l'Irak. Plus tard, Nathan accompagna le scientifique à l'institut de recherche biologique de Tel-Aviv. Le docteur Kelly fut l'un des rares étrangers au service à y être autorisé. Quand la seconde guerre contre l'Irak cessa en 2003, il retourna à Bagdad. La CIA et le MI-6 l'avaient informé qu'entre les deux guerres, on y avait développé secrètement des obus et des missiles dotés d'ogives capables de lâcher d'énormes quantités de germes. Il ne trouva aucune arme de ce type. Ses supérieurs le forcèrent à y retourner pour vérifier. Il ne trouva toujours rien. La pression augmentait. Personne ne se doutait que le gyroscope intérieur qui maintenait en équilibre les aptitudes décisionnelles de Kelly commençait à se détraquer. Nathan avait suivi les moindres rebondissements de l'humiliation publique que le docteur avait dû subir pour n'avoir trouvé aucune arme de destruction massive, sa convocation devant un comité de supervision du renseignement à la Chambre des communes, la fuite qui dévoila que c'était lui qui avait informé *Today* sur le fait que le gouvernement avait rendu le dossier plus « sexy », l'acharnement des médias après ces révélations. À force, cela commença à faire trop pour le docteur Kelly.

Le jeudi 17 juillet 2003, à 14 h 30, l'inspecteur chef Alan Young s'assit devant son ordinateur sécurisé pour créer un dossier ultrasecret. En haut de l'écran, il tapa un nom de code : « Opération *Mason* ». Au-dessus, il ajouta : « Ne pas dévoiler. Informations concernant une opération policière ». Au-dessous, il ajouta les chiffres 14.30 et 17.07.03 indiquant l'heure et la date de l'ouverture du dossier. Young l'avait commencé après une matinée d'intenses discussions dans divers cabinets gouvernementaux de Whitehall. Dans son bureau aux murs pastel, John Scarlett, qui dirigeait depuis deux ans le Joint Intelligence Committee, avait fait sa part de travail. Ne manquant pas de flair pour détecter les ennuis, il sentait que les réactions du docteur Kelly devant le comité parlementaire et les incessantes dissensions entre le gouvernement et la BBC allaient générer de sérieux problèmes.

Scarlett avait joué un rôle majeur dans l'élaboration du dossier controversé. Pour cela, il avait effacé des premières ébauches les évaluations consciencieuses du docteur Kelly. Les informations originales provenaient du MI-6 et avaient été approuvées par son directeur de l'époque, Sir Richard Dearlove, avant de circuler par voie électronique dans le milieu des services secrets, en passant par le bureau des agents de renseignement de la défense. Aucun d'entre eux ne prit le parti du docteur Kelly lorsqu'il affirma que Saddam ne possédait pas d'armes de destruction massive. Devenu une voix solitaire, il avait fini par décider de parler à la BBC. Que pouvait-il faire d'autre ? *Qu'allait-il faire ? Et dire ?* Telles étaient les questions qui préoccupaient Scarlett.

Le docteur Kelly reçut des appels téléphoniques qui, selon son épouse, Janice, provenaient indubitablement du MI-6. Toujours selon elle, il avait répondu à certains d'entre eux derrière la porte close de son étude, équipée de sept ordinateurs portables et de l'ordinateur hautement sécurisé que le MI-5 avait installé sur son bureau en même temps que sa ligne directe avec Porton Down, hautement sécurisée également. On apprit plus tard qu'il avait également reçu deux autres appels sur son téléphone cellulaire après avoir quitté son domicile. L'identité de ses interlocuteurs ne fut jamais découverte.

Le lendemain, on retrouva le cadavre du docteur Kelly dans un bois. Deux brigades de police distinctes donnèrent des versions différentes du lieu où il avait été trouvé et de la position de son corps. À ce moment-là, les agents du centre d'évaluation technique du MI-5 avaient déjà vidé son bureau de tout son matériel électronique. On ignore toujours les données qu'il contenait. Cependant, trois éminents spécialistes médicaux britanniques firent la démarche inhabituelle de déclarer publiquement que, compte tenu des informations médico-légales qui avaient été publiées, il était impossible que le docteur Kelly se soit suicidé. Cette conclusion souleva des questions dérangeantes. Qu'est-ce qui pouvait expliquer le manque de sang au niveau de la petite entaille qu'il avait au poignet ? Dans quelle mesure la faible quantité d'analgésique qu'il avait ingéré pouvait-elle jouer, si toutefois elle avait eu une importance ? Les réponses à ces questions avaient-elles un rapport avec le pressentiment dont le docteur Kelly avait fait part à l'un de ses amis : « Je ne serais pas surpris si, un jour, on retrouvait mon corps dans les bois. »

Le Mossad avait plusieurs raisons de ne pas prendre ces paroles à la légère. En mettant publiquement en doute la validité du désormais célèbre dossier « sexy », le docteur Kelly avait déclenché une crise sans précédent pour le gouvernement Blair. Ari Ben Menashe me confia : « Aussi incongrue que cela puisse paraître à ceux qui sont étrangers à notre milieu, l'élimination d'un fauteur de trouble n'a rien d'inédit dans le monde obscur des services secrets. Le Mossad le fait avec le *Kidon*. D'autres services secrets ont toujours leurs assassins sous la main, des tueurs à gage qu'il est impossible de retrouver. »

Plusieurs rapports établissaient que les escadrons de tueurs de Saddam Hussein avaient ciblé le docteur Kelly pendant qu'il vérifiait l'arsenal irakien. Ses contacts au MI-5 l'avaient averti de ce risque. Il courait également d'autres dangers. Lorsqu'il avait étudié l'arsenal biologique secret de l'Union soviétique, il avait irrité de nombreux scientifiques en refusant de les aider à venir travailler en Grande-Bretagne. Le MI-5 l'avait prévenu que certains d'entre eux étaient restés en rapports étroits avec les services secrets russes à l'étranger, qui comptaient alors trente agents à l'ambassade. On avait fourni au docteur Kelly une liste de leurs plaques d'immatriculation. Une semaine avant sa mort, une Land Rover – portant une plaque sur laquelle figurait le préfixe 248D, réservé au véhicules diplomatiques russes – avait été remarquée à moins de trente kilomètres de Southmoor, le village où vivait le docteur Kelly.

Meir Dagan demanda à Nathan de lui faire un rapport sur la mort du scientifique. Le chef de la base londonienne se renseigna sur les divers éléments qui entouraient la mort du docteur Kelly, dont le corps avait été retrouvé à Harrodown Hill, un site touristique proche de son domicile. Les techniciens du Centre d'évaluation tactique démontèrent les disques durs de ses ordinateurs et analysèrent les appels donnés et reçus sur le téléphone portable retrouvé sur son cadavre. Bien que la plupart des communications aient concerné son travail habituel au ministère de la Défense et à Porton Down, quelques informations personnelles apparurent également. On découvrit, entre autres, deux offres d'emploi révélant qu'il envisageait de travailler dans le secteur privé en Amérique.

L'une d'elles émanait d'une société basée à Washington, Hadron Advanced Biosystems. Elle était dirigée par Kamovtjan Alibekov, un transfuge soviétique qui, en son temps, avait été le plus grand scientifique du programme d'armement biologique de son pays et l'inventeur de l'anthrax de fabrication génétique le plus puissant du monde. Il avait trouvé un foyer dans l'industrie américaine de la biodéfense et changé son nom en Ken Alibek. Sa société, très proche du Pentagone et de la CIA, se présentait comme « spécialisée dans le développement de solutions techniques pour la communauté du renseignement américaine ». L'autre compagnie était Regman Biotechnologies, une entreprise dont le docteur Kelly avait contribué à la fondation en Grande-Bretagne. Au moment de sa mort, cette société était en contrat avec l'US Navy pour « développer un diagnostic et un traitement thérapeutique contre l'anthrax ». Officiellement, son activité première était « la recherche de solutions efficaces aux antibiotiques ». Les deux sociétés lui offraient le double de ce qu'il gagnait à l'époque, ce qui suffirait à payer le traitement médical privé dont Janice avait besoin de toute urgence et pour lequel la liste d'attente était très longue en passant par la sécurité sociale britannique.

Nicholas Gardiner, le coroner du comté de l'Oxfordshire, conclut que le docteur Kelly s'était suicidé en se tailladant le poignet gauche avec le canif émoussé qu'il utilisait pour jardiner. Il avait également ingéré vingt-huit cachets de Coproxamol, un analgésique contre les douleurs arthritiques. Le docteur Kelly ne souffrait pas de ce problème. Les comprimés étaient difficiles à avaler sans eau ou sans les croquer. L'affaire prit encore un étrange tournant quand, une heure après la découverte de son corps, on s'aperçut que son dossier dentaire avait disparu du cabinet d'odontologie local. Le dentiste de Kelly le signala à la police. Deux jours plus tard, le dossier réapparut. Le docteur Nicholas Hunt, le pathologiste chargé de l'autopsie, trouva le cas suffisamment préoccupant pour demander à la police de faire un test ADN afin de « s'assurer que le corps était bien celui du docteur Kelly ».

Il nota qu'il avait constaté « plusieurs égratignures superficielles sur le poignet ainsi qu'une blessure profonde qui avait sectionné l'artère ulnaire mais pas l'artère radiale ». Il conclut que cela avait causé une hémorragie fatale.

Les trois spécialistes médicaux chevronnés qui avaient déjà émis des doutes quant au suicide du docteur Kelly, mirent à nouveau cette conclusion en question. Le docteur David Halpin, consultant en traumatologie, le docteur Stephen Frost, radiologiste, et le docteur Martin Berstingi, chirurgien vasculaire, déclarèrent tous que, même en cumulant leurs années d'expérience – qui, ensemble, s'élevaient à une cinquantaine d'années –, il n'avaient jamais vu un patient mourir à la suite d'une artère ulnaire sectionnée. « Pour mourir d'une hémorragie, il aurait fallu que le docteur Kelly perde environ deux litres et demi de sang », ajouta Frost. Et selon l'opinion du docteur Berstingi : « Quand l'artère ulnaire est ouverte, il s'ensuit une rapide chute de la pression sanguine et quelques minutes plus tard l'artère cesse de saigner ». On ne demanda à aucun de ces experts de témoigner pour l'enquête.

Élément après élément, Nathan recueillit et analysa les témoignages de toutes les personnes impliquées dans la mort du scientifique. Il découvrit des informations, jusqu'alors insoupçonnées : le docteur Kelly avait participé au programme d'armement du régime sud-africain sous l'apartheid et, durant la semaine précédent sa mort, il avait appris que le MI-5 voulait l'interroger parce qu'il avait fait venir le docteur Wouter Basson, le directeur de ce programme, à Porton Down. Compte tenu de toutes les pressions auxquelles il était déjà soumis, était-il possible que la perspective d'être interrogé par les enquêteurs des services de sécurité ait été la goutte d'eau qui avait fait déborder le vase ? Sa mort pouvait-elle avoir un rapport avec les projets démentiels de Basson ? Ces questions restèrent sans réponse jusqu'au jour ou Michael Shrimpton, un avocat, conseiller du comité du renseignement du Sénat américain sur les questions de sécurité nationale, décida de mettre un point d'honneur à éclaircir ce mystère.

Il fit donc une déclaration au journal londonien le *Sunday Express* : « Le docteur Kelly a probablement été assassiné par la DGSE, les services secrets français, et son corps a été arrangé de manière à laisser croire à un suicide. Quarante-huit heures après sa mort, j'ai été contacté par un agent des services secrets britanniques qui m'a affirmé que Kelly avait été assassiné. Selon moi, des personnes haut placées à Whitehall considéraient le scientifique comme une menace pour la survie du gouvernement et ont fait appel à une unité de tueurs étrangers pour l'éliminer. D'après mes informations, ce sont les Français qui ont demandé à des tueurs irakiens de s'occuper du meurtre. » Shrimpton n'a jamais fourni de preuves solides pour étayer ses accusations. Tous les analystes connaisseurs de la DGSE s'accordent pour juger une telle affirmation fantaisiste.

Au cours de cette première semaine du mois de juillet 2005, un bel été s'était installé sur Londres, plongeant la ville dans l'optimisme. Une interminable vague de chaleur avait fait sortir les jolies robes et les chemises à col ouvert. Les cafés avaient sorti leurs tables pour les dîners en terrasse. Le marché boursier était toujours à la hausse et les magasins proposaient des réductions sur des prix déjà avantageux. À la télévision, peu à peu, les images de Bagdad disparaissaient des écrans.

Le Mossad faisait partie des services secrets étrangers que le Home Office avait informés du fait que la menace d'un attentat terroriste était passée du niveau général « sérieux » au troisième niveau d'alerte, « substantiel ». Cette semaine-là, le directeur de Scotland Yard, Sir Ian Blair – qui n'a qu'un rapport d'homonymie avec le Premier ministre britannique –, avait déclaré à ses hauts officiers que le MI-5 était « sereinement convaincu » que la lutte contre le terrorisme était sous contrôle.

Nathan avait rencontré cet homme et il l'appréciait. Depuis son investiture, au mois de janvier précédent, Ian Blair avait commencé à moderniser la police londonienne en se basant sur les plus récentes techniques de management. Avec sa façon de parler, calme et pondérée, sa casquette bien enfoncée sur le crâne, sa mâchoire en avant, sa silhouette robuste et son uniforme, Blair irradiait une indémontable confiance en lui. Il s'était imposé à son poste d'une manière très similaire à celle de Meir Dagan lorsqu'il avait repris un Mossad démoralisé. Ian Blair avait expliqué à ses forces, constituées de trente mille officiers et quinze mille civils, qu'il avait l'intention de les sortir de ce qu'il considérait comme un passé sexiste, homophobe et souvent raciste. Il leur rappela qu'il était un policier qui savait ce que cela faisait d'extraire un corps des décombres d'un accident ferroviaire et ponctua son premier discours, durant lequel il expliqua les nouvelles règles à ses subalternes de haut rang, de citations de Voltaire. Un sourire apparut sur ses lèvres quand il raconta que lorsqu'on avait demandé, sur son lit de mort, à ce grand penseur de renier le diable, il avait répondu que le moment était mal choisi pour se faire de nouveaux ennemis. Il expliqua aux agents qu'il ne voulait pas qu'ils le perçoivent comme un ennemi mais qu'il ne tolèrerait pas qu'ils conservent « leurs vieilles habitudes ». Sans la moindre difficulté, il continua son discours en utilisant le jargon des affaires avec des expressions telles que « police pluraliste » ou « service adapté au client ». Il employa des termes aussi inhabituels dans ce milieu que « connectivité infrastructurelle », « encapsuler », « *ex cathedra* », « antithèse » ou « conseil de perfection ».

Nathan avait dans l'idée que ces mots s'accorderaient mal avec le vocabulaire direct de Meir Dagan. Il en irait de même pour l'habitude qu'avait Ian Blair de signer ses notes de service avec un stylo à plume en or, et avec le tableau de Miro qui ornait son bureau ou avec les exemplaires d'œuvres de Tennyson et de Yeats qui trônaient sur les étagères de sa bibliothèque.

Convaincu qu'il n'y avait aucun risque d'attentat à Londres dans les jours à venir, Ian Blair ordonna à mille cinq cents agents de la police métropolitaine de se rendre à Gleneagles, où des anarchistes figureraient parmi les manifestants. L'escadron antiterroriste de Scotland Yard envoya également ses troupes en Écosse. Le MI-5 et le MI-6 rappelèrent les membres de leurs réseaux qui avaient été envoyés au loin à la recherche de terroristes. On n'avait repéré personne. Même la traque du « Corbeau » avait perdu de son intensité depuis que le Mossad avait signalé qu'après être entré et sorti plusieurs fois de Grande-Bretagne, il avait disparu quelque part en Europe. Aux alentours de Gleneagles, la coalition policière n'eut aucun problème à contrôler les manifestants. Le seul moment de tension fut lorsque le président Bush tomba de vélo et s'érafla la main.

Le 6 juillet, la capitale britannique s'éveilla en découvrant qu'elle avait obtenu le privilège de recevoir les jeux Olympiques de 2012. Ce matin-là, en route vers son bureau, Nathan écouta *Today* et entendit Ian Blair faire une promesse aux Londoniens : « Nous saurons faire face à toute menace d'attentat pendant les jeux. Nos forces de police sont enviées dans tout le milieu de la lutte antiterroriste. Nous sommes passés à la vitesse supérieure. »

C'était un mercredi après-midi et, au JTAC, un jeu de rôle guerrier touchait à sa fin. Prévoir des scénarios de catastrophes sur leurs ordinateurs interconnectés faisait partie des tâches coutumières des spécialistes. Celui sur lequel ils travaillaient à ce moment-là était principalement consacré à deux types d'attentats susceptibles d'être perpétrés à Londres. Dans le premier cas, des terroristes volaient « au-dessus de la capitale dans un petit avion loué dans l'un des aérodromes privés situés à l'ouest de la ville et larguaient du gaz VX en profitant du vent dominant ». Les spécialistes estimaient que trente personnes mourraient à l'instant même du lâcher et qu'avec le vent, deux cent cinquante autres suivraient. Dans l'autre hypothèse, les terroristes utilisaient des aérosols pour pulvériser des germes de peste pneumonique à l'aéroport d'Heathrow. Non seulement plusieurs milliers de personnes seraient tuées au terminal concerné mais le vent pourrait transporter la peste jusqu'à Londres. Pour s'occuper des morts, le JTAC recommandait au groupe londonien de travail stratégique sur les morgues de catastrophe – dépendant du groupe de travail britannique sur les fatalités de masse –, d'installer des morgues mobiles à l'extérieur de la ville afin de pouvoir faire face à « des centaines de milliers de morts ».

Dans la soirée, la base londonienne du Mossad reçut son rapport quotidien de Tel-Aviv. Dans les « conversations terroristes », rien ne laissait penser que la Grande-Bretagne soit plus en danger que d'habitude. Au quartier général du MI-6, à Westminster, le long de la Tamise, l'immense salle des opérations, qui occupait presque toute une aile du bâtiment, était au point mort : les écrans plasma n'affichaient rien, les tableaux blancs étaient immaculés, les cartes de Londres étaient enroulées et aucun des très nombreux téléphones ne sonnait.

Dans la police comme dans les services de sécurité, personne n'avait la moindre idée des atrocités qui étaient sur le point de survenir.

Dans la matinée du jeudi 7 juillet, Nathan dirigeait une réunion avec son personnel dans son bureau de l'ambassade israélienne lorsque, peu après neuf heures, son agent de liaison du MI-5 téléphona. Il ne chercha pas à cacher la tension et la colère qui transparaissaient dans sa voix. Trois attentats venaient d'être commis dans le métro londonien, à l'heure de pointe, plus un autre dans l'un des célèbres autobus à impériale de la ville. Le nombre de morts allait être élevé (on apprit par la suite qu'il y eut cinquante-cinq morts et plus de deux cents blessés). L'abominable catastrophe portait toutes les marques des attentats-suicides d'Al-Qaïda. Avant de raccrocher, l'agent du MI-5 demanda au Mossad d'apporter toute l'aide qu'il pouvait.

Au cours des trois années précédentes, le MI-5 avait plusieurs fois sollicité l'assistance de l'Institut lorsqu'il soupçonnait des projets d'attentats dans le réseau de transports en commun de la capitale et pensait que ces menaces étaient liées au Moyen-Orient. Il s'agissait, entre autres, de pulvérisation de gaz sarin dans le métro, de cyanure dans son système d'air conditionné ou de vaporisation d'une substance mortelle, telle que le ricin, dans les rames. Une autre fois, il fut question de faire exploser une bombe dans une voiture dans le quartier très touristique de Soho. Le Mossad n'avait rien trouvé qui puisse confirmer au MI-5 que la menace provenait bien du Moyen-Orient. Pourtant, peu de temps avant les attentats de Londres, Lord Stevens, abandonnant pour un moment son enquête sur la mort de la princesse Diana, déclara publiquement que le MI-5 avait déjoué le complot. Cette revendication ne manqua pas d'irriter le Mossad.

Nathan savait que, cette fois, c'était à toutes les bases des services secrets étrangers de la capitale qu'on avait demandé de l'aide. Dans l'heure, tous les agents en mission au sommet du G8 furent rappelés pour tenter de rassembler les pièces du puzzle qui permettraient d'en savoir plus sur les auteurs du pire attentat qu'ait jamais connu la Grande-Bretagne. Le Mossad concentra ses recherches sur le Moyen-Orient et l'Afrique, des parties du monde où son réseau d'agents de terrain et d'informateurs était inégalable. Les renseignements obtenus étaient envoyés à l'Institut pour y être évalués avant d'être transmis à la base londonienne par voie d'e-mails codés. Ensuite, ils étaient vérifiés par Nathan et ses agents, puis communiqués au JTAC. On demanda à un *katsa*, basé à Mogadiscio, la capitale de la Somalie, dans la corne de l'Afrique, d'écouter les « bavardages » susceptibles d'établir des liens entre les attentats de Londres et les terroristes d'Al-Qaïda, qui contrôlaient le pays par le truchement de chefs militaires locaux. Au cours des trois ans passés, plus de trente-cinq mille Somaliens, fuyant la violence de leur pays, avaient obtenu l'asile politique en Grande-Bretagne. L'un d'entre eux, si ce n'était plusieurs, avait peut-être été converti à l'intégrisme par un imam résidant au Royaume-Uni.

En début d'après-midi, la base du Mossad au Cap, en Afrique du Sud, apprit l'existence d'un différend entre les décideurs du MI-6 et de la CIA au sujet de ce qu'il fallait faire de Haroun Rachid Aswat, un citoyen britannique d'origine indienne qui avait été arrêté en Zambie à cause de ses relations présumées avec Al-Qaïda. La CIA affirmait qu'il était sous mandat d'arrêt aux États-Unis, accusé d'avoir « apporté un soutien matériel à Al-Qaïda et essayé de créer un camp d'entraînement pour terroristes à Bly, dans l'Oregon, en 1999 ». L'Agence signala également au MI-6 qu'elle « suspectait fortement » Aswat d'avoir téléphoné à des intégristes musulmans en Grande-Bretagne peu avant les attentats.

La CIA voulait embarquer Aswat dans son Gulfstream V et l'envoyer en salle de torture en Ouzbékistan. Mais si le MI-6 était prêt à accepter qu'Aswat soit légalement extradé vers les États-Unis pour y répondre des accusations dont il faisait l'objet dans l'Oregon, il ne voulait pas permettre qu'un citoyen britannique subisse des brutalités. Le MI-6 fit également remarquer à la CIA que les appels téléphoniques d'Aswat n'avaient aucun lien avec les attentats de Londres.

Alors que la traque des kamikazes continuait, les relations entre les divers services secrets internationaux connurent leur premier accroc. Les services de sécurité français et allemand informèrent le MI-5 qu'il n'existait aucune preuve qu'un membre important d'Al-Qaïda, connu sous le nom de « Moustapha » ait traversé la moitié de l'Europe pour entrer et sortir d'Angleterre juste avant les attentats. Son nom resta pourtant sur la liste des cibles prioritaires des tableaux Anacapa, les diagrammes spéciaux utilisés au centre d'opérations du MI-5 pour tenter d'obtenir une bonne visualisation des informations recueillies. L'agent de liaison de Nathan lui demanda d'aider le MI-5 à déterminer si Moustapha pouvait, malgré tout, être le cerveau qui se cachait derrière les kamikazes. Était-il celui qui leur avait dit où frapper ? Le Mossad fit donc circuler la consigne parmi ses *sayanim* en Grande-Bretagne et ses informateurs au Moyen-Orient. Les semaines passèrent et Moustapha resta ce qu'il avait toujours été – un mystère.

Londres vivait encore sous l'empire de la peur lorsque, le 21 juillet, la ville fut une nouvelle fois victime d'attentats-suicides. Mais, cette fois-ci, les opérations portaient tous les signes d'un bricolage d'amateurs : les bombes artisanales n'explosèrent pas et on identifia rapidement les coupables. Quoi qu'il en soit, des centaines de rapports décrivant les agissements douteux de divers individus continuaient d'arriver à Scotland Yard. Ils furent tous vérifiés et on découvrit que, dans le pire des cas, les suspects n'avaient rien fait de plus que de se comporter bêtement. La police informa la population qu'en une telle période de tension, ceux qui agissaient ainsi couraient le risque que leurs gestes « soient mal interprétés ».

Et ce fut précisément ce qui arriva à Jean-Charles de Menezes, un jeune électricien brésilien qui se rendait en métro dans le nord de Londres pour y réparer une alarme d'incendie. Ayant quitté son domicile à pied pour se rendre à la station de métro de Stockwell, il attira l'attention de l'une des nombreuses brigades de la police antiterroriste qui sillonnaient les rues. Les policiers savaient tous qu'ils ne devaient tirer que s'ils avaient la conviction que le suspect transportait une bombe. Un chef de brigade ne pouvait donner l'ordre de tirer pour tuer qu'après l'avoir lui-même reçu par radio d'un « haut dirigeant ». En revanche, les policiers n'étaient pas tenus de crier avant de tirer car cela les aurait privés de l'avantage de la surprise. Les règles de procédure étaient basées sur celles que les forces spéciales israéliennes utilisaient pour lutter contre les kamikazes dans l'État hébreu.

Ne se doutant de rien, Menezes fut suivi à l'intérieur de la station de métro tandis qu'il empruntait un escalator pour descendre vers un quai d'où un train était sur le point de partir. Lorsqu'il monta à bord, les policiers passèrent à l'action. L'un d'entre eux le ceintura et le précipita au sol. Deux autres tirèrent un total de sept balles qui l'atteignirent à la tête et sur le reste du corps. L'affaire déclencha un véritable scandale lorsque l'on découvrit que Scotland Yard avait menti en déclarant que Menezes était « habillé comme un kamikaze ». Il ne portait que des vêtements légers. Ian Blair, le directeur de la police, eut alors de plus en plus de mal à défendre les arguments qu'il avait déployés pour justifier la fusillade. Au sein même des forces de police, il fut de plus en plus vivement critiqué par ses proches collaborateurs qui laissèrent filtrer auprès des médias que les troupes étaient mécontentes de son commandement. La situation s'envenima lorsque les premières étapes de l'enquête sur la mort de Menezes firent apparaître un dysfonctionnement dans la communication entre l'équipe qui le poursuivait et les supérieurs qui devaient la contrôler depuis Scotland Yard. On découvrit que l'une des équipes avait pris une pause pour se rendre aux toilettes à un moment clé de la surveillance et que, à la suite d'une panne temporaire, les communications radio entre les hommes et Scotland Yard ne fonctionnaient pas lors d'une étape cruciale de l'opération. Plus tard, pour le plus grand embarras de Ian Blair, on apprit que ce dernier avait proposé d'offrir une petite somme à la famille de Menezes pour l'aider à payer les frais d'obsèques. La famille avait décliné cette offre.

Pendant ce temps, la mort du jeune électricien continuait d'alimenter un immense tollé dans les médias britanniques. Les associations de défense des Droits de l'homme saisirent l'occasion pour monter une campagne contre les méthodes policières et exiger la remise en question de la politique de tirer pour tuer. En mars 2006, Ian Blair se trouva au centre d'une nouvelle controverse. Il avait reconnu avoir enregistré secrètement sa conversation avec l'attorney Général, Lord Goldsmith. Ils avaient parlé de la surveillance téléphonique et des micros cachés chez les suspects de l'époque. Après cette révélation, le nombre des voix qui s'élevaient pour demander sa démission augmenta. Depuis la mort de Menezes, c'était la cinquième fois qu'un tel appel se faisait entendre. Chaque fois, il avait fait la sourde oreille. Cependant, en ce qui concernait la fusillade, il avait un fervent partisan en la personne de Nathan qui déclara à son agent de liaison au MI-5 : « Étant donné les informations dont ils disposaient, ces policiers pensaient agir dans l'intérêt général. Tout le monde peut se tromper. »

À Tel-Aviv, pour Meir Dagan, une mort représentait peu de choses par rapport aux nombreuses vies perdues dont les kamikazes étaient responsables, non seulement à Londres et en Israël mais partout dans le monde. Ainsi qu'il l'expliqua à son personnel, sa seule certitude était que plus le dernier attentat était ancien, plus le suivant était proche.

À l'aube du premier samedi d'octobre 2005, l'agent en service au bureau des affaires asiatiques du quartier général du Mossad reçut un e-mail « flash » d'un *katsa* basé à Djakarta, la capitale indonésienne. Il y apprit que les kamikazes d'Al-Qaïda venaient de nouveau de frapper la station balnéaire très fréquentée de Bali, tuant et blessant plus de cinquante personnes. En 2002, sur cette même île, d'autres poseurs de bombes avaient fait des douzaines de morts et des centaines de blessés en faisant sauter des discothèques. Le message se terminait par ces mots à donner le frisson : « Tout indique qu'il s'agit de l'œuvre de Husin. »

Cet ingénieur de quarante-huit ans, diplômé de l'université de Reading, en Angleterre, avait été recruté par Oussama Ben Laden en personne pour devenir le maître artificier de l'organisation. Malaisien d'origine, Azahari Husin, avait non seulement organisé les précédents attentats de Bali mais également ceux de l'hôtel américain Marriott à Djakarta en 2003 et de l'ambassade australienne de cette même ville en 2004. Ces attaques firent trente morts et plus d'une centaine de blessés.

Quelques jours auparavant, le Mossad venait enfin de confirmer la thèse du MI-5 qui pensait que le mystérieux « Moustapha » qui avait planifié les attentats de Londres et recruté des volontaires pour les exécuter n'était autre que Husin. Meir Dagan avait signalé à Eliza Manningham-Buller que Husin s'était rendu à Londres avant les attentats, voyageant déguisé et muni de l'un des nombreux passeports dont on le savait en possession. Il est même possible qu'il se soit trouvé dans la capitale au moment des explosions car il était connu pour avoir l'habitude de venir constater les ravages dont il était responsable. Sur les scènes de ses attentats précédents, on l'avait vu plusieurs fois profiter de la confusion pour retourner vers l'une de ses cachettes qui, selon le Mossad, devaient être situées sur la chaîne de Toba Kakar qui sépare les frontières nord-ouest du Pakistan des montagnes tout aussi inhospitalières de l'Afghanistan.

La NSA positionna un satellite au-dessus des alentours de Murgha et Khanozai, des petites villes situées sur les contreforts de la chaîne de Toba Kakar. Avec l'aide des forces spéciales américaines et du SAS britannique, les troupes pakistanaises se préparèrent pour un nouveau raid sur cette zone. Aux premières heures du 8 octobre, la région toute entière fut dévastée par un tremblement de terre de 7,6 degrés sur l'échelle de Richter. Des millions de tonnes de rochers et de gravats la recouvrirent. Les analystes du Mossad, qui surveillaient la région de près, estimèrent que si Husin était enterré sous les débris, il y avait peu de chances que l'on retrouve son corps.

Vinrent ensuite des rapports qui galvanisèrent non seulement les analystes du Mossad mais également ceux de tous les plus grands services secrets du monde : il se pouvait qu'Oussama Ben Laden figure parmi les morts. Des informateurs avaient signalé à leurs contacts dans le monde du renseignement qu'il avait été vu dans la zone dévastée. L'un des rapports ajoutait que son visage paraissait amaigri. Cela indiquait-il que ses problèmes de reins avaient empiré ? Au cours des semaines précédentes, le Mossad avait découvert que Ben Laden avait reçu de Chine un appareil de dialyse. Des avions sans pilote des forces spéciales américaines, les Drones, permirent d'apprendre que tous les systèmes d'approvisionnement en énergie avaient été détruits. À Islamabad, à la demande de la CIA, le président Pervez Musharraf interdit aux équipes de sauvetage qui recherchaient des survivants d'entrer dans la zone où l'on espérait trouver Ben Laden et Husin. À Washington, ceux qui traquaient le chef d'Al-Qaïda se joignirent aux spéculations. Bruce

Hoffman, de la Rand Corporation, un laboratoire d'idées entretenant des liens étroits avec le monde du renseignement américain, estimait que si Ben Laden avait survécu, il se pouvait qu'il soit retourné en Afghanistan. Milt Bearman, un agent de la CIA qui connaissait bien la zone de recherches ajouta : « Si Ben Laden est mort, le monde ne le saura jamais. Il ne nous restera plus qu'à attendre que quelqu'un déterre son corps, fassent les vérifications ADN et nous dise : "C'est Ben Laden". Mais je parierais que cela n'arrivera pas. »

Quoi qu'il en soit, les spéculations continuèrent. Donald Rumsfeld, l'impétueux secrétaire à la Défense américain, déclara que la dernière apparition publique de Ben Laden remontait à presque un an et qu'il se pouvait qu'il soit mort, justice naturelle. « Il n'est plus le visage d'Al-Qaïda », avait-il ajouté. Ce qui était certain, c'était que les analystes du Mossad avaient remarqué que, sur les sites Internet du Djihad, Abou Moussab al-Zarqaoui, le Jordanien responsable de terribles atrocités en Iran, était présenté comme le fer de lance du rêve de restauration du califat islamique.

On pouvait trouver sur l'un de ses sites un document effrayant intitulé *Le Djihad nucléaire et la voie vers l'uranium enrichi*. Ces quatre-vingts pages contenaient des instructions détaillées sur la façon de « se procurer du radium, une alternative efficace à l'uranium, disponible sur le marché ». Matti Steinberg, l'un des experts du Mossad sur la quête d'armement nucléaire d'Al-Qaïda, expliqua que ce manuel était « dangereusement impressionnant ». Si l'auteur se présentait en *Layth al-Islam*, le « Lion de l'Islam », c'était plutôt la dédicace de son manuel qui soulevait des doutes sur la mort du leader du réseau terroriste : « Un cadeau au commandant des combattants du Djihad, le cheik Oussama Ben Laden, qui vit aujourd'hui pour la cause du Djihad et pour Allah ».

Le 18 octobre, une taupe du Mossad à Téhéran enregistra une conversation entre Saad, le fils aîné de Ben Laden, et ses frères, Mohammed et Othman. Les trois hommes vivaient dans des enceintes sécurisées de la banlieue de la ville – et non en liberté surveillée, comme le prétendait le gouvernement iranien – d'où ils dirigeaient des opérations terroristes. Lors de cet appel, Saad avait affirmé avoir parlé le jour même à son père qui voulait que ses fils sachent qu'il était sain et sauf. L'enregistrement, effectué dix jours après le tremblement de terre, fut un véritable choc.

Peu après, le Mossad découvrit les premiers indices d'un déplacement de pouvoir aux échelons les plus élevés d'Al-Qaïda. En Afghanistan, la CIA intercepta une lettre qu'Ayman al-Zawahiri – adjoint de longue date de Ben Laden et stratège aguerri d'Al-Qaïda – voulait faire porter en main propre à Abou Moussab al-Zarqaoui, dont l'impitoyable campagne d'attentats lui valait que les États-Unis aient mis une récompense de vingt-cinq millions de dollars sur sa tête. Une copie de la lettre fut envoyée au Mossad pour y être étudiée. Les analystes furent surpris : si les habituelles fioritures de la langue arabe étaient bien là, le ton se durcissait à l'évocation de la mort de plusieurs centaines de Chiites tués pendant les attentats organisés par al-Zarqaoui. Al-Zawahiri s'interrogeait sur « la sagesse d'une telle politique de [sa] part » et ajoutait : « De tels agissements sont inacceptables par rapport à nos partisans chiites et ne nous aideront en aucun cas à atteindre nos objectifs. J'ai personnellement connu le goût amer de la brutalité américaine quand ma famille a été tuée lors de bombardements sur l'Afghanistan. En dépit de ce que je viens de dire, notre combat se déroule pour plus de la moitié dans les médias. Vous ne faites que tuer nos frères chiites, et cela ne nous aidera pas à remporter la victoire. »

Quelques jours plus tard, al-Zarqaoui donna sa réponse. À Amman, par une nuit glaciale, ses kamikazes illuminèrent le ciel au-dessus de la capitale jordanienne en déclenchant d'énormes explosions qui causèrent de graves dégâts dans trois hôtels et une discothèque – des lieux qui, en pleine saison touristique, regorgent normalement de visiteurs étrangers. Mais, cette nuit-là, la majorité des quatre-vingt-seize morts et des dizaines de blessés étaient arabes, dont plusieurs familles chiites ayant franchi la frontière irakienne pour prendre des vacances après le ramadan.

Les analystes du Mossad considérèrent ces atrocités comme une preuve qu'al-Zarqaoui annonçait là à Al-Qaïda, de bien sinistre manière, qu'il serait le prochain chef de l'organisation.

V

Face au dragon

Par un après-midi d'octobre 2005, à l'heure où le ciel s'assombrissait, un avion des forces aériennes israéliennes atterrit sur un aéroport hautement sécurisé des environs de Pékin. Le vol avait été spécialement préparé pour Meir Dagan, seul passager à bord. Seuls le Premier ministre Sharon et les membres du comité des directeurs de services connaissaient les motivations de ce long voyage vers l'Asie.

Le chef de base de la station moscovite du Mossad avait découvert que d'anciens membres des forces armées russes avaient fourni à la Corée du Nord des moyens technologiques permettant à l'état paria de fabriquer des missiles capables d'atteindre aussi bien Israël que toutes les capitales européennes. Ce qui était plus préoccupant encore, c'était que le régime de Pyongyang avait secrètement transmis ces informations technologiques à l'Iran, ce qui augmentait considérablement sa puissance militaire. Le mois précédent, la société nationale nord-coréenne. Chongchengang Arms Corporation qui avait négocié les transactions avec les Russes avait envoyé en Iran des avions-citernes transportant le carburant nécessaire pour propulser les fusées. Chaque missile était conçu pour transporter mille deux cents litres, plus qu'il n'en faudrait pour transformer Tel-Aviv en terrain vague. L'une des fusées, la Taep'odong 2, pouvait atteindre la côte ouest des États-Unis si elle était lancée de l'océan Pacifique, depuis l'un des sous-marins SSN-6 soviétiques que Moscou avait vendus à la Corée du Nord en 2003.

Le rapport d'une taupe du Mossad à Séoul – la capitale de la Corée du Sud – était encore plus préoccupant. Depuis longtemps, la ville grouillait d'espions venus du monde entier, constamment à la recherche de réfugiés du Nord susceptibles de leur fournir des informations recueillies à l'intérieur, ou mieux encore, ayant travaillé sur des programmes militaires secrets. Depuis plusieurs semaines, l'agent interrogeait un transfuge qui avait été directeur de production à l'usine 395, près de la ville de Jaijin, au nord-est du pays. Il donna non seulement des détails sur les systèmes de guidage des missiles qu'on y produisait, mais également des informations sur toutes les autres usines dont disposait le régime pour fabriquer des armes de destruction massive. En tout, plus de deux cent mille personnes travaillaient à la production d'armement nucléaire, chimique ou biologique. L'homme révéla que les systèmes de guidage des missiles de l'usine 395 permettaient d'envoyer des ogives remplies d'agents chimiques et biologiques. Acheter de l'équipement électronique à une usine située aux alentours de Nagasaki faisait partie de ses fonctions. Ses vendeurs venaient régulièrement à l'usine 395. Leurs noms furent transmis au bureau des affaires asiatiques du Mossad qui les communiqua ensuite à la base de Tokyo : la perspective de recruter l'un de ces vendeurs comme informateur était plus qu'alléchante.

Le transfuge décrivit le tristement célèbre régime oppressif de son pays : rafles matinales, familles contraintes à s'espionner entre elles, affamement et abus de pouvoir de la part de ceux qui sont en position de supériorité. La moindre indiscrétion était sévèrement punie. Des hommes avaient été fusillés pour avoir dégradé l'un des portraits du dirigeant du pays qui ornent tous les lieux publics. Il arrivait que des groupes de policiers forcent des femmes à les suivre jusqu'à la caserne pour les violer. Certaines se suicidaient après cette épreuve. Le transfuge se souvenait aussi bien des noms des victimes de ces violences que de ceux de leurs tortionnaires. À l'usine, il avait vu une femme être rôtie dans un four électrique et un homme être battu à mort avec des barres d'acier. Tous deux s'étaient fait prendre à essayer de chaparder de la nourriture à la cuisine de l'usine.

Le rapport de l'agent du Mossad donnait des détails sur la façon dont les techniciens nord-coréens avaient modifié le missile Taep'o-dong 2 de manière à ce qu'il puisse être lancé depuis un transporteur au sol.

L'engin avait été démonté puis expédié par avion à Téhéran. Une ogive conçue pour contenir des agents biologiques l'accompagnait.

Ces informations furent envoyées à Washington. Condoleezza Rice, la secrétaire d'État américaine, se rendit à Moscou pour se plaindre auprès de Vladimir Poutine de la situation qui résultait de la vente initiale des technologies russes à la Corée du Nord. Il lui rétorqua froidement qu'elle ferait mieux de s'en plaindre à la Corée du Nord. Rice se rendit ensuite à Londres pour voir avec Tony Blair quelles pressions diplomatiques la Grande-Bretagne et les États-Unis pouvaient exercer conjointement sur l'Iran. Elle choisit de présenter le cas de l'Iran au Conseil de sécurité des Nations unies. John Bolton, l'ambassadeur américain à l'ONU, annonça publiquement qu'il avait la preuve que l'Iran était déterminé à fabriquer des armes nucléaires qui pourraient servir à intimider le Moyen-Orient et l'Europe, ainsi qu' « éventuellement approvisionner les terroristes » en missiles. Ces affirmations reposaient essentiellement sur le rapport du Mossad à Séoul.

Plus tard, la validité de son contenu fut attestée lors d'une rencontre entre Condoleezza Rice et John Scarlett, le directeur général du MI-6. Ce dernier lui affirma que les preuves avaient été « garanties » par le Mossad et qu'il était admis que la Corée du Nord n'avait pas pu agir sans que la Chine soit au courant de tout. Il s'entendirent rapidement sur le fait que pour empêcher que cette situation ne devienne une véritable crise, il fallait avertir Pékin de tout ce qu'avait appris le Mossad et demander au gouvernement chinois d'utiliser son influence considérable sur la Corée du Nord pour qu'elle cesse d'apporter son soutien à l'Iran. Les tentatives manquées de diplomatie ouverte de Condoleezza Rice étaient désormais sur le point d'être réitérées secrètement.

On parla ensuite de la façon dont la requête devait être présentée. Cela pouvait se faire au niveau des ambassades mais rien ne garantissait que Pékin prenne cette méthode suffisamment au sérieux. Cependant, ni Rice, ni Jack Straw, le ministre des Affaires étrangères britannique, ne pouvaient sauter dans le prochain avion pour la Chine ; cela générerait probablement un sentiment de panique que Pékin risquerait d'exploiter. Pourtant il était crucial de faire savoir aux dirigeants chinois qu'il fallait interrompre les activités nord-coréennes et qu'eux seuls pouvaient exercer sur ce régime instable une pression suffisante pour qu'il cesse de soutenir l'Iran. Après des heures d'entretien entre les conseillers de Londres et de Washington puis, pour finir, une téléconférence – *via* une ligne sécurisée – avec Ariel Sharon à Tel-Aviv, il fut décidé que le Mossad, qui avait déjà procuré la plupart des renseignements, devrait, une fois de plus, faire usage de ses connexions avec le CSIS, les services secrets chinois, pour que la gravité de la situation soit bien comprise. « Si nous ne sommes pas encore en présence d'une véritable crise, cela ne saurait tarder », avertit John Bolton.

Ce n'était pas la première fois que le Mossad jouait un tel rôle. Dans le passé, l'Institut avait ouvert la voie à l'échange diplomatique des prisonniers égyptiens capturés durant la guerre des Six-Jours ; il avait créé le pont qui permit aux diplomates israéliens d'avoir des relations de travail avec la Jordanie et le Liban.

Tous les dirigeants politiques israéliens avaient fait appel au Mossad pour des affaires de diplomatie secrète. Certains, comme Yitzhak Shamir, Benyamin Netanyahou et Ehoud Barak surévaluèrent ce que le Mossad pouvait ou devait faire ; en grande partie, à cause de leur propre implication dans des opérations d'espionnage dans le passé. En la personne d'Ariel Sharon, le Mossad avait un supérieur politique doté de suffisamment de tempérament et d'expérience pour savoir comment gérer le service. Maintes fois, il avait demandé à Meir Dagan de faire usage de ses connexions « officieuses » avec la CIA pour soulever un problème politique sensible et vérifier la réaction de Washington avant de s'adresser à la Maison Blanche. Ce fut Dagan qui annonça à Porter Goss qu'Israël continuerait à combattre le Hamas tout en essayant de négocier avec l'Autorité palestinienne. Sharon, lui aussi, comprenait bien que, dans un monde d'espionnage de haute technologie, le facteur humain restait essentiel lorsqu'il s'agissait de diplomatie secrète. La personnalité de Meir Dagan convenait parfaitement à ce rôle et complétait le caractère exubérant qui avait conduit Sharon à s'intéresser aussi vivement aux espions et à leurs activités. Rien ne semblait plus naturel au Premier ministre que d'utiliser Meir Dagan comme son diplomate secret personnel.

« Notre type de diplomatie repose sur les contacts que nous avons avec les autres services secrets. Nous informons leurs maîtres espions de ce que les gens des Affaires étrangères aimeraient voir arriver. Nous savons que leurs employés ont généralement une forte influence sur les gouvernements ou les régimes pour lesquels ils travaillent. Dans la plupart des cas, cela fonctionne très bien. Les diplomates y gagnent la reconnaissance publique. Nous, nous avons la satisfaction personnelle que procure le travail bien fait », m'expliqua un jour Meir Amit.

Après trois ans de service, Meir Dagan savait comment préparer une intervention du Mossad dans les plus sombres replis de la diplomatie. Sur son ordinateur personnel, les noms, les lignes directes et les adresses e-mail codées des chefs des services secrets de plus d'une centaine de pays étaient régulièrement mis à jour. Parmi ses contacts, on trouvait aussi bien des diplomates et des hommes d'affaires que des individus agissant à la limite de la légalité.

C'était la deuxième fois que Dagan devait se rendre en Chine. Dix-huit mois plus tôt, il avait fait partie d'une délégation à laquelle appartenaient également le général Amos Yaron, le directeur général du ministère de la Défense d'Israël, et une équipe composée des meilleurs vendeurs d'armes du pays. Leur objectif était de renforcer des liens qui avaient déjà rapporté plus de quatre milliards de dollars à Israël en vente d'armes et de matériel militaire. Une grande partie avait d'abord été envoyée par les États-Unis et, lorsque Washington finit par reprocher à l'IAI, les Industries aéronavales israéliennes, d'avoir vendu des systèmes de veille radar aérienne (AWACS), l'État hébreu paya à contrecœur une compensation de trois cent cinquante millions de dollars pour annuler la transaction. Les relations entre Pékin et Tel-Aviv s'en retrouvèrent pratiquement gelées.

À *Asia House*, dans le centre de Tel-Aviv, après avoir passé des années à faire de l'industrie de l'armement la plus grosse exportation du pays, les directeurs de l'IAI étaient furieux. Ils travaillaient aussi bien avec la Chine, qu'avec l'Afrique du Sud et les nations d'Amérique latine. Fondée par Shaul Nehemiah Eisenberg, l'IAI était devenue un foyer pour les anciens directeurs du Mossad, Zvi Zamir, Yitzhak Hofi et

Danny Yatom. Amos Manor, le grand patron du Shin Beth, l'équivalent israélien du FBI, avait également son bureau dans les locaux de la société. Selon une de leurs plaisanteries récurrentes, « la grande question était de savoir si l'État était propriétaire de l'IAI ou si l'IAI était propriétaire de l'État ». La position unique de cette société lui permettait également d'être la seule à être totalement exonérée d'impôts sur ses revenus.

Dagan savait que lorsque viendrait le temps où il devrait abandonner sa place de directeur du Mossad, il bénéficierait lui aussi d'un poste confortable à l'IAI. La façon dont il allait remplir sa mission à Pékin serait observée de près.

Lors de ses précédents voyages commerciaux à Pékin, la délégation israélienne avait apporté avec elle de nombreuses armes fascinantes, dont une grande part avait été développée à partir de modèles américains. Parmi celles-ci se trouvait la dernière version de *Promis*, le logiciel qui pouvait suivre les mouvements d'un nombre pratiquement incalculable d'individus sur toute la planète (voir *Histoire secrète du Mossad I*, chapitre IX, Sexe, mensonge et bakchichs). La Chine faisait partie des cent quarante-deux pays à avoir acheté ce logiciel dont la « porte dérobée » indétectable avait été installée par les meilleurs programmeurs israéliens, ce qui permettait au Mossad de surveiller tous ceux qui l'utilisaient. Et la nouvelle version était encore meilleure.

Lors de cette première visite, Dagan constata que la Chine raffolait de ce genre de technologie ; elle y consacrait un budget plus important qu'aux denrées alimentaires. Ce n'était jamais aussi manifeste que lorsqu'il s'agissait de surveillance. Détecteurs ultrasoniques sensibles aux bruits comme aux mouvements, rayons électroniques invisibles activant des caméras cachées et des alarmes silencieuses, appareils de mise sur écoute ou de désactivation d'écoute : Israël offrait ce qui se faisait de mieux et avait trouvé un très bon marché en Chine. Entre autres, les équipes de vendeurs avaient apporté des gadgets conçus par le Mossad, tels que des analyseurs de voix évaluant le niveau de stress du sujet au téléphone. L'IAI avait créé un nouveau radar émettant des pulsations d'énergie électromagnétiques qui rebondissaient sur les avions ennemis et indiquaient ainsi leur forme et leur taille. D'autres compagnies israéliennes avaient trouvé un marché réceptif au type de matériel de surveillance qui faisait partie intégrante de l'infrastructure urbaine chinoise ; des appareils de contrôle électroniques analysaient chaque minute d'une journée de travail et vérifiaient les taux de production quand ce n'était pas les pauses toilettes ou les activités personnelles. Meir Dagan avait remarqué qu'aucun immeuble pékinois ne semblait pouvoir fonctionner sans son quota de puces électroniques israéliennes dont on nourrissait constamment les ordinateurs pour que le gouvernement puisse garder ses citoyens à l'œil de la naissance à la mort.

Dans les banquets organisés pour célébrer la venue de cette délégation, les orateurs, les uns après les autres, parlaient du « Siècle de l'Asie » et expliquaient qu'en 2005, sept des treize villes comptant plus de dix millions d'habitants se trouveraient dans la ceinture Pacifique. La Chine prédit qu'une croissance économique de huit pour cent par an lui permettrait de créer la plus grande cybercité du monde ; en 2010, sa réserve de devises dépasserait celle du Japon ; la même année, dans la ceinture Pacifique, une grande entreprise sur dix serait sous le contrôle virtuel de ses investisseurs chinois ; en 2015, des pays tels que la Thaïlande ou les Philippines seraient sous la houlette économique de la Chine. Selon l'un des orateurs, on parviendrait à cela grâce à l'aptitude de la Chine à exporter des technologies achetées à Israël. L'ironie de la situation n'échappa pas aux invités.

Durant l'un des banquets, Meir Dagan fut présenté à Qiao Shi, ancien haut dignitaire des services secrets chinois. L'homme mesurait plus d'un mètre quatre-vingts, ce qui est étonnamment grand pour un Chinois. Selon la rumeur, il se tenait voûté à cause d'une maladie infantile qui l'avait contraint à garder le lit pendant de longues périodes qu'il avait mises à profit pour étudier dans ses moindres détails la langue de son pays. À l'âge de six ans, il maîtrisait déjà les radicaux, la calligraphie, la phonétique et les recensions. La discipline qu'exige cet apprentissage fut une bonne école pour le maître espion chinois qui détenait alors le record mondial de longévité au poste de directeur d'un service de renseignement. Au cours de leur brève rencontre, Meir Dagan trouva que Qiao se montrait poli bien que distant, mais toujours prêt à lever son verre de cognac français en l'honneur de la délégation israélienne et à offrir à ses membres des cigares cubains.

Là, dix-huit mois plus tard, en ce jour d'octobre 2005, Meir Dagan était venu en émissaire pour faire savoir à Qiao, servant ici d'intermédiaire, que Pékin devait intervenir pour que la Corée du Nord arrête de fournir des armes à l'Iran, une activité qui risquait non seulement de déclencher une guerre dans la région mais également d'aboutir à un conflit mondial.

Leurs conversations devaient se dérouler selon des règles bien rôdées laissant toujours la possibilité de nier leur existence. Les appels téléphoniques durant lesquels ils prendraient rendez-vous pour l'entretien, ou expliqueraient de quoi il s'agissait, s'effectueraient sur des lignes sécurisées et ne seraient pas enregistrés. Le plan de vol et la liste des passagers étaient classés secrets. Seul Porter Goss et John Scarlett étaient informés du but de ce voyage. Les hauts diplomates du département d'État à Washington et du Foreign Office à Londres avaient volontairement étaient écartés afin qu'ils puissent affirmer ne jamais avoir entendu parler de cette mission en toute crédibilité.

Le CSIS avait ses quartiers à Pékin. Le contre-espionnage logeait dans un bâtiment de quatre étages sur la rue de Qiananmen Ouest ; le renseignement extérieur opérait depuis un immeuble moderne situé près de la gare principale. Mais les principales activités des milliers d'hommes et de femmes qu'employait le CSIS étaient coordonnées depuis l'enceinte de Zhongnanhai, où vivaient et travaillaient les dirigeants chinois. À proximité du bureau du Premier ministre se trouvaient une construction carrée de plain-pied, couverte du traditionnel toit de tuiles rouges en pagode, et une zone pavée conçue pour l'atterrissage des hélicoptères et le stationnement des voitures. Le toit du bâtiment était couvert d'antennes. Une photo satellite américaine révéla l'existence d'une cour intérieure abritant un étang ornemental et un jardin miniature. Seul le bureau du haut responsable du CSIS y permettait un accès direct.

La carrière de Qiao Shi toute entière reposait sur une progression lente et adroite durant laquelle il avait monté les échelons d'un bureau ministériel à l'autre. Ses compétences linguistiques – il parlait français, japonais et coréen – l'avaient mené au ministère des Affaires étrangères. En tant que diplomate, il avait beaucoup voyagé avant d'être rappelé pour occuper une place importante au ministère. En 1980, il fut nommé directeur de la sécurité d'État par Deng Xiaoping. À la mort de ce dernier, le pouvoir de Qiao resta intact ; il connaissait tous les secrets, tous les potins et toutes les faiblesses des « aînés » de Zhongnanhai, les derniers survivants de la Longue Marche de 1934, qui, pendant deux ans, avaient fait un inoubliable voyage de plus de neuf mille kilomètres à travers plusieurs chaînes de montagnes et des provinces plus grandes que la plupart des pays européens ; il ne s'agissait pas uniquement d'une retraite militaire stratégique pour échapper à une terrible réalité fratricide mais également d'une migration majeure qui mena à une nouvelle nation, une nouvelle Chine.

L'une des premières décisions que prit Mao Zedong après avoir proclamé la naissance de l'État communiste, le 1er octobre 1949, fut de créer une enceinte réservée aux dirigeants, dans le pré de la Cité interdite, d'où les empereurs avaient dirigé le pays sept siècles durant. Le chef suprême des services secrets chinois contribua à en faire l'une des zones les plus fortifiées du monde. Des postes de gardes se trouvaient dans les endroits les plus inattendus : découpés dans le tronc des arbres, avec seulement la place d'y loger un homme, ou cachés dans les massifs d'arbustes. Les capteurs, les fils tendus au sol et les caméras détectrices de chaleur corporelle pullulaient. Les avions n'avaient pas le droit de survoler la zone. Seuls circulaient les hélicoptères qui transportaient les « aînés » de leurs palais d'été, dans les collines, vers l'ouest de la ville. Les habitants de l'enceinte demeuraient le long de la rive ouest du lac qui se trouvait au centre du site. Beaucoup vivaient dans des palais de trente chambres ou plus, avec des salons magnifiques et des piscines intérieures. Meublées d'objets provenant de la Cité interdite, les résidences avaient chacune leur cortège de serviteurs et de gardes qui, eux, vivaient au nord du lac dans des baraquements dissimulés par la végétation. On trouvait d'un bout à l'autre de l'enceinte plus de cent variétés d'arbres ou d'arbustes, symboles de ceux que les « aînés » avaient vus pendant la Longue

Marche. Le lac regorgeait de carpes. Au départ Mao en avait commandé cent mille ; au fil des ans, leur nombre avait augmenté jusqu'à atteindre, selon certains, plusieurs millions. Ce qui était indubitable, c'était que l'eau était noire de leurs excréments et qu'une équipe entière de jardiniers avait pour tâche de les enlever. Les rares étrangers admis à Zhongnanhai trouvaient que le lac sentait mauvais.

Conformément à ce qui avait été convenu, nul n'a jamais su si Meir Dagan et Qiao Shi s'étaient rencontrés dans l'enceinte ou ailleurs. Mais vingt-quatre heures après son atterrissage, l'avion du directeur du Mossad était de nouveau dans les airs en direction d'Israël.

Quelques jours plus tard, l'Institut découvrit, comme plusieurs services secrets occidentaux, que la Corée du Nord avait converti le virus de la grippe aviaire en arme. La nouvelle venait renforcer l'inquiétude générale qui régnait déjà dans le monde du fait que l'on craignait de plus en plus une répétition de la pandémie de grippe espagnole qui fit cinquante millions de morts en 1918. Tout comme aujourd'hui, il n'existait alors aucun vaccin disponible pour protéger immédiatement des populations entières. Les services secrets avertirent que, sous forme d'aérosol, le virus serait indétectable lors des contrôles douaniers, ce qui en faisait une arme idéale pour les terroristes. À Washington, l'administration Bush organisa des séances classées « Top secret – Informations sensibles » avec des membres du Congrès et du Sénat. Porter Goss, le directeur de la CIA, et John Negroponte, le directeur national du renseignement (DNI), y donnèrent de plus amples détails sur cette menace terroriste.

Les chefs des services de renseignement expliquèrent que, les premiers cas ayant été signalés en Asie, les agents nord-coréens n'auraient pas trop de mal à se procurer des oiseaux infectés par le virus H5N1 qu'ils pourraient ensuite utiliser en tant qu'arme. L'ancien directeur de Biopreparat, le docteur Ken Alibek, transfuge russe devenu haut conseiller en matière de biodéfense au gouvernement Bush, me confia : « On ne saurait surestimer la menace de l'utilisation de la grippe aviaire en tant qu'arme. Entre les mains d'un terroriste, il s'agirait de la plus terrible des armes. Il serait impossible de différencier une grippe aviaire propagée par aérosol de celle qui se transmet naturellement par les oiseaux infectés. Cependant, le virus produit en laboratoire serait nettement plus mortel et pourrait être dirigé sur des cibles spécifiques. »

Selon Peter Openshaw, professeur de virologie à l'Imperial College de Londres : « Ce serait plus terrifiant qu'une mécanisation de la variole, qu'il serait plus facile d'endiguer puisqu'il existe un vaccin. » Selon Hugh Pennington, professeur de microbiologie à l'université d'Aberdeen, en Écosse, les biologistes moléculaires nord-coréens « pourraient croiser le virus de la grippe aviaire avec d'autres virus de grippe pour le rendre plus contagieux par contact personnel ».

Le fait que la Corée du Nord transforme le virus de la grippe aviaire en arme signifiait-il que le régime n'avait tenu aucun compte des démarches de la Chine pour que le pays cesse d'armer l'Iran ? Qiao Shi s'était-il contenté d'écouter Dagan poliment sans agir par la suite ? Avait-il estimé, avec les « aînés » de Zhongnanhai, qu'il n'était pas dans l'intérêt de la Chine de faire pression sur son instable voisin ?

Ce qui était certain, c'était qu'une ogive pleine de virus larguée sur Tel-Aviv aurait des conséquences catastrophiques. Mais la possibilité d'une utilisation terroriste du virus de la grippe aviaire n'était pas la seule menace à peser sur Israël et le reste du monde. Six scientifiques qui venaient de quitter le Pakistan après y avoir longtemps travaillé dans l'industrie nucléaire représentaient, eux aussi, un danger considérable.

Le Mossad était au courant des activités qu'ils menaient avant de quitter le Pakistan. Ils avaient tous collaboré étroitement avec Abdul Qader Khan, père de la bombe islamique et parrain de la prolifération nucléaire. Leur expérience technique englobait toutes les disciplines complexes nécessaires à la production d'uranium enrichi par l'utilisation de centrifugeuses, première étape vers une bombe atomique.

Ils avaient amélioré leurs compétences grâce aux experts sud-africains qui, aux laboratoires de recherche Khan, participaient secrètement au programme nucléaire pakistanais. Le programme spatial de l'Afrique du Sud avait été abandonné en 1993, après les menaces de sanctions économiques américaines. Du jour au lendemain, le président Nelson Mandela avait dû faire une croix sur son rêve d'envoyer un astronaute dans l'espace. En plus des milliards de rands gaspillés, des centaines d'hommes et de femmes hautement qualifiés se retrouvèrent au chômage.

Mais les plus talentueux n'attendirent pas longtemps les offres d'emploi. Les premières vinrent de Dimona, le site nucléaire israélien. Les relations avec le programme sud-africain s'étaient développées depuis l'époque où le savoir-faire de Dimona avait permis d'affiner le premier missile de moyenne portée du pays, c'est-à-dire l'Arniston, une copie conforme de la fusée israélienne Jericho II. Une décennie de proche collaboration avait fini par s'interrompre en 1992, une fois de plus, sous la pression des États-Unis. Mais les liens entre les scientifiques avaient persisté.

Ceux qui avaient travaillé à Kempton Park, un site des alentours de Johannesburg où l'on développait des systèmes de caméras haute résolution pour les satellites ; à Somerset West, dans le bush de la province du Cap-Oriental, où l'on concevait des moteurs de fusée ; à l'ingénierie de systèmes de l'université de Stellenbosch près du Cap, reçurent des offres intéressantes. Ils n'auraient plus à vivre dans un pays où le taux d'assassinat était le plus élevé du monde et où les scandales de corruption étaient légion. En Israël, ils allaient gagner des salaires beaucoup plus importants dans la devise de leur choix. En un rien de temps, ils vendirent leurs maisons, situées près des terrains d'essais de missiles, dans le Kwazulu-Natal ou dans l'ancienne réserve naturelle qui se trouve près du Cap. Ils partirent vers le nord sur un vol régulier d'El Al à destination de Tel-Aviv pour y rejoindre d'autres scientifiques, venus d'une usine d'ogives nucléaires du Veld, près de la capitale, Pretoria. Tous frais payés et après avoir reçu une confortable avance, ils s'installèrent dans des locaux bordés de palmiers, construits spécialement pour eux dans le désert du Néguev. Ils se retrouvèrent à travailler en compagnie de nombreux Russes, engagés, eux aussi, par les chasseurs de tête après l'effondrement de l'Union soviétique.

Les recruteurs pakistanais ne perdirent pas de temps non plus. Agissant plus discrètement que les Israéliens, ils offrirent aux scientifiques sans emploi des salaires encore plus élevés que ceux de Dimona. Ils promirent aux chercheurs un mode de vie comparable à celui dont ils bénéficiaient quand l'apartheid était à son apogée : après avoir dû abandonner leurs serviteurs quand le programme spatial avait été interrompu, ils allaient maintenant en retrouver à la pelle au Pakistan. Il en allait de même pour leurs *sundowners*, ces cocktails rituellement servis au coucher du soleil qui faisaient autrefois partie intégrante de la vie sud-africaine. Ils allaient vivre dans des demeures encore plus somptueuses que celles qu'ils occupaient au Cap ; leurs enfants seraient scolarisés dans des établissements privés dont les professeurs venaient des plus grandes universités britanniques, françaises et américaines. Le personnel de leurs institutions de santé serait constitué des meilleurs médecins. En plus de vacances généreuses, leurs salaires, non imposables, seraient versés sur le compte bancaire de leur choix, où qu'il se trouve dans le monde. On ne se faisait pas prier pour accepter les offres et de nombreux vols entre Johannesburg et Islamabad furent remplis par les scientifiques et leurs familles.

Au fil des ans, ils avaient permis aux six spécialistes nucléaires pakistanais qui avaient secrètement quitté le pays d'améliorer leurs compétences. Ils s'étaient enfuis lorsqu'on avait découvert qu'ils étaient impliqués dans ce que le Mossad, le MI-6 et la CIA appelaient le « Hiroshima américain ». L'objectif était de faire entrer une bombe en douce aux États-Unis pour la faire exploser à Washington. Elle devait voyager dans un container sur l'un des nombreux cargos qui arrivaient toutes les semaines dans les ports de la côte Est. Peu d'entre eux étaient soumis à une fouille complète. Des agents dormants viendraient récupérer la bombe dans son container, l'apporteraient à Washington et la feraient sauter, faisant ainsi encore plus de morts et de blessés que les attentats du 11 septembre.

La synchronisation de l'opération avait été planifiée par Oussama Ben Laden avec une précision similaire à celle du 11 septembre. Le but n'était pas seulement de générer la terreur et l'épouvante en faisant un nombre incroyable de victimes mais également de prouver, une fois de plus, qu'une victoire peut être remportée par la violence. Politiquement, il s'agissait d'un cri de ralliement pour le Djihad mondial, la guerre sainte à l'échelle planétaire. Les dirigeants des pays musulmans qui s'y étaient opposés seraient balayés lorsque Ben Laden aurait réalisé son vieux rêve de créer une sorte de nouveau califat. À peine une génération après que de nombreux pays musulmans eurent gagné leur indépendance, le plus souvent par rapport à la Grande-Bretagne, il voyait déjà comment leur monde allait entrer dans une nouvelle ère religieuse. La première phase avait déjà eu lieu en 1979, en Iran, lorsque la révolution de Khomeini avait soulevé les masses indigentes. Après le Hiroshima américain, les premiers à tomber devaient être les membres de la famille royale saoudienne que Ben Laden accusait depuis longtemps de manquer à leurs devoirs de gardiens des lieux saints de La Mecque et de Médina.

Le 2 mars 2003, c'est en capturant Khalid Sheikh Mohammed, le chef des opérations militaires de Ben Laden, dans une planque d'Al-Qaïda à Karachi que l'on découvrit l'existence d'un projet de bombe atomique sur l'Amérique. L'arrestation de Mohammed fut conduite par des agents des services secrets pakistanais, ce qui donna une nouvelle occasion au président Musharraf de prouver à Washington qu'il restait un fervent partisan de la guerre contre le terrorisme. Ce n'était pourtant pas toute la vérité. Si le Pakistan avait bien arrêté un grand nombre de membres d'Al-Qaïda, il n'en continuait pas moins d'aider des groupes terroristes dans la région convoitée du Cachemire, en les finançant, en les entraînant et en les armant pour leur guerre d'usure contre l'Inde. Le gouvernement Bush considérait toujours le Pakistan comme un allié puissant pour sa guerre contre le terrorisme de Ben Laden. Un officiel du département d'État m'expliqua que « le Cachemire [était] un problème secondaire ».

Quand Mohammed fut arrêté, Washington exprima de nouveau publiquement sa gratitude. En revanche, on se garda bien de signaler que la CIA et les forces spéciales américaines avaient conduit par avion ce précieux prisonnier vers leur centre d'interrogatoire de Bagram, en Afghanistan. Ils avaient apporté avec eux plus d'un millier de documents et une centaine de disques durs trouvés dans sa planque, dans une petite rue de Karachi ; le terroriste avait été trahi pour mille dollars. Les documents et les disques – considérés plus tard comme « une mine d'or opérationnelle » –, servirent de base aux interrogatoires.

Menotté et cagoulé dans l'un des wagons de fret du centre, privé de sommeil, exposé à de longues périodes de « bruit blanc » amplifié, sans climatisation dans la chaleur torride du jour, sans chauffage durant les nuits glaciales, recevant des injections de drogues affaiblissant sa résistance, soumis à la violence et aux menaces d'exécution sommaire – des techniques qui furent dénoncées plus tard par Amnesty International –, Khalid Sheikh Mohammed commença à donner des informations sur le Hiroshima américain. Il était prévu de faire exploser sept bombes simultanément dans sept villes différentes. Il s'agissait de New York, Washington, San Francisco, Los Angeles, Seattle, Chicago et Boston. Chaque bombe devait être capable de produire une explosion de dix kilotonnes. La planification en était encore à ses premiers stades et l'opération exigeait de faire entrer clandestinement les bombes aux États-Unis dans des containers maritimes. Chaque année, environ dix-huit millions de cargos transportant des containers arrivaient dans les ports américains ; seul un petit pourcentage était fouillé de fond en comble. Les contrôler tous aurait nécessité énormément plus de personnel qu'il n'y en avait et aurait entraîné des conséquences désastreuses pour le commerce.

Ce fut à partir de là, en mai 2003, que le Mossad devint directement impliqué.

Dans le cadre de l'étroite collaboration mise en place par Porter Goss et Meir Dagan, plusieurs des documents trouvés et les premières transcriptions des interrogatoires furent transmis au Mossad. En retour, l'Institut communiqua à la CIA des nouvelles électrisantes. En avril 2003, Abdul Qader Khan avait rencontré Ben Laden. Par avion, le scientifique s'était rendu à Peshawar, dans la province du nord-ouest, avant d'être conduit, à travers les hautes montagnes, de l'autre côté de la frontière pakistanaise dans les territoires impitoyables et désolés de l'est de l'Afghanistan. Khan était accompagné de l'un des six scientifiques nucléaires que le Mossad recherchait. Il s'appelait Mourad Qasim et était le meilleur expert des laboratoires Khan en ce qui concernait les complexités de la technologie centrifuge.

Un mois plus tard, à la mi-mai, Qasim comptait parmi les invités que Khan recevait à sa résidence secondaire, au bord d'un lac, près de Rawalpindi, dans le nord du Pendjab.

Se faisant passer pour des pêcheurs, des *yahalomin* du Mossad s'étaient installés près de la maison pour la surveiller. Des micros directionnels avaient été déguisés en cannes à pêche.

Cinq ans s'étaient écoulés depuis que Khan avait réussi à faire exploser la première bombe atomique pakistanaise sur un terrain d'essai au sud du désert du Baloutchistan. En outre, il avait continué à vendre de la technologie nucléaire à l'Iran et à la Corée du Nord. En plus de Mourad Qasim, le Mossad identifia cinq de ses collègues également présents : Mohammed Zubair, Bashiruddin Mahmoud, Saïd Akhter, Imtaz Baig et Wahid Nasir. Tous étaient d'importants chefs d'équipe des laboratoires Khan. Ce week-end là, leurs noms complétaient la liste des personnes invitées à la maison du lac.

À l'instar de leur hôte, ils étaient tous de fervents partisans d'Al-Qaïda. Bashiruddin Mahmoud, en outre, avait rencontré Ben Laden et le leader taliban, le mollah Omar, à Kandahar, en Afghanistan, au début de l'année. Sur le chemin du retour, il avait été arrêté et brièvement détenu par les forces américaines de la ville. Il avait revendiqué l'immunité diplomatique et soutenu qu'il était dans le pays pour une « visite agricole ». Muni de documents confirmant ses affirmations, il avait été autorisé à rentrer à Islamabad. Quand les agents des services secrets pakistanais l'interrogèrent, à la demande de la CIA, ils apprirent avec surprise que Mahmoud reconnaissait avoir effectivement rencontré les terroristes qui lui avaient demandé de concevoir une bombe radiologique. Pour la fabriquer, il suffisait d'envelopper des matières radioactives – que Ben Laden s'était procuré sur un ancien site nucléaire soviétique en Ouzbékistan – dans un explosif conventionnel puissant. Mahmoud insista sur le fait qu'il avait refusé. Le gouvernement pakistanais annonça à Washington que Mahmoud était au-dessus de tout soupçon. Personne n'évoqua sa rencontre avec Ben Laden et le mollah Omar.

L'équipe d'écoute du Mossad entendit Mahmoud expliquer à Khan et à ses invités que ses contacts aux services secrets pakistanais l'avaient prévenu que la CIA était au courant de leur rôle dans le Hiroshima américain depuis que leurs noms étaient apparus dans les documents découverts lors de l'arrestation de Khalid Sheikh Mohammed. Ce que l'Institut soupçonnait depuis longtemps était donc confirmé : Mahmoud ne s'était pas rendu à Kandahar pour discuter avec Ben Laden d'une « bombe sale » relativement simple, mais pour proposer ses services, ainsi que ceux des cinq autres scientifiques qui se trouvaient à la table du docteur Khan.

Le jour suivant, alors même que Meir Dagan était en train d'envoyer à Porter Goss le compte-rendu de ce que son unité de *yahalomin* avait entendu, les six scientifiques quittaient le Pakistan. Plus tard, Khan nia fermement être informé de la participation de ses six employés à un complot visant à lancer des attaques nucléaires contre l'Amérique.

De nombreux services de sécurité ajoutèrent alors leurs noms à la liste des personnes recherchées. Mais, comme bien d'autres individus liés au terrorisme avant eux, les scientifiques se volatilisèrent. Il se passa un an avant que le Mossad ne retrouve leur trace. Ils étaient en Arabie Saoudite.

Pratiquement un an après qu'Abdul Qader Khan eut avoué à la télévision qu'il était un trafiquant d'armement nucléaire, un avion commercial en provenance de Chypre atterrit à l'aéroport de Tel-Aviv. Parmi ses passagers se trouvait Moshe Feinstein (un nom d'emprunt). Il s'agissait en fait d'un *katsa* du Mossad, expert en prolifération nucléaire. À Nicosie, il avait rencontré un membre de l'importante communauté saoudienne. Après des mois d'enquête approfondie et de vérifications détaillées sur son passé, on l'avait recruté comme *sayan* et on lui avait donné « le Vendeur » pour nom de code, un clin d'œil à sa bosse du commerce. Pour prendre rendez-vous, le Vendeur faisait paraître une annonce dans la rubrique matrimoniale d'un journal londonien disponible à Riyad. Deux jours après sa publication, Moshe s'y rendait par avion.

Le Vendeur avait établi d'importantes connexions avec la famille princière Ibn Saoud, profitant du fait que l'administration soit très personnalisée, ne consistant souvent qu'en quelques fonctionnaires gravitant autour d'un individu, généralement l'un des princes du royaume. L'aptitude de cet homme à repérer les plus importants faisait de lui un élément d'une valeur inestimable pour le Mossad. Lors de l'un de ses premiers entretiens avec Moshe, le Vendeur lui avait expliqué que le ministère des Affaires étrangères reposait entièrement sur le prince Saoud al-Faiçal, et qu'aucune décision, aussi insignifiante soit-elle, n'était prise sans son approbation. Les autres ministères fonctionnaient de manière similaire. Le Vendeur résumait ainsi la situation : « Si vous leur donnez une liste de plus d'un article, ils s'occupent rarement du second. Leur négligence et leur incompétence sont légendaires. »

C'était lors de ses fréquentes vacances en Europe ou à Chypre – alors qu'il tentait d'échapper à la chaleur féroce qui s'abattait sur Riyad en été –, que le Vendeur avait commencé à communiquer ses premiers renseignements prometteurs sur ce monde fermé qu'était le royaume. Un contact au ministère de l'Information lui avait parlé de la montée de l'antiaméricanisme en Arabie saoudite (en 2005, une enquête approuvée par le régime révéla que quatre-vingts pour cent de la population avait une mauvaise image des États-Unis). Il était encore plus perturbant de constater qu'Al-Qaïda était de plus en plus infiltrée dans le pays et que la famille régnante versait des sommes substantielles à l'organisation pour qu'elle ne s'en prenne pas à ses membres – à condition que l'argent ne soit utilisé que pour des attentats commis hors de son territoire. Le Vendeur donna des détails sur la façon dont les pétrodollars saoudiens avaient financé le massacre du 11 septembre et l'attaque de l'USS *Cole*. Sachant cela, Gore Gold, un ancien ambassadeur israélien proche du Mossad, déclara publiquement : « L'Arabie saoudite paie une rançon pour être épargnée. Elle se fiche de ceux qui souffrent. Elle récoltera ce qu'elle sème. »

Au sein de la famille princière, une lutte de pouvoir se prolongeait depuis la mort du roi Fahd et l'arrivée d'Abdallah à la tête du royaume du désert. Ce dernier était le demi-frère des Soudayri, une puissante faction de la famille royale composée du prince Sultan, ministre de la Défense ; du prince Nayef, ministre de l'Intérieur ; du prince Turki, directeur des services secrets et, désormais, ambassadeur à la cour britannique, à St James, à Londres ; ainsi que du prince Salman, le gouverneur de Riyad. On les appelait les Soudayri du nom de leur mère, Hassa Bint Soudayri, l'épouse favorite du roi Ibn Saoud, le fondateur du royaume. Dès son arrivée au pouvoir, Abdallah leur reprocha les dépenses extravagantes qui faisaient monter la grogne du peuple. Cette situation avait généré une lame de fond de ferveur religieuse dans une population dont la moitié était âgée de moins de dix-huit ans. Le phénomène concordait avec une baisse du niveau de vie due aux fluctuations des revenus pétroliers du pays. Pour Al-Qaïda, le terrain était donc fertile.

Moshe Feinstein rentra en Israël avec d'importants renseignements que lui avait donnés le Vendeur. Sa carte d'identification lui permettant d'éviter les formalités de l'aéroport, il put rejoindre rapidement la voiture avec chauffeur qui l'attendait. Sur le pare-brise du véhicule se trouvait un autocollant sur lequel figurait le logo de l'office de tourisme israélien : deux hommes portant des raisins et un pichet, en référence à l'époque où Moïse envoya Caleb et ses hommes chercher la Terre promise et découvrir si les habitants possédaient des poisons susceptibles d'avoir des effets dévastateurs sur les Juifs qui avaient déjà beaucoup souffert en fuyant l'Égypte des pharaons. Caleb était rentré en annonçant que le territoire qui allait devenir Israël était un pays où « coulaient le lait et le miel ». Au Mossad, on avait l'habitude de plaisanter en affirmant qu'il s'agissait des premiers – et des meilleurs – renseignements qu'ait jamais reçus le pays.

Une demi-heure plus tard, la voiture arriva au portail de la *Kirya*, le quartier général des forces de défense israéliennes. Une sentinelle vérifia les identités, une barrière hydraulique se leva et le véhicule fit quelques mètres avant de s'arrêter devant un banal immeuble de béton. À l'intérieur se trouvait la salle de conférence spartiate où était réuni le comité des directeurs de services. Le chef d'état-major Moshe Ya'alon, le directeur des renseignements militaires, était présent. En Israël, cet homme était une légende. L'ancien parachutiste de l'unité d'élite *Sayret Maktal*, l'équivalent du SAS britannique, avait servi dans ces points chauds du Moyen-Orient où les rues et les souks n'avaient souvent pas de nom et où la seule règle était de « tuer ou être tué ». Meir Dagan était assis à côté de lui.

Même avec le ton plat et dépourvu d'émotion que le Mossad demandait à ses agents d'adopter pour faire leurs rapports, les hommes présents à la conférence ne pouvaient qu'être fascinés par ce que Moshe Feinstein leur révéla avoir appris du Vendeur. Abdul Qader Khan s'était secrètement rendu à Riyad pour y rencontrer Abdallah. Le but de l'entretien était de mettre en route un accord ultrasecret de coopération avec le Pakistan, qui devait approvisionner la famille princière en technologies nucléaires en échange de pétrole à bas prix. Le Mossad savait déjà – grâce au réseau d'informateurs, couvrant l'Asie entière, dont s'occupait Jamal – que le pacte impliquait également que le Pakistan rétorque à toute attaque nucléaire éventuelle de la part de l'Iran, en déployant son propre arsenal atomique. Le pacte avait été signé lors de la venue d'Abdallah à Islamabad, en 2003. Les analystes du Mossad accordaient à cette promesse d'aider l'Arabie saoudite à peu près autant d'intérêt qu'à la couleur des rideaux de la pièce.

En revanche, avec la venue de Kahn à Riyad, Israël craignait de plus en plus que les missiles saoudiens ne représentent une grave menace pour l'État hébreu si le pays parvenait à s'équiper en armement nucléaire.

D'après le compte-rendu de Feinstein, cette éventualité devenait de plus en plus probable. Le Vendeur lui avait dit que des transporteurs militaires C-130 avaient commencé à décoller régulièrement de la base de Dhahran. C'était de là que les États-Unis avaient lancé leur première offensive aérienne sur l'Irak pendant la guerre du Golfe ; la base était totalement sous le contrôle de Riyad depuis que les forces américaines s'étaient retirées. Depuis la visite de Khan, les avions géants faisaient des allers-retours entre Lahore et Karachi. Le Vendeur avait découvert qu'ils rentraient avec de pleines cargaisons de matériaux provenant de l'usine d'enrichissement d'uranium de Kahuta, au Pakistan.

Certaines des informations du Vendeur concordaient avec celles du Mossad. En 1987, l'Arabie saoudite avait acheté des missiles CSS-2 à la Chine. Bien que leur portée soit suffisante pour atteindre Israël, ils ne pouvaient porter que des ogives conventionnelles et n'étaient pas à la hauteur des systèmes de défense haute technologie israéliens. La première véritable tentative de l'Arabie saoudite d'entrer dans l'arène nucléaire eut lieu en 1990 lorsque la famille princière fit secrètement virer cinq milliards de dollars à Saddam Hussein pour qu'il lui fabrique une bombe atomique. Le transfert avait été effectué par Tiny Rowland, le financier londonien chargé de cacher l'immense fortune de Saddam dans diverses banques du monde entier ; à ce jour, elle n'a toujours pas été retrouvée (voir *Histoire secrète du Mossad I*, chapitre XIX, Après Saddam). La bombe ne fut jamais construite et le marché ne fut découvert que lorsque Mohammed Khilewi, le premier secrétaire de la mission saoudienne aux Nations unies, démissionna en juillet 1994, emportant avec lui plus de dix mille documents révélant les tentatives du gouvernement saoudien de devenir une puissance nucléaire. L'Agence internationale de l'énergie atomique envoya des experts examiner les sites nucléaires du pays. Ils estimèrent que le royaume ne disposait ni des moyens techniques ni du personnel compétent nécessaires à la manipulation d'armement nucléaire.

Quoi qu'il en soit, la découverte des intentions de Riyad alarma la communauté internationale et Israël en particulier. On découvrit de plus en plus d'éléments indiquant que l'Arabie saoudite soutenait des causes djihadistes, liées à Ben Laden, au Cachemire, en Ouzbékistan et en Tchétchénie. Le Mossad se concentra sur les liens de l'Arabie saoudite avec le Cachemire ; Riyad y supportait les insurgés en faisant passer les fonds par le Pakistan ; la Banque centrale d'Islamabad blanchissait des dizaines de millions de dollars. D'énormes sommes étaient envoyées aux talibans par la même voie. Oussama Ben Laden, déjà admiré et respecté à Riyad pour sa lutte contre l'Union soviétique en Afghanistan, était toujours perçu comme une figure héroïque au royaume du désert. La famille princière ne réalisa que trop tard qu'il était son ennemi mortel. Ce furent les attentats du 11 septembre qui firent comprendre au roi et à ses milliers de princes l'importance de la menace que représentait Al-Qaïda. Après le retrait des Américains de son bouclier militaire, l'Arabie saoudite eut soudain un urgent besoin d'arsenal nucléaire. Le Pakistan, toujours l'un des plus grands mécènes du terrorisme, était en mesure de le lui fournir. Il fut donc le premier port d'appel pour les gouvernants effrayés du royaume. L'arrivée d'Abdul Qader Khan à

Riyad prouva que le Pakistan était prêt à satisfaire leur demande en échange de tarifs imbattables sur le pétrole.

Tel-Aviv comprit que le véritable danger d'un pacte entre l'Arabie saoudite et le Pakistan était que la famille princière risquait d'être tentée d'acheter la paix dans son pays en fournissant de l'armement nucléaire à Al-Qaïda.

Le *katsa* avait encore une information à révéler. Le Vendeur avait identifié – sur des photos que le Mossad avait réussi à se procurer et que Moshe lui avait montrées – les six scientifiques spécialistes du nucléaire qui avaient disparu après avoir été nommés dans les documents concernant le Hiroshima américain. Les noms des scientifiques furent effacés de la liste des individus à arrêter et ajoutés sur celle des hommes à abattre.

Les procédures d'assassinat n'avaient pas changé. Chaque exécution devait être approuvée par un comité dirigé par le Premier ministre en place et devait viser une personne qui représentait un danger évident pour l'État d'Israël et ne pouvait pas être jugée parce qu'elle se trouvait sous la protection des frontières d'un pays ennemi. L'Arabie saoudite, la Corée du Nord, l'Iran et les nombreuses républiques islamiques de l'ancien bloc soviétique comptaient parmi ces terres d'asile. Du point de vue du Mossad, il devenait indispensable de faire appel au *Kidon* pour faire face à la propagation de l'intégrisme islamique sous toutes ses formes : Hamas, Hezbollah, Djihad islamique, Front de solidarité, Front de libération de la Palestine, terroristes philippins ; tous voulaient la destruction de l'État hébreu. Les *kidonim* avaient tué dans tous ces milieux, forts des nombreuses compétences acquises grâce à un entraînement intensif qui se déroulait selon des règles bien précises. Ces dernières avaient été rédigées en gros caractères par Meir Amit, le plus innovateur et impitoyable directeur qu'ait jamais eu l'Institut avant que Meir Dagan en reprenne le commandement.

« Il n'y aura pas d'assassinat de chefs d'État, aussi extrémistes soient-ils. Leurs cas seront traités au niveau politique. Il n'y aura pas d'assassinat de familles de terroristes, sauf s'il est prouvé qu'elles sont également impliquées. Chaque exécution devra être validée légalement par le

Premier ministre en fonction. Il s'agira, par conséquent, de la plus lourde sanction judiciaire de l'État et l'exécuteur ne sera en rien différent d'un bourreau légalement nommé ou toute autre sorte d'exécuteur d'État désigné constitutionnellement. »

Une partie de ce que Meir Amit me présenta un jour comme une « théologie de la mort » repose sur un manuel de quatre-vingts pages écrit en 1953 par un scientifique, le docteur Sidney Gottlieb, qui dirigeait à l'époque le département des services techniques de la CIA. Aujourd'hui, on trouve toujours ce document à la *midrasa*, le centre d'entraînement du Mossad, où il est utilisé durant les deux ans que dure le programme de formation des agents. Les *kidonim* sont recrutés parmi les élèves. Selon Rafi Eitan, ancien chef des opérations de l'Institut : « Seule une poignée d'entre eux montrent les qualités indispensables ; une totale froideur pendant l'action et aucun regret par la suite. »

Ces qualités étaient profondément ancrées chez les hommes de l'équipe qui était en train de débattre de la meilleure façon d'éliminer les six scientifiques pakistanais qui devaient mourir sur décision de l'État d'Israël. Les *kidonim* avaient reconstitué leurs profils avec l'aide du bureau des affaires asiatiques, des renseignements que le Vendeur avait données à Moshe Feinstein et des informateurs de Jamal au Pakistan ou ailleurs. Ari Ben Menashe m'a raconté : « Ils commençaient par apprendre à connaître leurs cibles ; leur passé, leur famille et leurs amis, toute connexion pouvait s'avérer utile. La façon dont elles réagissaient face à telle ou telle situation, les choses qui déclenchaient telle ou telle réaction. Ce n'était qu'à partir de là que l'on pouvait élaborer un projet d'opération. Ils étudiaient chaque centimètre carré du pays où ils devaient travailler, sa géographie et son climat. Ils regardaient des vidéos, lisaient des brochures touristiques et la presse locale. Leur méthodologie étaient fondée sur leur solide aptitude à distinguer les faits des conjectures et les plans qu'ils concevaient étaient régis par la règle d'or qui veut que l'on ne peut pas toujours attendre d'être certain pour agir. »

Vers la fin du mois d'octobre 2005, le Vendeur apprit à Moshe Feinstein que les six scientifiques avaient quitté Riyad et s'étaient envolés pour Téhéran une semaine après que la Corée du Nord eut livré du carburant liquide à l'Iran pour faire fonctionner sa fusée Shahab-3 – une arme d'une portée de mille deux cents kilomètres, capable de lâcher une ogive assez puissante pour anéantir Tel-Aviv. Le mardi 25 octobre, Mahmoud Ahmadinejad, le président iranien, donna à Téhéran une conférence intitulée « Le Monde sans le sionisme ». C'était la dernière semaine du ramadan, une époque de prière. Cinq mois auparavant, il avait remplacé le président réformiste, Mohammed Khatami, qui prônait le dialogue international et l'amélioration des relations de l'Iran avec l'Occident. En des termes qui ne sont pas sans évoquer Hitler, Ahmadinejad avait déclaré : « Israël et les Juifs doivent être rayés de la carte. Quiconque reconnaît Israël sera brûlé sur le bûcher de la furie de la nation islamique. »

À la *Kirya*, on décida d'envoyer les trois sous-marins d'Israël – avec leur arsenal de missiles dotés d'ogives nucléaires – se mettre en place pour la phase qui précède le tir. Au fond de la mer, au détroit d'Ormuz, face à la côte iranienne, ils guettaient en silence.

Le 2 novembre 2005, une opération lancée à l'initiative du Mossad atteignit son point culminant dans la ville tropicale de Batu, en Indonésie. Un mois s'était écoulé depuis qu'un *katsa* avait appris, à Delhi, qu'Azahari Husin, le plus expérimenté des faiseurs de bombes d'Al-Qaïda – déjà identifié par l'Institut comme le cerveau des attentats de Londres au mois de juillet –, s'était rendu dans la capitale indienne peu avant que des bombes explosent dans le quartier de Pahargani. On découvrit plus tard que ces attentats étaient l'œuvre d'un groupe terroriste du Cachemire lié à Al-Qaïda, Lashkar-e-Toïba, « L'Armée des justes ». Plus de soixante personnes y laissèrent la vie et plus d'une centaine furent blessées. Quand le Mossad offrit de les aider, les services secrets indiens acceptèrent aussitôt.

Pendant trois semaines, on ne trouva pas la moindre trace des terroristes les plus recherchés au monde. Puis un *sayanim* de Java-Est, dans l'archipel indonésien, signala à son *katsa* référent que plusieurs hommes avaient loué une maison dans la banlieue de Batu et que deux d'entre eux ressemblaient aux photos, parues dans les journaux, des auteurs de l'attentat qui avait fait vingt-trois morts dans un restaurant de Bali le mois précédent. À peine quelques heures plus tard, le *katsa* arrivait à Batu. Les photos de presse montraient Azahari Husin et le dirigeant d'un autre groupe militant – la Jemaah Islamiya –, appelé Noordin Mohammed Top, un tueur impitoyable aussi féroce que l'iranien Moussab al-Zarqaoui. Le *sayan* rapporta que Top avait quitté Batu la veille au soir.

Respectant la règle qui veut que la présence du Mossad doive rester secrète, le *katsa* en informa son chef de base à l'ambassade israélienne de Delhi. Le ministère des Affaires étrangères indien fut averti et téléphona, à son tour, à son homologue de Djakarta, la capitale indonésienne. Une heure plus tard, une opération à grande échelle s'organisait déjà à Batu. Dirigés par l'unité antiterroriste d'élite indonésienne, des *snipers* furent postés sur les toits des environs et une bataille rangée s'engagea. Des grenades partaient de l'intérieur de la maison tandis que l'unité l'assaillait et que les rafales balayaient la rue. Lorsque les hommes entrèrent, Husin se jeta sur le détonateur de la ceinture d'explosifs qu'il portait, mais un policier l'empêcha de déclencher le mécanisme en lui tirant dans la poitrine et les jambes. Cependant, il était trop tard pour éviter qu'un autre le fasse. La déflagration arracha le toit de la maison. Azahari Husin finit sa vie comme la plupart de ses victimes, au milieu des décombres d'une explosion-suicide.

Le nom du faiseur de bombes figurait parmi les premiers sur la liste des terroristes à « déporter » du CTIC (Counter Terrorist Intelligence Center), le centre de renseignement antiterroriste de la CIA à Langley. Ce service, créé par l'administration Clinton, au milieu des années 1990, pour contrer la menace du terrorisme islamique et vaincre les difficultés de la CIA à faire condamner les terroristes, prit rapidement de l'ampleur après les attentats du 11 septembre. Il s'agrandit encore à la fin de la guerre en Irak, lorsque plusieurs réunions, dirigées par les chefs des services secrets britanniques et américains, eurent lieu à Londres et à Washington afin de déterminer la meilleure façon de traiter un grand nombre de terroristes présumés. Le Mossad disposait d'un siège à leur table. Ces rencontres furent à l'origine de la création d'un centre d'interrogatoire construit spécialement pour répondre aux nouveaux besoins à la base américaine de Bagram. Le centre fut confié aux mains de quarante hommes et femmes du CTIC, dont plusieurs médecins expérimentés connaissant bien les divers usages que l'on peut faire de psychotropes. Un grand nombre d'entre eux étaient des experts des drogues chimiques développées, dans les années 1960, pour le célèbre programme MK-ULTRA de la CIA. Les interrogateurs avaient libre accès aux prisonniers. Ils partageaient les informations qu'ils obtenaient avec le CTIC.

Bagram ne tarda pas à crouler sous les talibans et les mercenaires étrangers. Au cours des deux premières semaines, deux d'entre eux moururent et plusieurs se retrouvèrent handicapés physiquement pour le restant de leurs jours. Bientôt, le centre fut totalement débordé par le nombre de prisonniers. Lors d'une réunion à Londres, présidée, en avril 2002, par John Scarlett dans les bureaux du Joint Intelligence Committee, à laquelle participaient des agents du CTIC, et où Meir Dagan était présent en tant qu'observateur, on parvint à la conclusion que Bagram ne pouvait pas fonctionner efficacement dans de telles conditions. Même en transférant des détenus à Cuba, par ce qu'on appelait le « Guantanamo Express », aussitôt vidés, les wagons qui servaient de cellules à Bagram s'emplissaient immédiatement de nouveaux prisonniers. Pouvait-on trouver un nouveau site ? Plusieurs ? Scarlett avait servi à Moscou en tant qu'agent du MI-6 et se souvenait qu'il existait de nombreux centres d'interrogatoire en Union soviétique ; il expliqua que les pires étaient ceux que gérait le KGB en Ouzbékistan, en Moldavie et en Pologne. Il était fort possible qu'ils conviennent à l'usage que le CTIC voulait en faire. Scarlett connaissait deux agents haut placés aux renseignements militaires polonais qui avaient travaillé pour le GROM, une unité spéciale antiterroriste opérant en Irak. On les invita à Londres pour y rencontrer des membres importants du MI-6 ayant travaillé en Europe de l'Est. George Tenet, alors proche de la fin de son mandat, envoya plusieurs officiels de haut rang assister à la réunion. Les Polonais confirmèrent que les centres étaient intacts et que les services de sécurité locaux les utilisaient encore pour interroger les criminels.

À cause de la distance considérable qui sépare Bagram de la Pologne, le transfert des terroristes – des membres d'Al-Qaïda ou des talibans – ne pouvait s'effectuer que par avion. Le CITC disposait de ses propres avions, et ses représentants à la réunion affirmèrent que trouver des arrangements avec des pays tels que la Grande-Bretagne, l'Allemagne ou l'Espagne pour les droits de survol et de ravitaillement ne poserait aucun problème. Les agents polonais indiquèrent des bases aériennes, datant de l'époque du pacte de Varsovie, où il serait possible de faire escale ; celle de Taszar, dans le sud de la Hongrie centrale ; celle de Szczytno-Szymany, en Pologne ; et celle de Markuleshti, en Moldavie. Pendant la guerre froide, elles avaient toutes servi pour des opérations secrètes des forces spéciales du pacte de Varsovie. Le KGB y avait conduit également des interrogatoires.

Les plans d'opération étant suffisamment avancés, vint le moment de les faire valider au niveau politique. Scarlett informa le Premier ministre Tony Blair, et Tenet, le président Bush. Tous deux approuvèrent sans tarder. Étant donné l'importance du rôle qu'allait jouer la Pologne en tant que point de ravitaillement pour tous les vols à destination de l'Ouzbékistan – le pays choisi par le CITC pour y installer son principal centre d'interrogatoire –, il était vital d'obtenir le soutien de Leszek Miller, le Premier ministre (remplacé peu après) qui s'était toujours montré très favorable à la guerre en Irak. Il accepta immédiatement d'autoriser le CITC à utiliser la base de Szczytno-Szymany comme premier point de ravitaillement en Europe de l'Est et informa son cabinet de sa décision. À Londres, une de mes sources dans les services secrets m'a expliqué : « Il est très possible que Miller n'ait pas su toute la vérité sur le destin ultime des prisonniers qui entraient et sortaient de son pays. Mais il tenait aussi désespérément à conserver sa place dans la coalition post-guerre d'Irak. »

Le premier vol eut lieu en mai 2002. Un jet Gulfstream V, immatriculé N379P, atterrit à l'aéroport de Northolt, une base aérienne militaire sécurisée du nord de Londres. Il avait longtemps servi de relais aux agents de la CIA et du MI-6 en route pour des missions secrètes en Europe pendant la guerre froide. Conformément à ce que le ministère de la Défense appela plus tard des « réglementations permanentes », les seuls renseignements enregistrés concernant le vol du Gulfstream étaient les noms du pilote et du propriétaire de l'avion. Les noms des passagers n'étaient mentionnés nulle part. L'avion était déclaré comme appartenant à la société Premier Executive Transport Services. À la suite de cela, le journal britannique à gros tirage *The Mail on Sunday* révéla que les directeurs de la compagnie « ne semblaient exister que sur le papier » et précisa : « Il n'existe ni informations personnelles ni *curriculum vitae* aux noms de Steven E. Kent et Audrey M. Taylor. C'est le genre d'identités stériles qu'utilise la CIA pour dissimuler son implication dans des opérations clandestines. »

À Northolt, par un bel après-midi de printemps, le Gulfstream V partit, avec ses passagers anonymes, à destination de la base de Szczytno-Szymany, au nord de la Pologne, encore couverte de son manteau de neige hivernale. Après le ravitaillement, l'avion prit la direction du sud jusqu'en Ouzbékistan. Le jet ne tarda pas à fonctionner comme une ligne régulière, embarquant des détenus à Djakarta, au Pakistan ou à Bagram. L'un d'entre eux était le microbiologiste yéménite, Jamil Qasim Seed Mohammed, recherché par le CITC « en rapport avec l'attaque du USS *Cole* à Aden ». Il fut envoyé en Ouzbékistan et son sort reste inconnu à ce jour. Muhammad Saad Iqbal Madni, un suspect égyptien, qui avait travaillé avec le britannique Richard Reid, le « kamikaze aux semelles explosives », se trouvait également à bord. On ne sait toujours pas non plus ce qu'il est advenu de lui.

En décembre 2005, le CITC employait plus de mille personnes : agents de terrain, analystes, traducteurs et agents de liaison avec les services secrets étrangers. C'était avec le Mossad qu'il collaborait le plus étroitement : ses *katsas* en Iran, au Pakistan, en Syrie et en Afghanistan permettaient d'être constamment informé des mouvements des terroristes présumés figurant sur sa liste. C'était le CITC, en conjonction avec Porter Goss, le directeur de la CIA, qui décidait qui serait déporté.

Il était indispensable de bien peaufiner les méthodes de déportation. À l'époque, des agents du CITC étaient postés dans vingt-deux pays différents pour s'y occuper de l'arrestation et du transport des suspects. Ces derniers étaient généralement pris par les services de sécurité locaux et enfermés seuls jusqu'à ce que l'on puisse les envoyer par avion sur un « site noir » – l'expression qu'employait le CITC pour désigner les centres d'interrogatoire. C'était au plus gradé des agents présents sur les lieux que revenait le choix du site sur lequel le suspect devait être dirigé.

« Si on a besoin d'un interrogatoire psychologique musclé, impliquant une certaine force physique, le détenu est envoyé en Jordanie. S'il faut interroger le suspect durant les intervalles séparant les périodes de traitement physique musclé, on l'envoie en Égypte. S'il faut le torturer sérieusement pour obtenir des informations, il part pour l'Ouzbékistan où il est abattu lorsqu'il n'a plus rien à révéler », m'a expliqué un agent de haut rang du Mossad.

En novembre 2004, Craig Murray, alors ambassadeur de Grande-Bretagne en Ouzbékistan, écrivit dans une note de service (dont j'ai lu une copie) adressée à Jack Straw, le secrétaire aux Affaires étrangères britannique : « Le directeur local de la CIA m'a confirmé que l'un des supplices infligés aux prisonniers consistait à les faire bouillir dans des cuves. » Qualifié de « mentalement instable », Murray fut relevé de ses fonctions avant d'être renvoyé du service diplomatique. En décembre 2005, il fut l'un des premiers à parler du processus de déportation. Selon lui, cela lui valut des menaces de la part des services de sécurité britanniques.

Mais les vols du CITC continuèrent à sillonner le monde. En plus du Gulfstream V, il y avait maintenant un Hercules C-130, un Casa à turbopropulseur et un Boeing 737. Tous étaient peints en blanc et dénués de toute inscription. Certains d'entre eux étaient loués à Premier Executive Transport Service. Lorsque j'ai contacté cette société, on a refusé de me parler de ces avions ou de l'utilisation qui en était faite. Deux sources du milieu du renseignement – l'une à Londres, l'autre à Washington – nous donnent ci-dessous un aperçu de ce qui se passait à bord des avions.

« Durant les vols, les prisonniers sont menottés à leurs sièges, bâillonnés et souvent drogués. Aucun nom ne figure sur la liste des passagers. Aux arrêts de ravitaillement, on tire les rideaux. Aucun officiel local n'est autorisé à monter à bord. Le carburant est payé par une carte bancaire que le pilote porte sur lui. Il est facturé au CITC », m'a confié ma source londonienne. Celle de Washington a ajouté : « Dans des pays comme l'Ouzbékistan, les interrogateurs formés en Union soviétique pratiquent toujours la torture. Ils ont la liste des renseignements qu'ils doivent obtenir en priorité. Les résultats sont transmis à l'agent résident du CITC qui les envoie à Washington. »

Les informations étaient ensuite distribuées à divers services du milieu du renseignement américain puis envoyées à des services étrangers, triés sur le volet, tels que le Mossad. À Tel-Aviv, on les comparait soigneusement aux informations recueillies grâce au réseau d'agents et d'informateurs de l'Institut.

Fin 2005, les « vols vers la torture » (traduction de l'expression *torture flights*, instituée par Amnesty International) avaient déjà permis de déporter des centaines de suspects vers les « sites noirs », loin des yeux du public et du système judiciaire américain. En décembre, les services secrets suisses – une organisation de petite envergure mais respectée – interceptèrent un fax qu'Ahmed Aboul Gheit, le ministre des Affaires étrangères égyptien, avait envoyé au chef de base de ses services de sécurité à l'ambassade de Londres. Le ministre voulait connaître le sort de vingt-trois détenus déportés depuis l'Afghanistan vers un « site noir » roumain, au bord de la mer Noire. Les services secrets suisses, qui entretiennent des rapports étroits avec le Mossad, envoyèrent une copie du fax à Tel-Aviv où son authenticité fut rapidement confirmée. Le ministre y mentionnait des « centres d'interrogatoire similaires en Ukraine, au Kosovo, en Macédoine et en Bulgarie ».

À la fin du mois de décembre 2005, plus de deux cents « vols vers la torture » avaient déjà fait escale en Grande-Bretagne et plus de quatre cents, survolé l'espace aérien allemand. D'autres étaient passés par des aéroports espagnols ou par l'aéroport international de Shannon, en Irlande. Les registres tenus par les contrôleurs aériens de ces pays faisaient état de plus de sept cents vols du CITC. Né au Koweït mais de nationalité allemande, Khaled al-Masri fut l'un de ceux qui y survécurent. En 2003, il était en vacances en Macédoine lorsque la police locale l'arrêta alors qu'il descendait d'un bus et l'enferma pendant trois semaines dans une cellule sans fenêtre. Une nuit, il fut emmené à l'aéroport de Skopje et remis aux agents du CITC. Al-Masri continue de clamer que les choses se sont passées ainsi :

« À l'aéroport, on m'a emmené dans une pièce où l'on m'a fait une piqûre. Ensuite, on m'a mis dans un avion, je crois que c'était un Gulfstream. Pendant le vol, on m'a dit que j'étais parti pour un endroit spécial où personne ne me trouverait. Je ne sais toujours pas vraiment où c'était. Mais après un long vol, on m'a mis une cagoule et conduit dans une prison. Je me suis retrouvé au milieu de prisonniers pakistanais, tanzaniens, yéménites et saoudiens. J'y suis resté cinq mois, pendant lesquels on m'a battu régulièrement et demandé d'avouer que j'étais un terroriste. Puis, un jour, on m'a tiré hors de ma cellule, enfermé dans un camion et conduit à un avion. C'était le même que celui par lequel j'était venu. À la fin du vol, on m'a sorti de l'avion. Un Américain m'a dit qu'il y avait eu une erreur. Il m'a mis dans une voiture avec d'autres Américains. Ils ont roulé pendant un certain temps, m'ont demandé de descendre et sont repartis. J'ai découvert que j'étais en Albanie. J'ai du me débrouiller pour rentrer en Allemagne. »

Il raconta son histoire à la police de Francfort qui transmit le dossier au Kriminalamt, l'équivalent local du FBI. Deux agents interrogèrent al-Masri. Satisfaits des réponses, ils en informèrent le Bundesamt für Verfassungsschutz (le service fédéral de sécurité) qui, à son tour, contacta le chef de base de la CIA à Berlin. Ce dernier envoya un rapport à Langley. Selon un dossier allemand consacré à l'affaire, on lui répondit qu'il y avait eu « une erreur, une confusion de nom ». Lors d'une visite à Washington, le ministre de l'Intérieur allemand, Otto Schily, aborda le sujet avec Condoleezza Rice. Elle lui fit la même réponse. Officiellement, ce fut la fin de l'affaire. Au moment où j'écris ces pages, toutes les tentatives d'al-Masri pour obtenir une compensation ont échoué et on lui a fait savoir qu'il était inutile d'insister.

À Tel-Aviv, les officiers supérieurs du Mossad commençaient à trouver que ces « renvois extraordinaires » devenaient embarrassants, obstruaient le véritable travail de la CIA et n'apportaient pas d'informations fiables.

Un *katsa* vétéran m'expliqua : « Le danger, avec ces vols vers la torture, c'est qu'ils apportent de l'eau au moulin propagandiste de nos ennemis. Où se situe la limite entre l'interrogatoire musclé et la torture ? Nous, nous n'avons rien contre les interrogatoires musclés mais nous plaçons la frontière là où commencent des méthodes telles que battre violemment les prisonniers, les violenter sexuellement, les soumettre à des décharges électriques répétées ou menacer leurs familles. Ce n'est pas que nous soyons des petites natures mais nous sommes simplement rationnels. Les informations recueillies avec ce genre d'interrogatoires ne sont pas crédibles. »

Cependant, à l'heure où j'écris, fin 2005, les vols vers la torture continuent et il n'est nullement question d'y mettre fin. Selon l'une de mes sources dans le milieu du renseignement de Washington : « Ils dureront aussi longtemps que la guerre contre le terrorisme de Bush. »

Ce qui est certain, c'est que ces vols ont toujours été illégaux et qu'ils enfreignent toutes les conventions des Nations unies.

Alors que le premier jour de l'année 2006 se levait sur Tel-Aviv, les spécialistes du Mossad – psychiatres, psychologues, comportementalistes et psychanalystes – continuaient d'évaluer l'état d'esprit du président iranien, Mahmoud Ahmadinejad. Pendant des semaines, souvent sept jours sur sept et de l'aube jusqu'à minuit, ils avaient étudié ses discours et visionné des vidéos de ses apparitions publiques pour se faire une meilleure idée de sa personnalité et de son milieu d'origine.

Né dans un village à l'ombre de la chaîne de l'Elbourz, le quatrième de sept enfants, il avait un an lorsque sa famille s'installa à Téhéran, où son père, Ahmed, avait trouvé du travail en tant que forgeron. Les spécialistes mesuraient l'influence que la pauvreté de ses premières années pouvait avoir eue sur sa carrière et comment cela pouvait être à l'origine de ses points de vue radicaux. Sous le règne du shah, ce jeune homme – qui était arrivé cent trentième à un examen national d'entrée à l'université auquel participaient trois mille élèves – était devenu l'un des plus fervents activistes de son campus, agissant clandestinement à cause de la Savak, le redoutable service de sécurité du régime. Après que le shah fut déposé, Ahmadinejad s'était réjoui que l'ayatollah Khomeini devienne le nouveau dirigeant du pays.

Ce jeune homme noueux, au visage émacié, à la barbe fournie et au regard noir et perçant, devint une figure de l'IUST, l'institut universitaire de science et de technologie de Téhéran. Il recruta alors des membres pour son syndicat, le Bureau de renforcement de l'unité. Cette organisation devint mondialement célèbre en 1979 en gardant en otage des diplomates américains de l'ambassade de Téhéran pendant quatre cent quarante-quatre jours. Ahmadinejad fit preuve d'une adresse politique exceptionnelle en profitant de cette situation pour humilier les États-Unis. En 2006, il se trouva au centre de grandes spéculations à la publication d'une photo qui, selon certains, indiquait qu'il était le meneur des preneurs d'otages et avait personnellement maltraité ces derniers. La CIA estima que ces allégations étaient infondées. Longtemps auparavant, il avait obtenu un doctorat d'ingénieur de la circulation et des transports, intégré le corps des Gardiens de la Révolution islamique et participé activement à la guerre entre l'Iran et l'Irak. Dans une succession rapide, il devint vice-gouverneur de la lointaine province de Maku, puis celui de la province plus importante d'Ardabil. La mairie de Téhéran était son objectif suivant et il y fut élu en 2003 avec un taux de participation de douze pour cent. Il annula de nombreuses réformes apportées par son prédécesseur, souligna la nécessité d'une plus grande piété et se rendit populaire en organisant des distributions de soupe aux pauvres de la ville. Le slogan de sa campagne pour les présidentielles était : « Du travail pour tous et de l'argent du pétrole sur vos tables ». Âgé de soixante-dix ans, Ali Akbar Hachemi Rafsandjani, le président en place, perdit le pouvoir. Le monde observa cela en espérant qu'Ahmadinejad, âgé de quarante-neuf ans, continuerait le dialogue avec l'Occident, qui craignait que la volonté du pays de passer à l'énergie nucléaire ne soit qu'un prétexte pour produire des armes atomiques. Rafsandjani avait déclaré qu'il était prêt à donner toutes les garanties demandées par Washington et Londres et exigées par Israël. Mais le premier signe à laisser penser que le nouveau président n'allait pas être aussi malléable survint lors d'un meeting à Téhéran, en octobre 2005, lorsqu'il déclara : « Nous allons développer la plus puissante des forces afin d'avoir éternellement le pouvoir et la paix – la puissance nucléaire. »

Dès lors, les spécialistes du Mossad n'ont jamais cessé d'étudier ses paroles, ses actions diplomatiques et ses menaces contre Israël – proférées avec de plus en plus de virulence et l'accent guttural du dialecte de son village montagnard. Sa biographie s'est avérée une source précieuse pour mieux comprendre ses motivations. Il s'agissait, en grande partie, de *Realpolitik* pure et dure, habilement conçue pour être approuvée à l'intérieur et faire peur à l'étranger. Mahmoud Ahmadinejad était conscient du pouvoir que lui conféraient, sur le marché mondial, le pétrole iranien et la possibilité d'augmenter son prix. Il savait également que l'Amérique avait été affaiblie par l'insurrection en Irak. Tout aussi fanatique qu'Oussama Ben Laden, il avait su tirer parti du fait que les intégristes musulmans voulaient l'éradication d'Israël et le déni de l'Holocauste. En cela, ses idées n'avaient rien d'original ; il s'agissait de celles des érudits islamiques radicaux qui depuis longtemps prônaient le Djihad contre Israël et l'Occident. Ahmadinejad utilisait le Coran pour toucher les fidèles musulmans sans pour autant relâcher son appel à la jeunesse militante iranienne. Avec eux, dans tous ses propos, il insistait sur l'importance de l'autorité religieuse, au point d'invoquer une « tradition du Prophète » qui voudrait la mort de tous les Juifs et de leur patrie.

Les spécialistes, trouvant ce problème extrêmement préoccupant, se demandaient de plus en plus si Ahmadinejad allait *vraiment* concrétiser sa vision d'Armageddon au Moyen-Orient – et s'il était possible qu'il ait l'intention de le faire dans un avenir proche. En ce premier de l'an, ils savaient que leurs analyses détermineraient si, oui ou non, Israël déciderait de lancer une attaque préventive contre l'Iran.

On finit par faire des projets. Cinquante bergers allemands seraient envoyés en première ligne pour attaquer Natanz, le complexe de fabrication de bombes situé à cent vingt kilomètres au nord de Téhéran. Les animaux porteraient des ceintures d'explosifs capables de percer les blindages et de dégager l'entrée des laboratoires où les taupes du Mossad avaient découvert que des milliers de centrifugeuses – appareils indispensables à la production d'uranium militaire – tournaient jour et nuit. On avait entraîné les chiens dans une copie conforme de Natanz, construite dans le désert du Néguev. Les maîtres chiens appartenaient à l'unité d'élite Oketz. Ils étaient entraînés à embarquer sur des hélicoptères volant à basse altitude sur un site de simulation. Le bataillon Sholdag, inspiré du SAS, était capable de couvrir de ses tirs n'importe quelle attaque. Il était soutenu par l'escadron 69 des forces aériennes israéliennes, basé à Herzerim, dans le Néguev. Même au premier de l'an, ses pilotes continuaient à s'entraîner à voler jusqu'en Iran et à en revenir sans ravitaillement. Chacun des avions, d'une valeur d'environ neuf cents millions d'euros, était équipé de ce qui se faisait de plus récent en matière d'armement, dont le logiciel OTH (*Over The Horizon*) de *Promis* qui permettait de viser un objectif à soixante kilomètres. Les sous-marins Dolphin restaient cachés dans les profondeurs du golfe d'Oman. Leurs vingt missiles respectifs étaient là pour renforcer l'attaque aérienne.

En janvier, alors que Mahmoud Ahmadinejad continuait de menacer de « rayer Israël de la carte », Meir Dagan dirigeait, à la *Kirya*, une « cellule de crise » dont le but était d'étudier les dernières images des satellites espions israéliens. Ces dernières montraient que la construction d'une nouvelle usine d'enrichissement d'uranium venait d'être achevée à Natanz. Les clichés étaient accompagnés de nouveaux rapports des agents du Mossad infiltrés en Iran ou dans diverses capitales arabes. La réunion devait servir à évaluer les retombées qu'aurait une éventuelle attaque préventive contre l'Iran. On savait qu'une vague de terrorisme s'ensuivrait. Le Hezbollah lancerait des fusées depuis le Liban. Officiellement, les nations arabes condamneraient cet assaut. Mais Dagan, le chef du Mossad, affirmait que, d'après ses informations, elles n'en seraient pas moins soulagées de voir « les crocs de l'Iran arrachés ». On signala que deux nouveaux avions de transport des forces aériennes chinoises avaient atterri sur une base militaire proche de Natanz et livré plusieurs caisses de P-2, des centrifugeuses de grande qualité. Ces machines sont conçues pour que l'on puisse connecter cent soixante-quatre d'entre elles « en cascade ». En circulant en cascade, à très grande vitesse, le gaz donne à l'uranium 235 une capacité équivalente à celle de la bombe d'Hiroshima. Dans le passé, la Chine et la Corée du Nord avaient, toutes deux, livré à l'Iran du matériel de guerre atomique. Plus tard, Abdel Qader Khan, le scientifique pakistanais sans principes, le « père de la bombe islamique » avait vendu des plans et des composants nucléaires à l'Iran et divers états voyous.

Durant la réunion, Dagan déclara : « Les derniers renseignements dont nous disposons révèlent que les scientifiques de Natanz ont commencé à produire de l'uranium militaire. Cela signifie qu'il faut diviser par deux les cinq ans que nous estimions qu'il faudrait à l'Iran pour devenir une puissance nucléaire. Il est minuit moins trois. » Face à cette situation, les spécialistes du Mossad continuèrent d'analyser le cas d'un homme qui, sorti de l'ombre de la politique iranienne, devenait un véritable danger pour la paix dans le monde. Il semblait, de plus en plus, qu'Ahmadinejad se croyait investi d'une mission divine. Après avoir menacé Israël pour la première fois, il avait dit à son peuple qu'il se sentait guidé par « la main de Dieu ». En décembre 2005, après qu'un avion se fut écrasé à Téhéran, faisant cent huit morts, le président avait remercié les victimes « pour avoir montré la voie à suivre, celle du martyre ». Chaque jour, il exprimait sa dévotion envers le *mahdi*, le messie du chiisme, qui allait revenir pour guider le monde musulman vers la liberté. Tous les courants de l'islam croyaient en un sauveur divin dont le retour serait précédé par un chaos cosmique et une guerre à grande échelle, un concept comparable à l'apocalypse des chrétiens. Mahmoud Ahmadinejad affirmait que le *mahdi* reviendrait de son vivant et qu'il avait reçu pour mission de créer le chaos qui accélérerait son arrivée. Il avait commencé l'année en menaçant une nouvelle fois de détruire Israël et s'était réjoui des craintes que ses paroles avaient générées dans le monde entier. Était-ce dans ce but – préparer la venue du *mahdi* – qu'il était allé jusqu'à se féliciter d'un conflit avec Israël et les États-Unis ? Tel était le genre de questions que se posaient les spécialistes mais, jusque-là, ils n'avaient pas trouvé de réponses concluantes.

Alors qu'à la *Kirya* la réunion touchait à sa fin, Meir Dagan rappela à ceux qui se trouvaient autour de la table quelque chose qu'Ariel Sharon avait dit juste avant d'être hospitalisé, après son attaque cérébrale : « Israël ne peut pas, et ne doit pas, autoriser que l'Iran soit équipé du nucléaire. » Après cela, le directeur du Mossad quitta la pièce pour prendre des nouvelles de l'événement médical qui assombrissait les espoirs israéliens en cette époque de nouvel an.

Le 4 janvier, alors que le soleil se couchait sur les collines de Judée, Meir Dagan, dans le désert du Néguev, passa en voiture devant le poste de garde protégeant le périmètre de l'une des plus précieuses possessions personnelles d'Ariel Sharon, *Sycamore Ranch*. Se fondant dans le paysage aride, le bâtiment était à l'image de son propriétaire, solide et d'apparence indestructible. Sur le siège passager, à côté de Dagan, se trouvait son attaché-case qui contenait le dernier rapport de Shaul Mofaz, le ministre de la Défense, une personne au langage pondéré, ainsi que celui de l'abrasif général Dan Halutz, le chef d'état-major des forces armées. D'un commun accord, les deux hommes avaient approuvé dix cibles de prédilection dans l'éventualité d'une attaque préventive contre l'Iran. Mofaz avait écrit : « L'Iran est le grand défi du moment. » La décision d'attaquer reviendrait au comité des directeurs de services. Dagan apporterait les dernières informations. Il faudrait consulter Benyamin Netanyahou, dit « Bibi », l'ancien Premier ministre qui n'avait démissionné du parti Likoud que pour mieux en reprendre la direction lorsque Sharon en était parti, en décembre, afin de fonder son propre parti, Kadima (« En avant »). Son geste avait brisé le moule du système israélien à deux partis – Likoud et travaillistes –, pour établir une nouvelle force puissante. De nombreux membres clé du Likoud, dont Shimon Peres, un autre ancien Premier ministre, le rejoignirent. Alors que les Israéliens avaient encore du mal à digérer ce bouleversement, Sharon eut un petit accident vasculaire cérébral mais, quelques jours plus tard, il était déjà de retour à son bureau pour y effectuer ses douze heures de travail quotidien malgré ses soixante-douze ans. Ce serait à lui de prendre la décision finale en ce qui concernait une éventuelle attaque de l'Iran.

Alors qu'il roulait vers le ranch, Dagan savait qu'il ne reverrait le Premier ministre qu'après sa convalescence à la suite de l'opération qu'il devait subir. Les médecins devaient intervenir sur la perforation cardiaque découverte pendant qu'on le traitait pour son attaque cérébrale. En plus des projets d'assaut contre l'Iran, il serait question de ce que pensait le Mossad du fait que le Hamas mettait fin à sa « trêve d'attentats » contre Israël. Cela survenait à un moment où Sharon se demandait encore s'il devait ou non autoriser les Palestiniens de l'est de Jérusalem à voter aux élections qui devaient avoir lieu dans le courant du mois ; tout semblait indiquer que le Hamas ferait un bon score. Mais Dagan savait que Sharon devait également faire face à des problèmes personnels. Son fils, Omri, avait été obligé de démissionner de la Knesset à cause d'un scandale financier pour lequel il avait été mis en accusation. La veille au soir, au journal télévisé, un reportage expliquait que le filet se resserrait après une enquête concernant la donation secrète de trois millions de dollars qu'aurait faite un magnat autrichien au Premier ministre pour l'aider à rembourser les dépenses de sa dernière campagne électorale.

Dagan arriva au ranch, une propriété de plus de huit kilomètres carrés, construite sur les ruines d'un village palestinien. Comme d'habitude, Sharon attendait que son chef des services secrets soit arrivé pour s'installer devant un repas préparé par sa belle-fille, Inbal. Les deux hommes avaient toujours été proches, unis par le fait d'avoir, l'un comme l'autre, combattu au Liban. Et puis, Sharon était resté aussi soigné dans son apparence que l'était Dagan. À la différence qu'avec ses cent quarante kilos, le Premier ministre avait maintenant beaucoup trop d'embonpoint pour son mètre soixante-dix. Pour parler du projet d'attaque contre l'Iran, ils s'assirent dans le spacieux salon du ranch. Après cela, ils sirotèrent du café pendant que Sharon évoquait de vieux souvenirs. Son regard qui, dans sa jeunesse, avait été ardent et dur, avait maintenant la douceur de celui d'un vieil homme. En revanche, sa mémoire était plus vive que jamais. Il se rappelait dans les moindres détails de la façon dont il avait pris une zone fortifiée au Sinaï en envoyant des parachutistes par hélicoptère, une tactique qu'il avait étudiée dans les académies militaires américaines et britanniques. Il n'avait pas oublié non plus comment, en 1973, pendant la guerre de Kippour, alors que le Mossad s'était fait prendre par surprise, il avait, pratiquement tout seul, transformé une défaite certaine en une brillante victoire. Comme toujours, Dagan écouta attentivement Sharon raconter comment il avait contribué à former le Likoud lorsque les travaillistes n'avaient pas voulu de lui – et comment il avait bien l'intention, maintenant, que Kadima soit à la hauteur de son nom. Il parla de son aversion envers Netanyahou, due à la féroce opposition de ce dernier à l'évacuation des colonies juives. Au cours de la soirée, de vieux amis de Sharon passèrent lui souhaiter bonne chance pour l'opération du lendemain. Il avoua à l'un d'entre eux, Reuven Adler, que l'anesthésie générale le préoccupait. En plaisantant, celui-ci lui répondit : « Qu'est-ce qu'il y a, Arik, tu es devenu trouillard, tout à coup ? ». Quand il fut l'heure de partir pour Dagan, il remarqua que Sharon avait l'air plus fatigué et pensif.

Peu après le départ de Dagan, Sharon se plaignit à son fils, Gilad, qu'il ne se sentait pas bien, qu'il avait du mal à se concentrer et qu'il ressentait quelque chose de bizarre dans le côté gauche de son corps. Bientôt, il eut carrément du mal à simplement parler. On appela tout de suite Shlomo Servev, son médecin personnel qui se trouvait au ranch. Le temps qu'il arrive, Gilad avait déjà appelé l'un des auxiliaires médicaux de service avec une ambulance et le chef des gardes du corps de son père. Gilad ordonna que l'on conduise son père à l'hôpital le plus proche, à une vingtaine de minutes. Servev annula l'ordre en expliquant que le Premier ministre venait de subir sa deuxième attaque grave et qu'il fallait l'emmener directement à l'hôpital Hadassah, à Jérusalem. Le voyage dura cinquante-cinq minutes, durant lesquelles l'état de Sharon empira. Dans l'ambulance, il fit une hémorragie cérébrale due à une rupture d'anévrisme.

Après sept heures d'opération, les médecins placèrent le Premier ministre sous coma artificiel en maintenant ses fonctions vitales. Meir Dagan faisait partie de ceux à qui l'on annonça que les lésions cérébrales d'Ariel Sharon étaient désormais irréparables. Plus jamais il ne laisserait son empreinte sur l'avenir d'Israël. Le Mossad, que Sharon admirait beaucoup, ne connaîtrait jamais plus un dirigeant politique lui laissant une telle liberté d'opération. L'énorme fauteuil dans la salle de conférence, attenante au bureau de Dagan, symbolisait bien l'immense vide que son absence aux commandes du pays laissait dans la politique israélienne. C'était là qu'il aimait s'asseoir quand il passait. Dagan déclara à ses plus proches collaborateurs que celui qui se verrait confier l'intimidante tâche de remplacer Sharon, quel qu'il soit, ne s'assiérait jamais sur ce siège. Et il le fit enlever.

À Gaza et ailleurs, les extrémistes réclamaient sa mort à grands cris. Depuis sa place forte, dans les montagnes de Tora Bora, à la frontière pakistano-afghane, Oussama Ben Laden appela tous les musulmans à prier pour que la mort de Sharon « soit longue et douloureuse, et qu'il ne meure pas comme [leur] héros, Azahari Husin, qui était parti au paradis en véritable martyr ».

VI

Erreurs de calcul

Le rôle du Mossad dans l'assassinat d'Azahari Husin ne fut pas mentionné dans les félicitations officielles des pays où ses kamikazes avaient semé la mort et la destruction. Cela se passait toujours ainsi : les compliments ne se faisaient qu'entre les services secrets ayant collaboré pour une opération mixte. Il en allait de même pour l'expression des regrets en cas d'échec ou de pertes humaines. Un jour, Rafi Eitan, l'ancien directeur des opérations du Mossad, m'expliqua : « Dans notre profession, il n'y a pas de place pour les félicitations. Nous faisons notre travail et c'est tout. Si ça marche, tant mieux. Sinon, nous faisons en sorte que ça marche la fois suivante. » Un grand nombre des opérations auxquelles ses successeurs et lui-même ont participé resteront toujours secrètes ; le seul indice révélateur des vies perdues en mission est la liste toujours plus longue des noms gravés dans le grès du mémorial de Glilot (voir *Histoire secrète du Mossad I*, chapitre III, Les inscriptions de Glilot).

« Recueillir des renseignements secrets n'est pas seulement dangereux, c'est aussi un art très imprécis », me confia un jour Eitan. Cela coûte également beaucoup d'argent. Selon les chiffres de 2004, les États-Unis y consacraient quarante milliards de dollars par an, alors que le budget du renseignement israélien ne correspondait qu'à un petit pourcentage de cette somme ; pour ces deux pays, les coûts vont inévitablement augmenter dans les années à venir. Mais à Washington, Tel-Aviv ou Londres, comme partout où il existe des services secrets d'envergure, l'information, c'est le pouvoir et cela en vaut donc la peine.

En 2005, le budget annuel du renseignement britannique s'élevait à deux milliards de livres (soit environ trois milliards d'euros) dont la moitié était consacrée au GCHQ, le quartier général du service de renseignement électronique du gouvernement, à Cheltenham, dans le Gloucestershire. Sur les un milliard sept cent mille euros qu'a coûté sa construction, les entrepreneurs en ont investi soixante-treize mille dans des rampes d'escalier en acier inoxydable afin qu'elles ne puissent pas être rayées par les bagues du personnel. Au rez-de-chaussée, deux trains électriques font le tour du bâtiment pour livrer des boîtes de dossiers et des sandwichs aux sept mille employés qui sont répartis sur quatre étages. À l'intérieur de cet immeuble en forme de *donut* géant se trouve une cour intérieure de la taille du Royal Albert Hall. Un revêtement noir de plus de vingt centimètres d'épaisseur recouvre tous les murs extérieurs.

Les ordinateurs hautement sécurisés du GCHQ traitent des informations stratégiques, l'élément le plus important de l'espionnage moderne ; cela permet au gouvernement britannique et à ses conseillers – fonctionnaires, diplomates et chefs militaires – d'être toujours aussi informés que possible sur les autres pays et leurs projets. Le renseignement tactique vise en particulier les plans de bataille éventuels de l'ennemi et la surveillance de son entraînement pour en déduire les méthodes qu'il déploiera en temps de guerre. Et le contre-espionnage britannique a pour objectif la « défense du royaume ». Il est spécialisé dans le repérage des activités d'espionnage étrangères.

On retrouve également ces trois aspects au Mossad mais lorsque celui-ci partage ses découvertes avec les services « alliés », il le fait conformément à la vieille politique que l'ancien directeur général David Kimche formulait ainsi : « L'intérêt premier, ultime et éternel, c'est Israël. »

En revanche, le GCHQ entretient des relations « sans cachotteries » avec la plus puissante organisation de renseignement du monde, dont les activités partent du fin fond de l'espace, là où se trouve l'armada de satellites qu'utilisent les Américains de la NSA (National Security Agency) pour espionner le globe. À cause de la menace terroriste, la NSA a dû augmenter leur puissance ; la CIA et les autres services secrets des États-Unis ajoutent constamment de nouvelles cibles à leurs « listes de courses » électroniques.

En 2005, le fonctionnement de la NSA a coûté plus de quatre milliards de dollars. L'agence emploie vingt-sept mille personnes à plein temps, dont des experts, des analystes et des techniciens, sans oublier l'équipe chargée de détruire quotidiennement quarante tonnes de papier. Elle a également la possibilité de faire appel à cent mille militaires et civils américains postés en divers points du monde. Une partie de son budget sert à gérer des postes d'écoute top secret en Grande-Bretagne : à Chicksands, dans le Bedforshire, à Edzell, en Écosse, à Brawdy, au pays de Galles et, pour le plus grand d'entre eux, à Menwith Hill, près de Harrogate, dans le nord de l'Angleterre. Tous sont connectés au GCHQ et à ses bases de surveillance à Chypre, en Allemagne de l'Ouest et en Australie. Ainsi, il n'existe aucun endroit sur la planète qui ne puisse être surveillé.

Derrière la double clôture de la NSA, surplombée de fil de fer barbelé tressé avec du fil électrique, des hectares d'ordinateurs aspirent la totalité du spectre électromagnétique mondial et repèrent tout un lexique de mots clés dans une infinité de langues. Rien de significatif sur les plans politique, économique ou militaire – que cela apparaisse dans un appel téléphonique, dans une conversation au bureau de Kofi Annan, le secrétaire général des Nations unies, dans un fax ou dans un courrier électronique – n'échappe à l'attention de la NSA. Si le quartier général des Nations unies à New York est classé « territoire international » et qu'il est donc illégal d'y placer des micros, il est courant, en revanche, que la NSA et le GCHQ épient divers pays, qu'ils soient considérés comme hostiles ou « amicaux » envers les États-Unis et la Grande-Bretagne. Les pays « alliés » sont surtout espionnés pour des raisons commerciales ou pour donner l'avantage à Londres et Washington lors de leurs négociations diplomatiques. Les alliés de l'OTAN sont également régulièrement surveillés à l'ONU. Quant au Mossad, il dispose à New York d'une unité de *yahalomin* chargée d'espionner diverses missions, arabes ou autres.

Après avoir circulé dans les couloirs électroniques des services de renseignement américains et britanniques, les données sont envoyées à Tel-Aviv. En retour, le Mossad informe la NSA et le GCHQ quand ils ont besoin de savoir quelque chose. Les matrices contenant les données de la NSA sont conservées, à température constante, dans des salles souterraines. Quelque part dans cette bibliothèque à secrets se trouvent les enregistrements des mille quinze communications concernant la princesse Diana et Dodi al-Fayed que l'agence reconnaît avoir interceptées durant les semaines qui ont précédé la mort du couple à Paris. En 2005, la NSA refusait toujours d'en remettre des copies au père de Dodi, Mohammed al-Fayed, invoquant le fait qu'elles contenaient des informations « d'importance nationale ».

Quelques jours avant le début de la guerre en Irak, les deux agences s'associèrent pour informer leurs supérieurs politiques – le président George Bush et le Premier ministre Tony Blair – des conversations privées sensibles de l'un des chefs d'État qui s'était toujours exprimé en faveur de la guerre.

En début d'après-midi, le 9 février 2003, Sir Richard Dearlove, alors directeur général du MI-6 britannique, avec son air fringant et sa voix douce, passa plusieurs coups de téléphone au sujet d'une opération de surveillance dirigée contre le Premier ministre espagnol, José Maria Aznar, l'ambassadeur espagnol aux Nations unies et plusieurs officiers supérieurs du ministère des Affaires étrangères à Madrid. L'opération – nom de code *Condor* – était classée *Beyond Secret* (« plus que secrète »), le niveau de confidentialité le plus élevé qu'aient en commun le MI-6, le GCQH et la NSA.

Dearlove parla à George Tenet, le directeur de la CIA. Ils avaient beaucoup de respect l'un pour l'autre ; ils étaient tous deux au sommet du monde de plus en plus ténébreux que devenait le milieu du renseignement à l'approche de la guerre en Irak. Dans cet univers, selon la mémorable formule de l'ex-Premier ministre britannique, Margaret Thatcher, « personne ne peut plus vous surprendre qu'un ami ».

Engagé jusqu'au cou dans la préparation de la guerre en Irak, Tony Blair avait secrètement accepté qu'on espionne Aznar, un homme dont il parlait comme d'un « ami digne de confiance ». La Grande-Bretagne et l'Amérique – c'est-à-dire, Blair et Bush – voulaient être absolument sûres que, pour le conflit imminent, leur allié espagnol serait aussi déterminé dans son engagement en coulisse qu'il l'était en public. Plus de quatre-vingt quinze pour cent des Espagnols étaient opposés à cette guerre ou assez peu convaincus. Selon, George Galloway, député travailliste dissident – qui allait bientôt fonder le parti RESPECT – et que Blair considérait comme le leader du mouvement antiguerre en Grande-Bretagne, « il régnait une atmosphère de crise, à la limite de la panique, à Downing Street comme à la Maison Blanche car il aurait été désastreux qu'Aznar cède à la pression ».

Le premier homme à qui parla Dearlove ce jour-là fut John Scarlett. Grand, droit comme un i et la tête ovoïde, l'ancien espion du MI-6 était maintenant le président du Joint Intelligence Committee – le pont invisible par lequel toutes les informations du MI-6 arrivaient à Downing Street. Sa position de contrôleur général de tous les services secrets britanniques lui valait un siège au cabinet de Blair (plus tard, il allait remplacer Dearlove à la direction du MI-6, un poste qu'il convoitait depuis longtemps). Mais en tant que président du Joint Intelligence Committee, sa principale tâche consistait à savoir ce qui se passait en Irak, trouver tout ce qu'il était possible sur Saddam Hussein et prédire ce qui allait se produire à l'approche de la guerre. Depuis janvier 2003, découvrir les véritables intentions d'alliés tels qu'Aznar faisait également partie de son travail.

Au cours des mois précédents, le MI-6, la CIA et la NSA avaient procédé ensemble à la mise sur écoute de Kofi Annan, le secrétaire général de l'ONU, et de Hans Blix, alors responsable des inspecteurs en armement. On finit par apprendre l'existence de ces opérations en février 2004, lorsque Clare Short, une ex-ministre du gouvernement Blair, déclara au Parlement qu'elle savait que « le MI-6 avait rédigé des transcriptions secrètes des conversations d'Annan au sujet de l'imminence de la guerre en Irak ». Après qu'elle eut révélé que Kofi Annan avait été espionné, Inocencio Arias, l'ambassadeur d'Espagne aux Nations unies déclara : « Tout le monde espionne tout le monde. Et quand il y a une grosse crise, les grands pays espionnent énormément. Si votre mission n'est pas sur écoute, c'est que vous ne valez rien. » Les raisons de la mise sur écoute d'Aznar et la façon dont cela s'est produit sont restées secrètes jusqu'au présent ouvrage.

Selon les souvenirs d'Alastair Campbell, le directeur stratégique de Downing Street, durant les semaines qui précédèrent la guerre, Blair avait présenté Aznar comme « l'un des interlocuteurs téléphoniques à qui il parlait le plus souvent et en qui il avait le plus confiance ». Aznar savait que ses appels réguliers à Blair étaient écoutés et notés en sténo. Il l'acceptait. Par contre, il ne se serait jamais douté – pas une seule seconde – qu'on n'allait pas tarder à espionner les conversations privées qu'il avait avec ses collaborateurs, sur ordre du Premier ministre.

Campbell, fin psychologue, faisait partie de ceux qui, à Downing Street, étaient authentiquement troublés par les proches relations qu'entretenait Blair avec le Premier ministre espagnol. Plus tard, il confia à Peter Stothard, alors directeur du *London Times* : « Aznar était un représentant de la droite européenne et il était difficile d'expliquer qu'il soit aussi proche de Tony Blair que ce dernier l'était de George Bush. »

En réalité, Blair et Aznar étaient unis par le faible soutien qu'obtenait la guerre en Irak dans leurs pays respectifs. À Downing Street, les appels d'Aznar étaient pris directement dans le bureau du Premier ministre. C'était une pièce confortable, où trônait un petit bureau sur lequel reposait un grand portrait encadré de Nelson Mandela, l'un des héros de Blair. Le téléphone se trouvait juste à côté. Mais la sonnerie provenait d'un périphérique posé sur une petite table à l'autre bout de la pièce. C'était là que s'asseyait le sténographe. La salle était isolée du reste de Downing Street par de hautes portes couvertes de cuir bleu. Blair répondait toujours amicalement à Aznar par des formules telles que « Salut, José Maria ». Blair était un as du téléphone. Il avait l'art de donner à son interlocuteur l'impression d'être la seule personne qui compte au monde. Dans ses conversations avec Aznar, il s'efforçait de lui transmettre sa profonde conviction qu'il était crucial de destituer Saddam Hussein et parlait de créer des Nations unies libérées de leur inefficace torpeur actuelle. Il lui expliquait que la révocation du dictateur permettrait d'avertir toutes les autres nations extrémistes que le terrorisme serait toujours contré par une force considérable. Cela rappellerait également aux Palestiniens et aux Israéliens que l'instabilité actuelle du Moyen-Orient devait cesser.

En ce jour de février, de l'autre côté de la Tamise, Dearlove continuait à passer ses propres coups de téléphone. Seuls cinq pour cent de l'électorat espagnol soutenaient la décision d'Aznar de se joindre à la Grande-Bretagne et aux États-Unis pour la guerre en Irak. Après un appel de Madrid, Blair s'adressa à Alastair Campbell en plaisantant : « C'est encore moins que le nombre de gens qui pensent qu'Elvis Presley est toujours en vie. » C'était à cause de ce faible pourcentage que Dearlove téléphonait. Le Premier ministre espagnol serait-il toujours aussi motivé pour répondre à l'appel de plus en plus puissant des tambours de guerre, ou allait-il tergiverser et changer d'avis, entraînant ainsi la ruine des plans d'attaque militaire, déjà finalisés, que Londres et Washington avaient prévus pour envahir l'Irak et renverser Saddam Hussein ? Pour le savoir, la seule solution était de mettre sur écoute l'ambassadeur d'Espagne aux Nations unies et les principaux officiels ministériels madrilènes pour espionner les discussions qu'Aznar avait avec eux.

À Londres, à la fin de cette froide journée du 9 février, il fut décidé qu'Aznar serait mis sur écoute. La décision avait été prise par Sir Richard Dearlove, George Tenet, John Scarlett et les directeurs du GCHQ et de la NSA. Downing Street avait donné son feu vert la veille, après une longue conversation entre Bush et Blair.

Ce fut lorsque Frank Koza, un analyste de haut niveau de la NSA envoya un e-mail à son homologue du GCHQ pour lui demander de faire déferler une « vague » de surveillance sur les membres clés du Conseil de sécurité de l'ONU, que l'on décida de monter l'opération Condor. Koza voulait « absolument tous les renseignements susceptibles de donner l'avantage aux décideurs américains ». Sa requête portait la mention « TOP SECRET/COMINT/XI ». Le code « XI » signifiait qu'elle ne devait jamais être déclassée. Elle devait rester Top Secret. Quoi qu'il en soit, d'une façon ou d'une autre, une copie de ce message finit par atterrir dans le modem de l'ordinateur de Katherine Gun, traductrice au GCHQ. Elle le remit à un intermédiaire qui le fit passer à une journaliste britannique, Yvonne Ridley – célèbre pour avoir été relâchée par les talibans en Afghanistan et fervente partisane du mouvement antiguerre. À son tour, elle transmit le document à un reporter du journal londonien, *The Observer*. Gun fut arrêtée pour avoir enfreint l'*Official Secrets Act*, la loi britannique sur les secrets officiels.

En ce jour de février, le GCHQ, la NSA, le MI-6 et la CIA se préoccupaient surtout d'espionner Aznar. L'opération serait dirigée à partir de Menwith Hill, en utilisant un programme du système Echelon de la NSA que l'on appelle le « Dictionnaire » : ses ordinateurs peuvent aussi bien cibler des numéros de téléphone spécifiques, que des mots ou des empreintes vocales. Ils utilisent la technique « Tempest », permettant d'écouter des voix individuelles grâce à des rayons laser qui, orientés vers une fenêtre, déchiffrent les vibrations générées par les paroles. On inséra dans les ordinateurs du Dictionnaire un échantillon de la voix d'Aznar afin de traquer chaque mot lié à la guerre en Irak que lui ou ses plus hauts officiels pourraient prononcer, où qu'ils se trouvent sur la planète. Les informations obtenues étaient téléchargées dans les ordinateurs de Menwith Hill. Des bancs d'ordinateurs interconnectés décodaient et analysaient les données avant de les envoyer, sur une ligne sécurisée, au GCHQ, où elles étaient converties en transcriptions portant la mention « Hautement confidentiel ». On les envoyait ensuite à John Scarlett, le directeur du Joint Intelligence Committee. À partir de là, les documents étaient portés à la main jusqu'à Downing Street, à deux pas, dans des dossiers couleur peau de chamois, portant tous la croix de Saint-Georges, symbole flagrant du patriotisme de Scarlett. Pour arriver jusqu'à Blair, le chef suprême du renseignement devait fréquemment enjamber les jouets de Leo, le plus jeune fils du Premier ministre, qui prenait souvent le sol de Downing Street pour une cour de récréation. Des copies étaient envoyées à Bush *via* la NSA. Les deux politiciens se basèrent principalement sur ces transcriptions pour évaluer l'état d'esprit d'Aznar et de ses collaborateurs. Après la guerre, on découvrit que le soutien d'Aznar n'avait jamais failli. Ce qui lui coûta son poste de Premier ministre aux élections suivantes.

Durant les dernières semaines de 2005, Meir Dagan ouvrit une réunion sur le thème de la fiabilité des rapports. Sergei Kondrashov, un chef du contre-espionnage, retraité du KGB, avait un jour expliqué que si son organisation avait été obligée de choisir entre se fier aux rapports de ses taupes infiltrées dans l'administration américaine ou au *New York Times*, elle aurait opté pour le journal sans la moindre hésitation. Dagan rappela à l'assistance que, jusqu'à l'arrivée de Porter Goss à la direction de la CIA, l'Agence utilisait une simple échelle pour évaluer les rapports : A, B, C ou D pour la fiabilité de la source et 1, 2, 3 ou 4 pour celle des informations. A1, par exemple, signifiait que la source était au-dessus de tout soupçon et que les renseignements étaient indubitablement exacts. B2 indiquait que la source était bonne et les renseignements étaient probablement exacts. La catégorie D4 signifiait que la source n'était absolument pas fiable et que les renseignements étaient manifestement inexacts. Dagan se tut un instant avant de dire que Goss avait parlé à plusieurs de ses adjoints qui lui avaient avoué n'avoir que très rarement vu de A1 et assez peu de D4. La grande majorité des rapports qui passaient sur leurs bureaux étaient classés C3 – la source s'était montrée fiable dans le passé et, par conséquent, il était possible que ses renseignements soient exacts. Du regard, Dagan fit le tour de la table de conférence et déclara que, selon toute logique, on pouvait en déduire qu'une source habituellement fiable pouvait parfois ne pas l'être et, donc, que les renseignements considérés comme exacts pouvaient tout aussi bien ne pas l'être. Il rappela que le Mossad avait besoin que ses informations soient toujours fiables pour contrer ses opposants, comme saint Paul observait le ciel – « au moyen d'un miroir, d'une manière obscure ». C'était une façon de dire que le Mossad devait continuer à faire face aux menaces alors que la terre devenait un village mondial et que, chaque jour, les services secrets étaient un peu plus sollicités. Le temps de la division bien claire entre l'Union soviétique et l'Occident était terminé. Le terrorisme, le blanchiment d'argent à l'échelle internationale, les dictateurs impitoyables et les conflits ethniques avaient changé les fonctions traditionnelles de l'espionnage et du contre-espionnage. Afin d'obtenir les informations dont ils avaient besoin pour lutter contre ces nouveaux fléaux, les services de renseignement étaient obligés d'opérer sur des terrains qu'ils connaissaient mal.

Alors que 2005 touchait à sa fin, la guerre contre le terrorisme était loin d'avoir atteint tous les objectifs escomptés. Si Saddam avait été capturé, Oussama Ben Laden et Al-Qaïda restaient bel et bien une grande menace. Les analystes du Mossad étaient parvenus à la conclusion que prendre ou tuer Ben Laden ne suffirait pas à éradiquer Al-Qaïda ; sa structure de commandement était bien définie et déjà prête à le remplacer, tandis que l'organisation elle-même se concentrait surtout sur la propagation de son idéologie afin de motiver ses partisans à imiter ce qui avait été fait le 11 septembre 2001. Madrid, Londres, Bali et Amman étaient autant de panneaux sur la route qui mènerait à de nouveaux massacres. Les analystes estimaient que, telle une hydre, Al-Qaïda était maintenant implantée dans soixante pays.

Nul ne pouvait prédire à quoi aboutirait la lutte de pouvoir entre Ayman al-Zawahiri, l'érudit fanatique, et Abou Moussab al-Zarqaoui, le fou, au sens médical du terme. Tous deux avaient conscience des avantages majeurs qu'il y avait à se servir d'Internet comme d'une base virtuelle depuis laquelle on pouvait aussi bien faire de la propagande que donner des instructions. Cela signifiait que l'on pouvait désormais attirer dans les camps d'entraînement d'Al-Qaïda des djihadistes haïssant déjà profondément les États-Unis, la Grande-Bretagne et, surtout, Israël. Les recrues pouvaient donc rester moins longtemps dans les camps, ce qui réduisait les risques d'attaque aérienne ou terrestre.

Il devenait de plus en plus courant que des États financent le terrorisme et il n'y avait aucune raison que cela change dans un avenir proche. Des pays tels que la Syrie, la Corée du Nord et l'Iran avaient évalué les risques de représailles qu'ils encouraient et en étaient arrivés à la conclusion que le jeu en valait la chandelle. À Damas, Pyongyang et Téhéran, l'opinion générale était que même les États-Unis n'oseraient jamais déclencher une guerre mondiale en envoyant une bombe atomique sur l'un de leurs États ; et il était improbable qu'Israël, avec ses grands airs et ses sous-marins postés dans le golfe d'Oman, lance une attaque préventive. Par conséquent, le radicalisme islamique continuait à prendre de l'ampleur, ses financiers sachant qu'au pire, ils ne s'exposaient à rien de plus qu'à des offensives militaires conventionnelles. Les sanctions ne fonctionnaient pas, ainsi que l'avait démontré l'Irak de Saddam Hussein.

Si Al-Qaïda estimait que le terrorisme n'était rien d'autre qu'une guerre sous un autre nom, les attentats n'en étaient *pas* pour autant traités comme des actes de guerre. Ainsi, le Pakistan avait pu armer les terroristes du Cachemire pour qu'ils attaquent le Parlement indien en 2001 ; des Saoudiens entraînés par l'Iran avaient fait sauter la base américaine d'Al-Khobar en 1996 ; et des membres du Hamas originaires de Syrie avaient continué de faire exploser des bus israéliens comme ils le faisaient depuis des années. Aucune de ses actions n'était considérée comme un acte de guerre attribuable au pays financeur.

Le danger du terrorisme, ainsi que Meir Dagan le répétait régulièrement aux membres du Mossad, était son rapport coût-efficacité. Produire un kamikaze ne revient pas cher. Un attentat peut faire des ravages et forcer un gouvernement à mobiliser toutes ses ressources – humaines et technologiques – pour tenter de capturer ses auteurs. Un jour, un analyste calcula pour moi que « la capture d'un terroriste coûte autant que celle d'une centaine d'hommes entraînés à grand frais ».

Cette situation, déjà complexe, se compliquait encore avec le rôle de plus en plus important du CSIS. Si, en Chine, la tradition de l'espionnage remonte à plus de deux mille cinq cents ans, ses activités n'ont jamais eu une portée aussi importante qu'aujourd'hui.

Après le vol des secrets nucléaires à Los Alamos, le CSIS avait continué à opérer aux États-Unis. Un grand nombre des diplomates accrédités de l'ambassade de Chine à Washington, ainsi que plusieurs consuls et négociateurs commerciaux vivant sur le sol américain, étaient soit des agents secrets, soit des personnes ayant des liens directs avec le CSIS. Selon une estimation du FBI, en 2005, le nombre d'agents et d'informateurs du CSIS aux États-Unis était plus élevé que celui de n'importe quel autre service de renseignement étranger. On estimait qu'à eux tous, depuis Los Alamos, ils étaient parvenus à obtenir, par le vol ou la tromperie, pour trente-cinq milliards de dollars de secrets, principalement dans des firmes technologiques travaillant pour ou avec la Défense. Le directeur du FBI, Robert Mueller, ordonna que l'on demande à ces sociétés d'améliorer leur sécurité et que les organisateurs de conférences technologiques, qui ont toujours attiré les scientifiques chinois, apprennent à « reconnaître un éventuel agent du CSIS ». On demanda aux universités de faire connaître le contenu détaillé de leurs cours et des divers « centres d'intérêt » auxquels trente mille étudiants chinois avaient accès sur les campus depuis que le FBI avait découvert que le CSIS finançait les études en Amérique de plus en plus de gens ; un grand nombre d'entre eux suivaient des cours de troisième cycle dans des universités telles que l'UCLA, Harvard, Yale ou Stanford. Une fois diplômés, souvent en informatique ou dans des matières connexes, ils essayaient de se faire engager par des compagnies ayant des contrats – concernant des points sensibles – avec la Défense. Selon Ted Gunderson, un ancien agent de haut rang du FBI, du département antiterroriste de la base de Los Angeles : « Les étudiants apprennent à voler, photocopier et remettre en place des documents de grande valeur ou des contrats secrets, puis à duper les agents de sécurité pour les faire sortir clandestinement. Les informations sont souvent stockées sur des microfilms cachés dans des cavités dentaires ou avalés pour être récupérés plus tard dans les excréments, dans l'une des planques dont dispose le CSIS aux États-Unis. »

Grâce aux liens étroits qui s'étaient tissés entre Meir Dagan et Porter Goss, le Mossad pouvait désormais passer par le « canal officieux » pour signaler ce qu'il savait des activités du CSIS aux États-Unis. Les deux directeurs de services secrets savaient tous deux combien ces informations étaient trop sensibles pour être transmises à la Maison Blanche ou au département d'État avant de pouvoir prouver formellement l'espionnage.

En octobre 2005, un *katsa* basé à Los Angeles informa Tel-Aviv qu'un réseau d'espions du CSIS en Californie était sur le point de faire porter en Chine des disques contenant des informations ultrasecrètes sur des systèmes militaires américains. Les données étaient codées et cachées sur des CD, derrière la musique ou les films du moment. Un *sayan* du Mossad, travaillant pour Power Paragon, une société de défense haute sécurité basée à Anaheim, en Californie, remarqua l'embauche d'un certain Chi Mak. Soupçonnant qu'il puisse appartenir à un réseau d'espions, il le signala à son *katsa*. On lui demanda donc de rester vigilant.

En quelques semaines, il donna des informations suffisantes pour que le *katsa* alerte Tel-Aviv.

Meir Dagan fit passer les renseignements à Porter Goss par les « circuits officieux ». Le FBI monta alors une opération d'envergure. Le 27 octobre, la veille du jour où Chi Mak devait quitter Los Angeles – avec sa femme, Rebecca, son frère, Tai Wang Mak, et l'épouse de ce dernier, Fuk Heung Li –, les deux couples furent arrêtés chez lui à Downey, en Californie.

Les officiers fédéraux découvrirent ce que James E. Gaylord, un agent du FBI, appela « une maison remplie de secrets ». On découvrit qu'il s'agissait de l'opération d'espionnage la plus préjudiciable pour les États-Unis depuis le vol de Los Alamos. On trouva chez Chi Mak des centaines de milliers de documents et de pages imprimées par ordinateur. Arrivés en mai 2001, sa femme et lui étaient tous deux naturalisés américains. Le réseau d'espions du CSIS était déjà en place. Mais Chi Mak décida d'améliorer ses activités. Il obtint un poste d'ingénieur à Power Paragon. Cela lui donna accès à des documents militaires hautement confidentiels, dont les plans des nouveaux sous-marins de type Virginia et des systèmes de combat Aegis, qui sont d'une importance capitale pour les destroyers, les croiseurs et les porte-avions de l'US Navy. Chi Mak, ingénieur électronicien doté, selon le FBI, de « connaissances avancées en informatique », avait volé des informations qui donneraient la supériorité à la Chine si les États-Unis venaient à la rescousse de Taiwan en cas de conflit avec le régime de Pékin.

Selon leurs voisins, Chi Mak et son épouse étaient des gens « polis mais réservés » ou des « personnes sans problème qui menaient une vie tranquille ». Presque des « piliers de la société américaine », ils correspondaient au profil habituel des taupes, ne différant en rien de tous ceux qui, chaque jour, œuvraient dans le monde ténébreux et dangereux des services secrets. Pour eux, c'en était terminé. Mais combien de temps s'écoulerait-il avant qu'éclate le prochain scandale d'espionnage ? Lorsque cela surviendrait, Meir Dagan était bien déterminé à ce que ce ne soit pas le Mossad qui se fasse prendre à piller des secrets.

Le mardi 24 janvier 2006, en arrivant au travail à 6 h 30, son heure habituelle, Meir Dagan trouva sur son bureau le rapport que le département de recherche et de développement du Mossad devait lui remette et qu'il attendait avec impatience. Les scientifiques, programmeurs et techniciens de ce service venaient de créer une nouvelle gamme de gadgets avec lesquels l'Institut ne pourrait que rester à l'avant-garde du renseignement. Tous les objets avaient été testés sur le terrain, en Europe, par des *katsas*. À Paris et à Bruxelles, ils avaient essayé l'EDLB, une nouvelle version de la boîte morte électronique, équipée d'un système informatique miniaturisé permettant aux agents d'échanger des messages entre eux ou avec leurs contrôleurs au quartier général de l'Institut. À l'intérieur se trouvait un crypteur – reconnu comme le meilleur du monde – qui, selon les programmeurs du département de recherche et de développement, résisterait à toutes les tentatives de décodage du CSIS. Il était accompagné d'un téléphone cellulaire spécialement modifié, de la taille d'un paquet de cigarettes. Connu sous le nom d'*infinity device* (« appareil sans limite »), il pouvait infiltrer n'importe quel autre portable et le faire démarrer sans que son voyant s'allume. Testé à l'extérieur des bâtiments de l'Union européenne à Bruxelles, il avait fourni un canal d'écoute secrète pendant vingt-quatre heures et transmis dans l'heure toutes les conversations téléchargées. L'équipe de recherche et de développement avait également conçu un autre gadget appelé *keystroke* (« frappe de clavier ») que l'on pouvait introduire dans un ordinateur pour télécharger tout le contenu de son disque dur. Il avait été testé dans une agence matrimoniale de Madrid. Un autre appareil dont le nom de code était « Tempest » permettait de scanner tous les ordinateurs d'un bâtiment pour connaître le niveau de protection électronique de chacun d'entre eux. On avait choisi de le tester à Munich dans des locaux de Siemens, à l'insu de la société. Selon le rapport du département de recherche et de développement, « Tempest » avait « donné des résultats satisfaisants ». Indubitablement, le chef-d'œuvre du service était un système nommé *smart dust* (« poussière intelligente »). Il s'agissait de capteurs, chacun de la taille d'une fourmi, que l'on pouvait saupoudrer en territoire ennemi. Cachés dans la poussière, l'herbe ou la terre, leurs micros miniaturisés captaient des données qu'ils transmettaient à un EDLB conçu pour stocker plusieurs mégabits d'informations et les envoyer automatiquement au quartier général du Mossad. Au bout d'un mois, les capteurs s'autodétruisaient.

Les agents de terrain du Mossad basés dans les Balkans comptèrent parmi les premiers à être équipés de ces gadgets. Là-bas, Al-Qaïda avait établi un réseau qui s'étendait depuis la Bosnie, au nord, jusqu'en Albanie. Les mosquées y abritaient des collectes de fonds et des centres d'information. Dans les montagnes qui longent l'Adriatique se trouvaient des camps de relais où l'on évaluait les djihadistes en provenance d'Angleterre, de France, d'Espagne et d'Italie, avant de les laisser reprendre leur long périple vers l'Afghanistan, à l'est, en empruntant l'une des nombreuses voies habituellement utilisées pour le trafic d'héroïne. Ensuite, après avoir terminé leur formation dans les montagnes afghanes – où Ben Laden et ses principaux aides de camp étaient toujours cachés –, les djihadistes retournaient en Albanie, en passant par l'Iran, le nord de la Turquie, le sud de la Bulgarie et la Macédoine. À partir de là, soit ils traversaient l'Adriatique pour se rendre en Italie, soit ils passaient par la Bosnie, la Croatie et la Slovénie pour atteindre l'Autriche. Ensuite, ils rentraient chez eux. Ces kamikazes silencieux et vigilants, ces faiseurs de bombes et ces terroristes entraînés à la guerre urbaine, toujours prêts à frapper le cœur de l'Europe, le Mossad les appelait des « chevaux de Troie ». Meir Dagan avait rappelé à ses *katsas* que leurs premières cibles seraient toujours des institutions juives – banques, synagogues, écoles et toute organisation dans laquelle des Juifs auraient investi. Ensuite, ce serait le tour des institutions américaines et britanniques. Mais celles qui appartenaient à des Juifs, ou étaient partiellement contrôlées par eux, passeraient toujours en premier.

Il avait détaché ses meilleurs agents pour intercepter et tuer les djihadistes, de préférence au moment où ils se rendaient en Afghanistan, sinon, sur le chemin du retour. Ceux qui avaient survécu à l'aller étaient pourchassés pendant qu'ils remontaient vers le nord pour rentrer en Europe. Ceux qui réussissaient à éviter la mort étaient signalés aux autres services de sécurité. En 2006, Le Mossad donna au service de sécurité néerlandais, l'Algemene Inlichtingen-Veiligheidsdienst, les noms de cinquante djihadistes revenus aux Pays-Bas au cours des trois ans précédents. En Belgique, l'Institut aida les services de renseignement à découvrir une cellule d'Al-Qaïda dont les membres étaient des hommes qui avaient réussi à rentrer sains et saufs d'Afghanistan. Dans l'appartement qui leur servait de base à Bruxelles, on découvrit de faux passeports, contrefaits d'une main experte, et un ouvrage édité par Al-Qaïda expliquant comment fabriquer une bombe. Mais une fois de plus, le Mossad eut le déplaisir de constater que la collaboration entre les services européens dont on ne cessait de vanter les mérites était loin d'être aussi bonne que le prétendaient les dirigeants politiques. Les services secrets français se plaignaient encore en 2006 du fait que les Pays-Bas n'extradaient pas des terroristes recherchés en France. Les Hollandais rejetaient cette accusation.

Les suspects étaient des membres de Takfir wal Hijra. Les fondateurs de ce groupe avaient fui l'Égypte pour s'installer en Algérie, où l'organisation fut alors absorbée par Al-Qaïda. En 2003, elle arriva à la Hague. Opérant en cellules ultrasecrètes, ses membres commencèrent par recruter des djihadistes pour les envoyer dans des camps d'entraînement en Afghanistan. Les corps de ceux qui n'étaient jamais rentrés jonchaient les bords de la route. Comme d'habitude, le Mossad avait fait paraître leurs noms dans les rubriques nécrologiques des journaux arabes locaux. Il arrivait que la famille de la victime reçoive des fleurs et un mot de condoléances *avant même* qu'elle n'ait été tuée. Le but était de semer la panique chez les djihadistes.

Lionel Dumont, un français originaire de la ville industrielle de Roubaix, fut l'un de ceux qui réussirent à y échapper. Il s'était converti à l'islam au début de son adolescence. Plus tard, il avait fait son service militaire dans l'armée française en Somalie. La brutalité de ses collègues soldats envers la population musulmane le marqua profondément et durablement. Pendant la guerre en ex-Yougoslavie, il alla se battre en Bosnie aux côtés des moudjahidin financés par Al-Qaïda.

À cette époque, Oussama Ben Laden se demandait dans quel pays il pourrait aller vaincre les infidèles. Pratiquement en même temps qu'en

Bosnie, les conflits éclatèrent en Tchétchénie. Puis ce fut l'Albanie qui offrit un nouveau champ de bataille à Al-Qaïda ; le chaos et l'anarchie régnaient déjà dans ce pays, ce qui en faisait un terrain fertile pour les trafiquants d'armes et tous les groupes liés au terrorisme. En les unissant, Al-Qaïda en fit une puissante force ; les fonds et l'aide humanitaire étaient illimités. L'Albanie devint un tremplin pour le Kosovo voisin. Dumont faisait partie des quelque cinq cents moudjahidin qui entrèrent clandestinement à Tirana, la capitale albanaise. L'opération était dirigée par l'adjoint d'Oussama Ben Laden, Ayman al-Zawahiri. Après une lutte à mort contre les forces du gouvernement, les moudjahidin partirent pour la Macédoine. Une fois de plus, l'argent et l'aide humanitaire leur permirent de remporter l'adhésion des villageois démunis. Finalement, l'OTAN les fit partir. Mais, entre-temps, Al-Qaïda avait gagné des centaines de nouvelles recrues. Beaucoup partirent en Afghanistan pour y subir un entraînement spécial.

Lorsqu'une paix fragile revint dans la région, Dumont rentra à Roubaix, où il forma son propre groupe qu'il entraîna et dirigea lors de plusieurs attentats. La police essaya de l'arrêter mais n'y parvint pas et Dumont s'enfuit en Bosnie. Là, il devint l'un des membres les plus importants d'Al-Qaïda – qui connaissait alors une ascension fulgurante. Finalement arrêté, il s'évada de prison et on lui fit prendre secrètement la direction de l'Afghanistan. Par deux fois, des *katsas* du Mossad faillirent le tuer avant qu'il atteigne la sécurité des places fortes montagnardes où se trouvaient les camps d'Al-Qaïda, à la frontière du Pakistan. En juin 2006, le Mossad était toujours convaincu que Dumont s'y trouvait encore, occupé à superviser l'entraînement de djihadistes d'origine française. On utiliserait les gadgets du département de recherche et de développement de l'Institut pour les pister et les abattre.

Le budget de cent millions de dollars nécessaire à la création de cet arsenal avait été approuvé par Ariel Sharon. Mais en ce matin du 24 janvier, Meir Dagan savait que le politicien israélien qu'il vénérait plus que tout autre ne se remettrait jamais de l'attaque qui l'avait plongé dans un coma devenu de plus en plus profond. Il n'ignorait pas non plus que s'il respirait encore, c'était grâce à l'un des appareils de maintien des fonctions vitales d'un hôpital de Jérusalem. Aussi souvent qu'il le pouvait, Dagan rendait visite à son vieil ami dans la suite du septième étage où il attendait, au seuil de la mort. Chaque fois, il restait sur le pas de la porte, son regard perçant et intelligent rivé sur les battements de cœur qui continuaient de se déplacer sur l'écran, près du lit, pendant que les bips sonnaient au rythme des pulsations, réduisant la vie du vieil homme à une simple ligne continue. La famille de Sharon était là, rassemblée autour du lit, silencieuse, tandis que les émotions qui entourent l'approche de la mort semblaient les envahir de plus en plus. Dagan était aussi conscient de la peine, du désespoir et du sentiment d'impuissance de la famille que de la résignation, à peine cachée, des médecins et des infirmières. Il se demandait si Sharon ressentait leur présence. Ce qui était certain, c'était que les membres de la famille, réunis autour de son lit, se livraient à quelque rituel profond, primitif et instinctif, regardant en silence la silhouette immobile, presque comme s'il n'existait aucun mot pour transcrire leurs sentiments intérieurs. Dagan comprenait parfaitement cela ; dans sa vie de soldat et de directeur du Mossad, il avait maintes fois pu constater l'effet de la mort sur les autres.

Il savait que l'appareillage médical qui entourait le Premier ministre – des machines qui cliquetaient et sonnaient – étaient là pour montrer à la famille que tout n'était pas encore perdu ; que l'on avait pris des mesures énergiques pour tenir l'inévitable à distance. Près du lit il y avait un chariot rouge sur lequel se trouvait du matériel chirurgical. Il s'agissait du « chariot à accidents », l'outil de première urgence qui contenait des médicaments pour stimuler le rythme cardiaque, des éponges, des aiguilles, des garrots, des sondes, des cathéters, des tuyaux de respiration, un aspirateur médical et un défibrillateur. Ce dernier, *via* ses électrodes, pourrait délivrer de puissants chocs électriques pour relancer le cœur de Sharon s'il s'arrêtait. La décision de le réanimer ou non ne serait prise que lorsque cela se produirait. Dagan avoua à ses assistants que si c'était à lui de choisir, il ne réveillerait pas son ami pour le voir vivre dans un état végétatif.

Après avoir examiné le rapport du département de recherche et de développement, Dagan prépara sa première réunion de la journée. Il devait rencontrer deux agents français, de hauts membres de la DST, la Direction de la surveillance du territoire. Cette agence, une des plus grandes parmi les agences françaises de renseignement, employait plusieurs milliers de personnes et, au fil des ans, avait établi d'étroites relations avec le Mossad. Ces liens avaient été consolidés lorsque le Mossad avait aidé la DST à déjouer un complot terroriste visant à lancer un avion de ligne sur la tour Eiffel. Depuis, les deux services avaient plusieurs fois collaboré pour contrecarrer des projets d'attentats d'Al-Qaïda contre la France. Un plan d'assassinat du président Chirac fut déjoué mais aucune révélation ne fut jamais faite à ce sujet.

Alors que la France, à l'instar de nombreux pays européens, préconisait publiquement une approche judiciaire de la lutte contre le terrorisme, en arrêtant et jugeant les terroristes chaque fois que cela était possible, en coulisses, la DST se montrait aussi impitoyable que le Mossad. Cela remontait à 1986, à la suite d'une importante refonte de la police nationale et des services secrets. Après les attentats du 11 septembre, la coopération de la DST avec le Mossad s'intensifia rapidement. Il était de l'intérêt des deux services de s'occuper des effets du Djihad en Tchétchénie, à Gaza, en Cisjordanie et au Cachemire, ce qui avait conduit à une radicalisation parmi les arabes du Moyen-Orient installés à Paris, Marseille ou Lyon – des villes où les Juifs sont très présents aussi. En France, le réseau d'Al-Qaïda était majoritairement constitué de Nord-Africains de seconde génération, fils d'immigrants de la classe ouvrière ou de la bourgeoisie. La plupart d'entre eux avaient juste une vingtaine d'années et s'étaient laissés séduire par le prêche messianique d'Oussama Ben Laden sur une vidéo, ou avaient été poussés à devenir djihadistes, à la mosquée, par le discours d'un imam radical. Des centaines étaient d'abord partis en Afghanistan et, plus tard, en Irak.

Du fait de la proximité de l'Espagne avec l'Afrique du Nord, Al-Qaïda utilisait souvent ce canal pour faire entrer clandestinement ses hommes en France. Un document rédigé par un analyste du Mossad (que j'ai eu l'occasion de lire) accusait la police marocaine de se faire payer pour faire passer des terroristes en Espagne. « En Espagne, Al-Qaïda contrôle des réseaux criminels qui s'occupent de blanchiment d'argent ainsi que de trafic de drogue et de prostituées en provenance des Balkans. Même après les attentats de Madrid, les extrémistes islamiques considèrent toujours ce pays comme un havre de paix. On estime actuellement qu'ils sont liés à dix-huit groupes radicaux que les services secrets espagnols n'ont pas réussi à infiltrer. »

À une époque où la présence d'Al-Qaïda augmentait du côté de la frontière franco-allemande, des renseignements recueillis par un *sayan* espagnol furent transmis à la DST. La République fédérale était, elle aussi, devenue un terrain fertile pour Al-Qaïda qui y recrutait dans des villes universitaires telles que Hambourg, Berlin, Francfort, Wiesbaden, Duisburg et Munich. Bien que le Mossad ait participé à la destruction d'une cellule très importante d'Al-Qaïda en Allemagne – le commando Meliani, qui s'apprêtait alors à perpétrer un attentat à la cathédrale et à la synagogue historique de Strasbourg –, Al-Qaïda y disposait encore d'un réseau considérable, dont de nombreux membres venaient des Balkans.

Afin d'obtenir des informations récentes, il était fréquent que des agents de la DST se rendent à Tel-Aviv. En retour, la base parisienne du Mossad avait libre accès à la banque de données de l'agence française. L'un des principaux points qui unissaient les deux services était leur surveillance en commun de plusieurs mosquées et de divers individus sur le territoire français. Les autorisations de mises sous écoute étaient assez facilement accordées et, depuis décembre 2005, il était permis de placer des caméras dans les lieux publics et de surveiller les communications téléphoniques et les e-mails des suspects. Toujours avec l'aide du Mossad, la DST développa un réseau d'informateurs sans précédent dans les communautés musulmanes du pays. Pour l'Institut, l'avantage de collaborer étroitement avec la DST était que cette dernière faisait office de maison de blanchiment d'informations vis-à-vis des autres agences françaises, y compris la police.

En passant par la DST, le Mossad pouvait fournir à l'appareil judiciaire français les éléments nécessaires pour obtenir des mandats, des mises sur écoute et des assignations. Ces autorisations sont délivrées par une équipe de juges d'instruction qui peuvent également ordonner la mise en détention des suspects pour une garde à vue de six jours et même en garder quelques-uns derrière les barreaux pendant des années. Au tribunal, les accusés sont jugés par des magistrats professionnels, contrairement aux systèmes de jury britanniques et américains. Meir Dagan estimait que l'administration Bush ferait mieux de tirer des leçons de cette approche car, en matière de lutte antiterroriste, elle était de plus en plus controversée et se trouvait confrontée à des pressions de plus en plus importantes à cause de l'incarcération des suspects au camp de Guantanamo, du « renvoi extraordinaire » de certains détenus vers des prisons secrètes en Europe de l'Est et de la légalité douteuse de ses tribunaux militaires.

La réunion avec les deux agents de la DST eut lieu dans le bureau de Dagan et non dans une des petites salles de conférence où il avait l'habitude de recevoir les membres importants des services secrets étrangers ; ce choix en disait long sur la proximité qui existait entre la DST et le Mossad. Tout comme les services britanniques et les autres agences européennes, la DST envoyait régulièrement ses agents de haut rang faire un tour en territoire palestinien avant d'aller voir Dagan. Le directeur appelait ces rencontres des « prises de pouls » et les considérait comme une manière supplémentaire de vérifier l'intensité de la ferveur palestinienne. En surface, c'était une façon d'essayer d'effacer des décennies d'isolement auquel le retrait des colons juifs de la bande de Gaza n'avait pas changé grand-chose.

Généralement, Dagan apprenait peu des visites des agents du MI-6, du BND allemand, des Espagnols ou de la CIA. « En fait, certaines de leurs interprétations étaient complètement à côté de la plaque », m'a confié un de ses assistants. En revanche, la plupart du temps, les jugements de la DST reposaient sur de solides connaissances, non seulement grâce au fait que ses agents parlaient couramment l'arabe mais également parce qu'ils comprenaient la culture locale. Cela signifiait que l'on pouvait faire suffisamment confiance aux renseignements de la DST pour les comparer aux rapports des informateurs du Mossad à Gaza et en Cisjordanie. Pour Dagan, il était essentiel de connaître l'avis des Français sur les prochaines élections palestiniennes et l'influence que le Hamas exerçait à la base pour contrer le Fatah, le parti gouvernant. Avec le Fatah, Yasser Arafat avait voulu créer une mythologie nationaliste – dont les symboles étaient son keffieh, sa barbe de huit jours et son fusil –, afin d'alimenter la croyance révolutionnaire selon laquelle la lutte politique est héroïque, le militantisme enflammé, supérieur aux méthodes de gouvernement traditionnelles et le refus catégorique, mieux que le compromis ; un credo qui voudrait également que toute opposition – particulièrement Israël – représente le mal, que le terrorisme soit purificateur et que la victoire finale n'en soit que meilleure. Mais Arafat n'était plus là et, au cours de l'année précédente, le Fatah s'était accoutumé à une corruption croissante. Dans les territoires palestiniens, chaque jour, les jeunes désespéraient un peu plus à cause du chômage, du chaos social et de l'apparente incapacité du Fatah à admettre que, pour gouverner, il faut savoir prêter attention aux détails prosaïques.

Tel était le contexte dans lequel naquit le Hamas. L'organisation terroriste était, elle aussi, née de la haine, de la paranoïa et du projet apocalyptique de détruire Israël grâce un nombre illimité de kamikazes et au soutien financier de l'Iran. La politique du Hamas reposait sur les convictions extrémistes selon lesquelles la vengeance était glorieuse et la victoire s'obtiendrait par le martyre. Créé en 1987 par le cheikh Ahmed Yassine, qui en devint le leader spirituel, le Hamas fut prudemment encouragé par Israël qui voyait en lui un contrepoids aux extrémistes du Fatah. « Aussi incroyable que cela puisse paraître aujourd'hui, nous pensions que la politique du "diviser pour mieux régner", qui avait si bien fonctionné par le passé, allait marcher cette fois encore », m'expliqua Rafi Eitan. En août 1988, le Hamas publia sa « charte » dans laquelle il appelait tous les musulmans à « détruire Israël et son peuple ». La réaction ne se fit pas attendre. Yassine fut tué dans son fauteuil roulant par une pluie de missiles tirés depuis des hélicoptères de combat israéliens. Peu de temps après, Abdel Aziz Rantisi, le stratège de l'organisation, fut tué selon la même méthode. En 1997, le Mossad manqua sa tentative d'assassinat de Khaled Meshal, le chef de la branche internationale du Hamas à Amman (voir *Histoire secrète du Mossad I*, chapitre XII, Bavuregate). Salah Shehade, l'architecte de la stratégie d'attentats-suicides du Hamas, fut tué par des F-16 israéliens qui bombardèrent son domicile à Gaza. Sa femme et ses enfants périrent également dans l'attaque. À cette époque, trois cents attentats-suicides avaient déjà fait quatre cents victimes israéliennes, dont beaucoup de femmes et d'enfants. Cependant, ayant promis qu'en 2007 il aurait repris le contrôle de tous les territoires, le Hamas resta très populaire en Palestine.

Pour Meir Dagan, en ce mardi matin, la question était de savoir dans quelle mesure les prochaines élections allaient aider le Hamas à s'approcher de son objectif final. Toute réussite serait due en grande partie au fait que Yasser Arafat n'avait pas réussi à laisser en héritage au Fatah un gouvernement fonctionnant correctement après avoir reçu le monopole du pouvoir durant les accords de paix d'Oslo en 1993. Treize ans plus tard, le Fatah ne s'était toujours pas revigoré en puisant du sang neuf dans ses rangs. Il était toujours dirigé par des hommes âgés qui vivaient dans le passé. À vrai dire, la plupart des Palestiniens s'en sortaient moins bien en 2006 qu'avant les accords d'Oslo. Ils vivaient à l'intérieur d'un cercle de matériel militaire israélien et leur économie – particulièrement, au sud, dans l'enclave de la bande de Gaza –, était, chaque jour, un peu plus étranglée par de nouvelles restrictions de mouvement punitives. Allaient-ils, un de ces matins, découvrir une aube verdoyante à leur réveil – une nuée de drapeaux verts du Hamas annonciateurs de la victoire ?

D'après les informateurs du Mossad à Gaza et en Cisjordanie, et d'après les analystes, le Hamas allait faire un bon score aux élections, mais ce serait néanmoins le Fatah qui serait réélu. Cette prévision était étayée par les rapports de la mise sur écoute de Khaled Meshal à Damas ; d'après ses conversations téléphoniques avec les dirigeants du Hamas à Gaza et en Cisjordanie, le fait que l'organisation ait réussi à gérer des hôpitaux, des écoles et des bureaux de soutien ne serait finalement pas suffisant. Ce que Dagan n'arrivait pas à savoir, c'était si Meshal se savait écouté et si, par conséquent, il se livrait là à une habile désinformation. Les analystes du Mossad pensaient que ce n'était pas le cas. Ils étaient convaincus que Meshal ne considérait les prochaines élections que comme un premier échelon sur l'échelle politique et que le Hamas n'espérait pas avoir un véritable pouvoir politique avant de nombreuses années.

Plus tard, on apprit que les deux agents de la DST avaient déclaré à Dagan qu'ils étaient du même avis. Sur ce, le chef du Mossad emmena ses plus proches collaborateurs voir un film.

Meir Dagan était encore un jeune appelé des forces de défense israéliennes lorsque, aux premières heures du 5 septembre 1972, dans la ville de Munich, en Allemagne, où se déroulaient les jeux Olympiques, huit terroristes de Septembre noir utilisèrent un passe pour pénétrer dans un bloc d'appartements où dormaient plusieurs athlètes israéliens. Vingt-cinq minutes plus tard, deux d'entre eux étaient morts, assassinés de sang-froid. Neuf autres furent capturés. Ils allaient également mourir dans les jours suivants. L'atrocité commise en cette chaude nuit d'automne choqua le monde entier. En Israël, avant même que les larmes aient eu le temps de sécher et même lorsque les terroristes exigèrent la libération de deux cent trente-six prisonniers politiques, la colère froide appelait déjà la vengeance. Pendant vingt-quatre heures, il y eut un temps d'arrêt, très tendu, entre les preneurs d'otages et la police allemande. De plus en plus incrédules, les Israéliens, y compris Meir Dagan, restaient collés devant leurs écrans de télé pendant que les opérations de sauvetage échouaient. Une tentative de faire sauter le bloc d'appartements fut avortée lorsque la police de Munich s'aperçut que les terroristes étaient en train de regarder les préparatifs à la télévision. Deux autres tentatives échouèrent après que le groupe Septembre noir eut demandé un jet pour quitter l'Allemagne avec les otages. Les Allemands acceptèrent rapidement de fournir deux hélicoptères pour les amener à l'aéroport de Munich. Des policiers armés, déguisés en membres du personnel de la Lufthansa attendaient près de l'avion demandé. Mais peu avant l'atterrissage des hélicoptères, on ordonna à l'équipe d'annuler la mission, jugée trop dangereuse. Cinq tireurs d'élite de l'armée allemande furent postés autour de la zone pour se charger des huit terroristes armés jusqu'aux dents. Lorsque les hélicoptères se posèrent et que les *snipers* tentèrent d'atteindre leurs cibles, une fusillade éclata. Les terroristes firent exploser une grenade dans l'un des appareils et balayèrent de rafales l'intérieur de l'autre. Les *snipers* continuèrent de tirer. En à peine quelques minutes, les neuf otages qui avaient survécu à l'attaque de leurs appartements étaient morts, ainsi que cinq membres de Septembre noir. Trois furent capturés. Mais six semaines plus tard, le 29 octobre 1972, un vol de la Lufthansa à destination de Francfort fut détourné. Les pirates exigeaient la libération du trio captif. Le gouvernement allemand accepta aussitôt. Le sourire aux lèvres, les terroristes furent emmenés par avion à une base de Septembre noir au Moyen-Orient et disparurent.

N'importe quel homme, n'importe quelle femme ou n'importe quel enfant israélien serait capable de raconter ce qui suivit. On confia au Mossad la tâche de traquer non seulement les tueurs de Munich mais également ceux qui avaient planifié le massacre. Depuis, chaque fois que le Mossad a eu un nouveau directeur, ce dernier a mis un point d'honneur à profiter des premiers jours de son mandat pour étudier la façon dont l'Institut a conduit cette mission – celle que Golda Meir, Premier ministre de l'époque, avait baptisée « la Colère de Dieu ». Ses successeurs, tels que Benyamin Netanyahou, Shimon Peres, Ehoud Barak et Ariel Sharon, ne se lassaient jamais de lire comment le *Kidon* avait semé les graines de la peur dans le cœur de tous les terroristes. Ainsi que Barak me l'expliqua plus tard : « L'intention était de répandre la terreur, de briser la volonté de ceux qui étaient encore en vie jusqu'à ce qu'il n'en reste plus un seul. »

Pendant deux ans, le Mossad se livra à une série d'assassinats soigneusement préparés et cliniquement exécutés. La première cible reçut onze balles dans le hall de son appartement à Rome – une pour chacun des athlètes tués. Un second terroriste mourut en décrochant son téléphone dans son logement parisien ; la bombe qui se trouvait dans le combiné lui fit exploser la tête. Le suivant fut adroitement poussé sous les roues d'un bus londonien. À Nicosie, à Chypre, une bombe explosa dans une lampe de chevet. Quelques heures avant qu'une cible soit éliminée, sa famille recevait des fleurs accompagnées d'un mot portant toujours les mêmes mots : « Pour rappeler que nous n'oublions et ne pardonnons pas. » Après chaque exécution du *Kidon*, une annonce paraissait dans les journaux arabophones du Moyen-Orient. Les fleurs, les mots et les annonces étaient envoyés par le LAP, le département de guerre psychologique de l'Institut. Si c'était le *Kidon* lui-même qui s'occupait des exécutions, c'était néanmoins avec le soutien de huit autres unités. L'un des groupes était chargé de retrouver tous les tueurs de Septembre noir. Les techniciens, des *yahalomin*, la remarquable unité de communications du Mossad, installaient du matériel d'écoute chez les terroristes dès qu'ils étaient repérés. Une autre équipe créa des boîtes à lettres mortes dans une douzaine de capitales européennes afin de pouvoir recevoir les messages des informateurs. On loua des planques à Londres, Paris et Madrid pour y tenir des réunions secrètes.

Trente-quatre ans plus tard, Steven Spielberg, incontestablement l'un des cinéastes les plus populaires du monde, réalisa un film de soixante-cinq millions de dollars sur ce massacre. Lorsque Dagan entendit parler de ses intentions, il fut surpris qu'il n'ait jamais pris contact avec le Mossad pour, à défaut de vraiment lui demander de collaborer au projet, se faire au moins « conseiller » sur l'authenticité des faits relatés dans le scénario. Ce dernier reposait sur le livre *Vengeance* de George Jonas, un ouvrage au sujet duquel le Mossad avait déclaré dès sa publication en 1984 qu'il s'agissait « surtout de pur fantasme ».

Dans son livre, Jonas prétendait « examiner depuis les premières loges les sentiments, la révulsion et les doutes qui se mirent progressivement à hanter chacun des membres de l'unité d'assassinat du Mossad et qui, inexorablement, finirent par changer leur vision de leur mission et d'eux-mêmes ». Il concluait que son histoire – la genèse du film de Spielberg – « allait passionner et horrifier. Parce qu'elle avait pour sujet un acte de vengeance touchant au cœur même des antiques questions bibliques du bien et du mal, du bon et du mauvais. Questions qui, finalement, restaient les plus profondes préoccupations du peuple juif et qui continuaient de hanter "Avner" et ses compagnons de mission ».

Mais le mystérieux Avner du livre – qui, dans le film, était le chef de l'équipe d'assassinat – n'a jamais travaillé pour le Mossad, et encore moins pour l'unité d'élite qu'est le *Kidon*. Avant de s'installer pour une projection privée de *Munich*, Meir Dagan savait déjà que plusieurs autres membres du Mossad en pensaient le plus grand mal. David Kimche, l'ancien directeur adjoint l'avait vivement critiqué en soulignant que c'était « une tragédie qu'une personne de la stature de Steven Spielberg, ayant réalisé des films extraordinaires, ait aujourd'hui basé *Munich* sur un livre qui n'était qu'un ramassis de contrevérités ». Avi Dichter, un ancien chef du Shin Beth, les renseignements intérieurs israéliens, classa le film au rang d'« histoire d'aventures pour enfants ». Aux quatre coins de la planète, d'autres retraités du Mossad se joignirent aux critiques.

Dans le film, les *kidonim* étaient présentés comme des hommes ayant de plus en plus de doute sur la moralité de leur mission. En revanche, l'œuvre offrait aux terroristes une plateforme pour légitimer leurs meurtres, tout comme les apologistes des kamikazes justifient aujourd'hui les atrocités qu'ils commettent. Tout cela était fait avec le talent et l'expérience d'un grand réalisateur. Ce qui mettait en colère les véritables membres de l'unité d'assassinat, ainsi que les membres du *Kidon* actuels, c'était que le film, à l'instar du livre, n'expliquait pas clairement dans quel cas Israël traque et abat des terroristes, c'est-à-dire quand il est impossible de les arrêter selon les méthodes habituelles pour les conduire devant un tribunal. Dans le film, l'escadron de tueurs est dépeint comme s'il était isolé sur le terrain pendant des mois. L'un des ses membres est un faussaire et un autre, un faiseur de bombes.

Rafi Eitan, l'ancien chef des opérations du Mossad, qui joua un rôle important dans la traque du groupe Septembre noir, m'a un jour expliqué : « Il aurait été impensable d'attendre d'un faussaire qu'il fabrique des documents dans le stress énorme que génèrent les conditions d'une opération. Toute la paperasserie de l'opération était produite par le département de contrefaçon du Mossad. Il n'y avait pas de véritable faiseur de bombe dans l'équipe. Les explosifs étaient fabriqués à Tel-Aviv et livrés à l'équipe sur le terrain. Dans le film, l'équipe ne comprend aucune femme. Pourtant, il y en a toujours eu dans les escadrons d'assassinat du *Kidon* car cela permet de mieux approcher les cibles. Mais là où le film se fourvoie complètement, c'est lorsque les membres de l'unité doutent de la moralité de leurs actes. Cela ne pourrait jamais arriver. Les véritables membres de l'équipe avaient été soigneusement sélectionnés pour leur stabilité mentale. Comme tous les *kidonim*, ils avaient été scrupuleusement examinés par les psychologues du Mossad. Et, à la fin de la mission, ils les avaient de nouveau interrogés. Personne dans l'équipe ne montrait le moindre signe de trouble personnel. Pour eux, ce n'était qu'une mission soutenue légalement par l'État d'Israël. »

Mais Dagan voulait se faire sa propre opinion. Pour la projection privée, il invita des hommes qui avaient directement participé à la planification de l'opération et à l'exécution des tueurs de Septembre noir. À la fin des cent quarante-cinq minutes, son verdict fut succinct : « Distrayant – peut-être. Fidèle aux faits – absolument pas. »

Dagan doutait que cette critique apparaisse jamais dans une filmographie de Spielberg.

Le jeudi 26 janvier 2006, un jour qui, par la suite, fut connu en Israël sous le nom de « Jeudi noir », Meir Dagan regardait, incrédule, les images défiler sur l'écran de la télévision qui se trouvait dans un coin de son bureau. Elles passaient de Gaza à la Cisjordanie, de Naplouse à Bethléem, de Ramallah à l'est de Jérusalem, d'un bidonville arabe à l'autre ou à des villages qui n'étaient que de vagues points sur la carte suspendue au mur du bureau de Dagan. Chaque image montrait le même spectacle stupéfiant des drapeaux verts que levait le Hamas en signe de triomphe. Ils flottaient sur les minarets des mosquées, sur les toits des immeubles et déambulaient dans les rues comme une grosse vague verte portée par les scansions de la foule. Le Hamas venait de remporter une écrasante victoire historique, contrairement à toutes les prédictions des instituts de sondage, des observateurs internationaux et – ce qui comptait beaucoup plus pour Dagan – des analystes du Mossad. Comment avait-on fait pour ne pas prévoir ce qui venait de se passer ? Pourquoi personne ne s'était-il douté que, le jour des élections, le Hamas allait s'avérer une organisation disciplinée, capable de transformer les fidèles en un énorme nombre de voix ? Pourquoi personne n'avait-il remarqué les préparatifs nécessaires à la fabrication des immenses bannières vertes qui pendaient maintenant sur les bâtiments publics ? Comment les hommes des Brigades d'al-Qassam, l'aile militaire du Hamas, qui défilaient sur l'écran, tirant en l'air, le visage découvert contrairement à leur habitude, avaient-ils réussi à s'y préparer aussi bien sans attirer les soupçons ? Telles étaient les questions que les cabinets ministériels posaient à Dagan. Il n'avait rien à leur répondre pour l'instant. Il n'était pas homme à porter un jugement précipité, il restait pétrifié face à ce spectacle, comme le reste d'Israël.

Il existait cependant une certitude. Les accords de paix allaient rester bloqués. La raison se trouvait dans les chiffres qui défilaient au bas des écrans de télévision. Le Hamas avait remporté cent trente-deux sièges, n'en laissant que quarante-trois au Fatah, dont certains obtenus de justesse, ce qui marquait la fin de plus de quarante ans de domination de la vie palestinienne. Dagan n'aurait certainement pas contredit le commentateur d'une radio israélienne qui compara cette victoire à « un tremblement de terre ou un tsunami ». Elle venait de changer, pour un bon moment, les relations entre Israël et les Palestiniens – ainsi qu'avec le reste du monde arabe. Pour le meilleur ou pour le pire ? Dagan l'ignorait. Il se demandait si une seule personne en Israël était capable de répondre à cette question.

Dans l'après-midi de ce mardi, Dagan reçut les premiers appels des directeurs de services de renseignement étrangers. Ils voulaient savoir comment le Hamas, une organisation terroriste qui n'avait eu de cesse de saborder toutes les mesures prises en faveur de la paix – une paix que désiraient pourtant les Palestiniens modérés –, avait réussi à persuader une telle majorité à voter en masse pour lui. Et, maintenant qu'il y était parvenu, pouvait-on être sûr que le Hamas mettrait fin à ses attaques contre Israël et essaierait de créer un véritable État palestinien capable de vivre en paix auprès de ses voisins juifs ?

À tous, Dagan répondit la même chose. Le Hamas commencerait par se concentrer sur des problèmes tels que l'éducation, la santé ou les affaires sociales : ces points avaient été les pierres angulaires de son succès aux élections. Mais pour cela, il aurait besoin de fonds, dont les cinquante-deux millions de dollars que l'Autorité palestinienne recevait d'Israël. Si, en entrant dans le processus démocratique, le Hamas avait montré qu'il cessait peu à peu d'être une organisation terroriste pour devenir une force politique comme les autres et pour donner durablement un sens à son nouveau statut, il devait renoncer au point central de son existence passée : la destruction d'Israël. Tant que ce ne serait pas fait, il ne pourrait pas y avoir de dialogue significatif avec le Hamas. Dagan rappela à ses interlocuteurs que, traditionnellement, c'étaient les partisans de la ligne dure israélienne plutôt que les modérés qui avaient fait des concessions. Menahem Begin, un terroriste devenu partisan de la paix, avait rendu le Sinaï en échange d'un traité de paix avec l'Égypte. Un autre guerrier israélien, Yitzhak Rabin, avait perdu la vie pour avoir tenté de négocier la paix avec d'autres voisins arabes ; et c'était un extrémiste israélien qui l'avait assassiné. Plus récemment, Ariel Sharon, ancien héros de la droite israélienne, s'était attiré les foudres de cette dernière en mettant fin au droit des colons israéliens d'occuper la bande de Gaza.

Étant donné les liens du Hamas avec l'Iran et la Syrie, il faudrait qu'Israël évalue très prudemment jusqu'à quel point on pouvait faire confiance au Hamas avant de relâcher sa vigilance. Le Hamas était arrivé au pouvoir en promettant d'éradiquer la corruption, mais certains des pires délits avaient lieu au sein même des forces de sécurité palestiniennes. Créées par Yasser Arafat, elles étaient constituées de douze agences différentes qui, à elles toutes, comptaient plus de soixante mille membres, ce qui faisait beaucoup de monde pour protéger une population palestinienne de moins de quatre millions d'habitants dans la bande de Gaza et en Cisjordanie. Israël reprochait à ces forces de ne pas empêcher les attaques contre les cibles juives, alors que pendant sa campagne électorale le Hamas proclamait qu'Israël les utilisait pour assassiner ses militants. La vérité était quelque part à mi-chemin entre les deux protestations. Le Mossad et le Shin Beth avaient, l'un comme l'autre, des informateurs dans les forces de sécurité. Ils s'en étaient servis pour déterminer précisément les cibles que les forces aériennes israéliennes devaient détruire. De même, les partisans du Hamas appartenant aux forces de sécurité avaient contribué à faire sortir clandestinement de la bande de Gaza ou de Cisjordanie les kamikazes qui partaient attaquer Israël. Pour la majorité des Palestiniens, les forces de sécurité n'avaient pas fait grand-chose pour mettre fin à l'anarchie qui régnait sur les territoires. Dagan croyait en la promesse du Hamas de réformer les services et de juger ceux de leurs dirigeants qui étaient devenus multimillionnaires en détournant des millions de dollars – prévus, à l'origine, pour renforcer la sécurité – vers leurs comptes numérotés en Suisse et aux îles Cayman. Il était disposé à faire appel aux ressources du Mossad pour dénicher ces comptes. Mais pas tout de suite. Il voulait d'abord voir ce que le Hamas allait faire d'autre.

Il était compréhensible que les analystes du Mossad, dont les erreurs de calcul avaient empêché de prévoir la victoire du Hamas, se montrent prudents pour prédire ce que réservait l'avenir. Depuis les accords d'Oslo, les dirigeants israéliens et palestiniens avaient toujours réussi à entretenir un certain niveau de dialogue, allant des négociations intensives de paix de l'an 2000 aux contacts limités, à cause de la perduration de la violence, des trois dernières années. Le Hamas n'avait jamais participé au dialogue – sauf en expédiant en Israël des kamikazes venus de la bande de Gaza et en lançant des roquettes depuis la Cisjordanie.

Les analystes ne se contentaient pas d'étudier le triomphe électoral du Hamas ; il avait eu lieu à un moment où Israël connaissait, de son côté, un grand bouleversement politique. Kadima, le parti centriste fondé par Ariel Sharon, comptait de plus en plus de membres. S'agissait-il partiellement d'un vote de sympathie envers son fondateur, où était-ce un signe que les Israéliens en avaient assez de la ligne dure du Likoud et de l'indécision des travaillistes ? Ami Ayalon, l'ancien chef du Shin Beth, alors candidat travailliste aux élections parlementaires qui devaient avoir lieu en mars, avait déclaré qu'il ne pouvait plus être question d'« un retrait unilatéral des territoires palestiniens ». Mais Ehoud Olmert, le Premier ministre en place, avait souligné que si son parti remportait les prochaines élections en mars 2006, il « renoncerait à certaines parties de la Cisjordanie et maintiendrait une majorité de Juifs ailleurs, mais qu' [il] préférerait élaborer cet accord avec les Palestiniens ».

Fallait-il comprendre qu'il accepterait de négocier avec le Hamas ? Il refusa d'en dire plus « à ce stade ». Mais Dagan se demandait s'il ne s'agissait pas de l'un de ces discours à deux faces dont les politiciens ont le secret.

La seule chose certaine, c'était que la victoire du Hamas avait généré des gains substantiels pour les islamistes radicaux égyptiens et libanais. Se basant sur son analyse personnelle, Meir Dagan démontra une évidence politique qui ne manquait jamais de surprendre ses collègues. Lors de la réunion du lundi matin qui suivit les élections, il fit à son personnel la déclaration suivante : « Une immense transition est en train de s'opérer au Moyen-Orient. Il faudra plusieurs mois avant que nous puissions voir au-delà de l'imprévisibilité actuelle. C'est la nature même d'un grand changement historique. C'est comme ça et c'est tout. Quoi que cela apporte, nous devons nous tenir prêts à nous en accommoder. Mais la vérité, c'est que ni Israël, ni les États-Unis, ni la Grande-Bretagne, ni les autres pays européens ne peuvent ignorer la volonté populaire des électeurs palestiniens. Leur participation a atteint le score impressionnant de soixante-dix-huit pour cent. Aucun autre pays démocratique ne peut clamer avoir récemment obtenu un tel taux de participation. Il nous faut interpréter cela comme un signe indiquant que la démocratie a probablement fini par s'installer. Il nous faut en tenir compte lorsque nous prenons des décisions. Cela ne veut pas dire qu'il faut porter des jugements précipités. Cela veut dire qu'il faut être réaliste. »

Ces sentiments allaient donner la direction de l'avenir du Mossad.

VII

Le canal secret et les missiles du Hezbollah

Par une fraîche matinée de février 2006, huit hommes d'âge moyen furent dispensés des rigoureux contrôles de sécurité de l'aéroport international Ben Gourion, à côté de Tel-Aviv. Quatre d'entre eux étaient israéliens et portaient des tenues décontractées. Les Arabes portaient des costumes noirs et des cravates soigneusement nouées. En dehors de leur entourage proche, peu de gens savaient qu'on leur avait confié le rôle de pivot de la politique du Moyen-Orient. Ces hauts membres du Fatah étaient dirigés par un représentant de la ligne dure, Jibril Rajoud, le conseiller à la sécurité nationale. Les quatre Israéliens étaient menés par Uri Sagui, un homme soigné, à la voix paisible, ancien chef du renseignement militaire.

Seuls Meir Dagan, Ehoud Olmert – qui allait bientôt devenir le Premier ministre israélien – et le président de l'Autorité palestinienne, Mahmoud Abbas, savaient que le but de leur voyage était d'établir un « canal officieux » entre Israël et le Fatah afin de lutter efficacement contre la domination du Hamas sur le Parlement palestinien.

Le président George W. Bush avait personnellement approuvé cette intervention secrète dans les affaires d'un gouvernement élu et ce n'était pas la première fois qu'il agissait ainsi.

Chacun des huit hommes portait un attaché-case plein à craquer, contenant toutes les informations nécessaires à leur mission secrète. Si cette dernière réussissait, elle aurait un effet spectaculaire sur les relations qu'entretenait Israël avec le Hamas et la nouvelle génération de dirigeants politiques du Moyen-Orient. Les hommes qui s'apprêtaient à prendre un long-courrier à destination de Houston, au Texas, savaient que beaucoup seraient prêts à tout pour les empêcher de parvenir à leurs fins.

L'un d'entre eux était Bachar al-Assad qui, à l'âge de trente-quatre ans, était président de la Syrie depuis déjà six ans. Il était arrivé à la tête du pays alors que c'était son frère aîné, Basil, que leur tyran de père, Hafez, avait préparé à cette fonction. À la mort de celui-ci, c'était donc Basil qui aurait dû devenir président, laissant Bachar poursuivre sa carrière de chirurgien ophtalmologiste – un métier qu'il avait appris à Londres, où il avait obtenu son diplôme et rencontré son épouse. Mais par une nuit de brouillard de janvier 1994, Basil fut mortellement blessé en écrasant sa Mercedes quelque part dans les environs de Damas. Bachar fut donc mis sur les rangs par son père pour perpétuer le règne de la dynastie Assad.

Les analystes du Mossad estimaient qu'il deviendrait probablement « l'un des dirigeants arabes les plus ouverts et progressistes, susceptible de gouverner avec une vision plus large du monde ». Mais cet espoir s'estompa de jour en jour. Particulièrement en matière d'affaires étrangères. Déterminé qu'il était à faire de la Syrie le champion de la résistance à la domination israélienne et américaine, Bachar al-Assad prouva clairement qu'il avait, selon les termes de Meir Dagan, « le même ADN politique que son père ». Il avait, d'ailleurs, approuvé un assassinat dont l'idée avait germé en Syrie : celui de l'ancien dirigeant libanais Rafiq Hariri. Le meurtre avait déclenché des violences à Beyrouth et forcé Bachar à retirer les troupes syriennes du Liban. Lors d'un discours provoquant, prononcé à Damas, le président signifia clairement que ce retrait était temporaire. Son autre ambition était d'occuper de nouveau le plateau du Golan.

Les hommes dans l'avion soupçonnaient Ahmadinejad, le président iranien, d'être capable d'envoyer, sans la moindre hésitation, un de ses escadrons de la mort assassiner la délégation arabe, histoire de prouver qu'il ne reculerait devant rien pour atteindre son objectif final : « Effacer Israël de la surface de la Terre ». Les quatre représentants du Fatah avaient donc pris grand soin de vérifier que Mahmoud al-Zahar, le versatile leader du Hamas, n'entende pas parler de ce qui se tramait.

La veille, chacun d'entre eux avait discrètement quitté la ville et traversé la frontière à Ezez, le principal *checkpoint* entre la bande de Gaza et Israël. Ils avaient laissé derrière eux des hommes qui fumaient la *chicha*, la pipe à eau que l'on retrouve dans tout le Moyen-Orient, tout en écoutant la chanteuse Oum Kalthoum, leur idole, et en rêvant de la destruction de l'État hébreu. Depuis la victoire électorale du Hamas, cet espoir était devenu plus vivant et vibrant que jamais.

Les hommes du Fatah avaient été conduits à l'aéroport Ben Gourion dans un taxi fourni par le gouvernement israélien. Ils savaient qu'un autre groupe était totalement contre ce qu'ils essayaient de faire avec leur « canal officieux ». Il s'agissait du Hezbollah. L'organisation était rattachée à l'une des deux grandes branches de l'islam. Cette religion s'était, en effet scindée aux premiers jours de son histoire. Si les sunnites étaient les plus nombreux dans l'ensemble du monde musulman, les chiites étaient néanmoins majoritaires en Irak ou dans le sud du Liban et l'emportaient largement en Iran.

Cette division se retrouvait dans les organisations terroristes. Oussama Ben Laden est sunnite, Al-Qaïda est sunnite, et l'Arabie saoudite qui l'a toujours financée est une société sunnite. Le Hezbollah est une organisation chiite, matériellement très dépendante du soutien de l'Iran qui l'approvisionne en armes. Dans le sillage de la victoire politique du Hamas, l'Iran renforça ses liens avec le Hezbollah au nom de leur haine commune d'Israël. Tandis que Jibril Rajoud avait secrètement rencontré Uri Sagui dans des planques du Mossad, Mahmoud al-Zahar s'était entretenu avec le chef du Hezbollah au Liban, Hassan Nasrallah, le premier représentant du 1,4 million de personnes qui constituaient la communauté chiite du pays. Intelligent, charismatique et doté d'un sens inné de la harangue populiste, Nasrallah a bâti toute sa carrière autour des interventions répétées d'Israël au Liban, depuis la guerre civile, au milieu des années 1970, jusqu'au moment où l'armée israélienne se retira unilatéralement du sud du pays, après des années passées à refuser de se soumettre au Hezbollah.

Un peu comme la mort de son frère avait amené Bachar al-Assad à devenir président de la Syrie, ce fut un assassinat qui ouvrit la voie à l'ascension au pouvoir absolu de Nasrallah. En 1992, un hélicoptère de combat israélien tua son mentor et prédécesseur, Abbas Moussaoui. Depuis, pendant quatorze ans, Nasrallah avait survécu aux diverses tentatives de meurtre du Mossad qui avait entre autres essayé de le tuer en plaçant des explosifs chez lui ou dans son bureau de Beyrouth. Chaque échec de l'Institut avait renforcé son statut dans le monde arabe. Acclamé à Damas et à Téhéran par ses dirigeants, on affichait sa photo en exemple dans les rues grouillantes de monde pour prouver qu'il était « capable d'encaisser les coups portés par Israël et rester debout », ainsi qu'il me l'a personnellement confié.

Né en août 1960, aîné de neuf enfants, Hassan Nasrallah a toujours voulu, dès sa plus tendre enfance, devenir ecclésiastique. Adolescent, il fut envoyé au grand centre théologique chiite de Nadjaf, en Irak. Durant les deux ans que durèrent ses études, il fit la rencontre d'Abbas Moussaoui et devint l'un de ses premiers disciples. En 1982, au moment de l'invasion du Liban, il rentra au pays et devint l'un des chefs du Hezbollah. À ce poste, il fit, à la fois, preuve de bonnes aptitudes stratégiques et de solides compétences politiques. Lorsque Israël se retira en 2002, époque à laquelle sa position de leader du Hezbollah était déjà fermement établie, il fut salué par le monde musulman comme le dirigeant qui avait vaincu Israël. En 2005, il fit gagner au Hezbollah vingt-neuf sièges au Parlement libanais à la suite du départ des troupes syriennes, vingt-neuf ans après leur arrivée dans le pays.

Téhéran lança une campagne de propagande visant à faire de lui une légende vivante. Des longs métrages, des « documentaires » télévisés et des livres lui furent consacrés. Leur message était simple : si des idées laïques, depuis le panarabisme jusqu'au socialisme arabe n'avaient jamais réussi à libérer un seul centimètre carré de territoire, l'islamisme, sous sa forme khomeyniste iranienne, opérant par le truchement du Hezbollah, avait remporté une « totale victoire » sur Israël au Liban.

En ce jour de février 2006, le Hezbollah, en collaboration avec le Hamas, se préparait à lancer un assaut encore plus fort sur l'État hébreu. Ce que les huit hommes volant vers Houston, enfoncés dans leurs sièges de première classe, espéraient, c'était qu'ils pourraient contrecarrer cette attaque.

La façon dont ils étaient disposés dans l'avion symbolisait bien les profondes divisions qui les opposaient et les raisons qui les avaient poussés à accepter de se rendre à Houston. Les quatre Israéliens étaient assis d'un côté et les hommes du Fatah, de l'autre. Durant les repas où lorsqu'ils se levaient pour aller aux toilettes, il n'échangeait guère plus que quelques formules de politesse. Mais, pour la plupart, ils somnolaient ou étudiaient les documents que contenaient leurs attachés-cases.

Au cours des semaines précédentes, Edward Djerijian, l'ancien ambassadeur des États-Unis en Israël, alors âgé de soixante-cinq ans, avait été plusieurs fois secrètement contacté. Il avait été désigné par la secrétaire d'État, Condoleezza Rice, pour agir en tant que modérateur pendant les discussions qui allaient se tenir au James A. Baker Institute for Public Policy à Houston. L'endroit est généralement considéré comme l'un des laboratoires d'idées les plus sécurisés des États-Unis. Le choix de Djerijian était également judicieux. Arabisant expérimenté, tout en ayant la confiance des Israéliens, c'était un homme calme dont l'autorité s'accompagnait d'un certain humour. Il avait, d'ailleurs, déclaré à Rice, à qui il devait rendre compte des progrès effectués : « Ça va être comme présider les Nations unies ». L'une de ses premières tâches consisterait à expliquer aux deux équipes qu'il resterait totalement impartial. Ce rappel était indispensable : cela faisait plusieurs décennies que la politique moyen-orientale des États-Unis reposait principalement sur ses relations avec Israël. Même s'il y avait eu ce que George Tenet, le directeur de la CIA, appelait « des bips sur le radar », la combinaison du soutien inébranlable de Washington envers Israël et des tentatives américaines d'instaurer la démocratie dans la région avait enflammé l'opinion musulmane. Dans les capitales arabes, on considérait que le lien entre les deux pays était basé sur des intérêts stratégiques communs et sur les exigences du puissant lobby juif américain. Bien que divers groupes de pression aient une certaine influence sur la politique étrangère des États-Unis, personne n'est jamais aussi bien parvenu que le lobby juif à convaincre la Maison Blanche que ses intérêts et ceux d'Israël étaient strictement identiques.

Ces rapports fusionnels étaient apparus en 1973, après la guerre de Kippour, alors que les forces arabes menaçaient gravement Israël. Afin de s'assurer que cela n'arriverait plus jamais, Washington avait apporté à l'État hébreu un soutien largement supérieur à tout ce qu'il avait jamais offert à quelque autre pays que ce soit, et cela dans des conditions incomparables. Depuis, chaque année, Israël se voit attribuer trois milliards de dollars en assistance directe, ce qui représente environ cinq cents dollars par personne – homme, femme ou enfant. Cette largesse est d'autant plus frappante qu'Israël, en ce début de millénaire, est un pays riche et industrialisé, fort d'un revenu *per capita* équivalent à celui de l'Espagne ou de la Corée du Sud. D'autres nations aidées par les Américains reçoivent leur argent par versements trimestriels. Israël perçoit la totalité de la somme à chaque début d'année fiscale, ce qui lui permet de gagner de solides intérêts sur les marchés boursiers internationaux en plaçant des fonds qui ne seront retirés qu'ultérieurement.

D'autres conditions confirment le « statut favorisé » d'Israël. Le pays est autorisé à dépenser vingt-cinq pour cent de son allocation pour subventionner son industrie de défense ; aucune autre nation n'en a le droit. Israël n'est pas non plus tenu de rendre compte de la façon dont il dépense l'argent ; ce qui fait que Washington peut difficilement empêcher que les fonds ne soient que *partiellement* consacrés à l'usage qu'Israël prétend en faire, par exemple, la construction de logements pour les Palestiniens en Cisjordanie. En outre, l'Amérique encourage Israël à investir une part substantielle du budget destiné à sa florissante industrie de la défense dans le développement de nouvelles formes d'armes. Certaines de ces dernières ont été élaborées grâce à des plans volés aux États-Unis (voir *Histoire secrète du Mossad I*, Chapitre X, Une liaison dangereuse). Les Américains ont également vendu à Israël des hélicoptères Blackhawk et des jets F-16 à prix coûtant. Pour couronner le tout, ils communiquent à l'État hébreu des renseignements secrets qu'ils refusent de partager avec leurs alliés de l'OTAN et autorisent le pays à continuer d'agrandir son arsenal nucléaire. Alors que leur avion décollait de l'aéroport Ben Gourion, les huit hommes confortablement installés, auraient pu, en regardant sur leur gauche, apercevoir au loin les contours de Dimona, le site nucléaire israélien où plus de deux cents sortes d'armes nucléaires étaient stockées en 2006.

Les divers gouvernements américains successifs ont toujours apporté à Israël un inestimable soutien diplomatique, ce qui est tout aussi important. Depuis 1982, ils ont apposé leur *veto* sur trente-deux résolutions qui, autrement, auraient entraîné des difficultés critiques pour l'État hébreu : ce qui représente un nombre de *veto* supérieur à celui de l'ensemble des autres membres du Conseil de sécurité. Les États-Unis sont également intervenus pour empêcher que l'arsenal israélien figure à l'ordre du jour de l'Agence internationale de l'énergie atomique – ce qui aurait ouvert Dimona aux inspections. Maintes et maintes fois, l'Amérique a aidé Israël en temps de guerre et usé de son influence durant les négociations de paix. L'un après l'autre, les gouvernements américains ont protégé Israël des menaces soviétiques et joué, plus tard, un rôle crucial dans les accords d'Oslo. Selon Meir Amit, ancien directeur du Mossad et toujours, en 2006, un « aîné » du milieu des services secrets : « Il y a peut-être eu quelques incidents de parcours mais Washington a toujours soutenu nos positions. » Rafi Eitan, ancien directeur des opérations de l'Institut et, aujourd'hui, représentant d'un petit groupement politique défendant les droits des retraités à la Knesset, m'a confié : « Un nombre incalculable de fois, Washington s'est comporté comme l'avocat gratuit d'Israël sur la scène internationale. »

Eitan était de ceux qui pensaient qu'Israël, de son côté, avait été un « atout précieux » pour les États-Unis pendant la guerre froide. « En bien des façons, nous agissions comme le mandataire de Washington en contribuant à contenir l'expansion soviétique dans la région et en infligeant de sévères défaites à des pays clients des Russes, tels que l'Égypte et la Syrie. Nous avons également aidé un allié des Américains, la Jordanie, et, bien sûr, nous transmettions des renseignements de premier choix sur les intentions des Soviétiques. »

Mais Israël fournissait de la technologie militaire sensible – parfois directement reçue des États-Unis, parfois développée dans l'État hébreu – à des pays tels que la Chine ou l'Afrique du Sud. L'inspecteur général du département d'État considérait cela comme « un schéma systématique de transferts non autorisés en perpétuelle extension». Israël reste également le plus agressif de tous les alliés de l'Amérique lorsqu'il s'agit de mener une opération contre ces pays considérés comme des états voyous.

Depuis le 11 septembre, Israël et les États-Unis sont plus proches que jamais – selon Meir Dagan, «pareils à de vrais jumeaux» – en matière de guerre antiterroriste. Grâce à cette relation, Tel-Aviv avait carte blanche pour s'occuper du Hamas dans la bande de Gaza et de la menace du Hezbollah à la frontière nord.

Tel était le contexte dans lequel furent entamés les débats de Houston. Uri Sagui était en grande partie responsable de la tension initiale. En Israël, on le considérait comme un aigle qui se serait soudain transformé en colombe. Il avait été le premier à pressentir ce qu'il appelait «une vague de changement à Damas», ce qui contribuait autant à le rendre impopulaire dans son pays que sa conviction qu'il fallait abandonner le plateau du Golan. Mais, pour le Fatah, il était également l'homme qui avait approuvé les tentatives d'assassinat du Mossad, y compris celle de Yasser Arafat. Jibril Rajoud, pour sa part, trouvait que des doutes subsistaient sur les circonstances de la mort du leader palestinien. «Cause naturelle ou meurtre, on ne le saura peut-être jamais», avait-il déclaré.

À la fin de chaque réunion, grâce aux systèmes de communication sécurisés fournis par le département d'État américain, Rajoud faisait son rapport au président Mahmoud Abbas et Sagui, à Ehoud Olmert. Il était convenu que Meir Dagan assisterait lui aussi au compte rendu. C'était la toute première fois qu'Olmert touchait à la politique internationale. L'ascension de cet avocat de soixante et un ans avait été aussi fulgurante qu'inattendue. Blessé au combat quand il était officier dans les forces de défense israéliennes, il avait terminé son service militaire comme journaliste pour *BaMahne*, le journal de l'armée. Un travail peu exigeant qui s'avéra avoir plusieurs autres avantages inespérés. Pendant la guerre de Kippour, Olmert fut nommé reporter auprès du général Ariel Sharon. Ce dernier prit en affection ce jeune homme en uniforme impeccable dont les galons indiquaient qu'il avait le grade de lieutenant. Les autres le trouvaient « prétentieux, froid, sournois et désagréable ». Cette opinion – celle du spécialiste de l'histoire israélienne, Tom Segev – lui collait toujours à la peau lorsqu'il ouvrit en partenariat son premier cabinet juridique, après ses études de droit à l'université hébraïque de Jérusalem. À partir de là, il ne lui restait qu'un pas à faire pour entrer en politique. En 1973, à l'âge de vingt-huit ans, il devint le plus jeune membre de la Knesset. « Durant les premières années, j'étais souvent impétueux et dans l'erreur », reconnut-il plus tard. Il s'opposa au retrait du Sinaï, qui avait été pris pendant la guerre des Six-Jours, et vota contre les accords de paix de Camp David en 1978. L'année précédente, il s'était laissé entraîner dans un scandale politico-financier impliquant des hommes d'affaires de Jérusalem, le crime organisé et des magistrats corrompus. Bien qu'il ait été acquitté plus tard, il n'est jamais parvenu à se débarrasser totalement de son image de puissant avocat véreux.

En ce jour de février où les négociateurs s'étaient envolés pour Houston, on annonça qu'une enquête allait être ouverte au sujet d'une maison de Jérusalem qu'Olmert aurait louée et vendue dans des conditions discutables. Mais les événements qui couvaient au Liban firent que ces investigations passèrent à l'arrière-plan du système juridique israélien. Olmert avait rapidement progressé, malgré son insipidité, dans sa carrière de politicien. On lui confia ainsi des portefeuilles tels que la santé, les communications ou les finances jusqu'à ce qu'il soit promu au rang d'adjoint du Premier ministre Ariel Sharon en 2003. C'est à cette époque qu'il apprit à se contrôler avec les journalistes et à cultiver son air sagace. Benyamin Netanyahou, le nouveau dirigeant du Likoud, le parti que Sharon avait quitté pour fonder Kadima, déclara qu'Olmert était « un type très intelligent ». Même si le retrait allait à l'encontre de ses tendances bellicistes, Olmert était désormais convaincu que c'était la seule façon de s'adapter aux changements démographiques qui faisaient qu'une population palestinienne de plus en plus nombreuse risquait de battre les Israéliens aux élections.

Pour une fois, sa famille apprécia sa position. Son épouse, une dramaturge et artiste peintre gauchiste, qu'il avait rencontrée à l'université, admettait volontiers qu'elle avait désapprouvé la politique droitiste de son mari pendant la majeure partie de leur trente-cinq ans de mariage. À l'instar de leur mère, ses enfants étaient plutôt pour la manière douce. Sa fille aînée était lesbienne et vivait avec son amie à Tel-Aviv. Elle était également un membre actif de Machsom Watch, un groupe qui veillait à ce que les droits des Palestiniens soient respectés dans la bande de Gaza et en Cisjordanie. Elle ne parlait pratiquement plus à son père depuis que celui-ci avait refusé de financer un défilé homosexuel dans la ville. Shaul, le fils aîné d'Olmert, avait signé une pétition pour refuser de servir dans l'armée israélienne lorsqu'il avait reçu l'ordre d'aller faire son devoir en territoire palestinien. Il vit aujourd'hui à New York. Son frère, Ariel, qui tient son nom de l'admiration que leur père vouait à Sharon, a échappé au service militaire en partant vivre à Paris.

Tout comme pour Bachar al-Assad et Hassan Nasrallah, les circonstances eurent une influence considérable sur le destin d'Ehoud Olmert. Lorsque Sharon annonça qu'il quittait le Likoud pour réaliser ses projets de changements politiques radicaux, afin de s'adapter à l'évolution démographique qui voulait que les Palestiniens soient de plus en plus nombreux, Olmert fut l'un des premiers à être invités à le suivre. Après la grave attaque cérébrale de Sharon, en janvier 2006 – un mois avant le voyage à Houston de la délégation composée d'Israéliens et de membres du Fatah –, Olmert prit l'intérim. Le 14 avril suivant, il devint officiellement Premier ministre après que son prédécesseur eut été déclaré inapte à gouverner. Lorsque Kadima remporta les élections, il se retrouva à la tête d'un gouvernement de cohabitation avec les travaillistes.

Quelques semaines auparavant, le « canal officieux », mis en service à la suite des rencontres de Houston, s'était avéré assez inefficace, comme beaucoup de projets relatifs au Moyen-Orient. « Cela dépendait vraiment du fait que chacun voyait un verre à moitié vide ou à moitié plein », expliqua Sagui.

Les analystes du Mossad s'attendaient à ce que les réunions de Houston aboutissent à un échec depuis que Mahmoud Abbas avait clairement exprimé qu'il ferait tout pour les saborder afin de résoudre la crise intérieure que connaissait alors la bande de Gaza. En effet, une guerre civile entre le Fatah et le Hamas y devenait, chaque jour, un peu plus probable. Le Hamas était déterminé à s'accrocher au pouvoir. Pour s'en sortir, Abbas comptait beaucoup sur ce qu'il appelait la « convention des prisonniers ». Il s'agissait d'un document que des membres du Hamas et du Fatah détenus en Israël avaient rédigé ensemble pour servir de « point de départ à la réconciliation nationale ». Abbas s'en empara donc pour tenter de mettre fin au problème. Cependant, il fit l'erreur de négliger le fait qu'en s'y prenant ainsi pour régler ses difficultés internes, il réduisait – selon les termes de l'un des analystes – « sa marge de compromis, déjà désespérément étroite, pour ses futures négociations de paix avec Israël ».

Cette vision de la situation trouva un écho chez l'ancien ministre israélien des Affaires étrangères, Shlomo Ben Ami. « C'est une chose que de créer une plateforme pour la paix intérieure avec le Hamas, c'en est une toute autre que de demander à Israël d'y souscrire. Les référendums sont censés approuver les accords de paix ; on ne les fait pas avant les négociations pour lier les mains des intervenants. »

Le problème de l'initiative d'Abbas était que ce dernier avait supposé, à tort, qu'en résolvant sa crise intérieure, il pourrait utiliser l'alliance entre le Hamas et le Fatah pour forcer Israël à rouvrir les négociations de paix, à défaut de quoi l'État hébreu s'exposerait à de nouvelles attaques. Pourtant, les analystes du Mossad savaient bien que de nombreux points de la convention seraient rejetés. L'un d'entre eux y figurait à plusieurs reprises : les réfugiés palestiniens devraient pouvoir retourner sur leurs anciennes terres en Israël, le fameux « droit au retour ». De toute évidence, le document reposait également sur le fait que le Fatah n'était plus disposé à envisager de compromis en ce qui concernait le tracé des frontières ou le statut de Jérusalem. Dans le passé, ces points s'étaient toujours avérés être des obstacles infranchissables. Cette fois, la charte stipulait clairement qu'ils n'étaient pas négociables. En légitimant ces revendications, Abbas encourageait le Fatah à se radicaliser toujours plus. Par conséquent, en Israël, on redoutait de finir par ne plus avoir d'interlocuteur pour les négociations dans la bande de Gaza et en Cisjordanie – qui que soient les représentants de la Palestine.

Les espoirs de Houston, s'ils n'avaient jamais été bien grands, étaient maintenant totalement morts.

À la fin du premier trimestre de 2006, pendant ce qu'on appela « l'éducation d'Ehoud Olmert », le Mossad continua, au sixième étage de son quartier général, à ne présenter au nouveau Premier ministre que des informations soigneusement sélectionnées. L'impression qui régnait à l'Institut, c'était qu'Olmert avait toujours du mal à se débarrasser de l'ombre d'Ariel Sharon, son illustre prédécesseur. Alors que la tension montait à Gaza et en Cisjordanie, ainsi qu'au nord, à la frontière libanaise et dans la vallée de la Bekaa, on craignait qu'Olmert n'ait pas encore les aptitudes de Sharon pour avoir ce que Meir Dagan appelait « une vision d'ensemble ». Les Israéliens étaient encore très réservés quant aux décisions politiques d'Olmert alors que peu d'entre eux auraient nié qu'ils avaient toujours pu faire confiance à « Arik » pour se battre pour eux. Contrairement aux personnages flamboyants qui avaient occupé le poste de Premier ministre – tels que le machiavélique Moshe Dayan, le laconique Yitzhak Rabin ou l'enthousiaste « Bibi » Netanyahou –, Ehoud Olmert donnait l'impression d'être un politicien de carrière ou d'arrière-salle qui aurait gravi les échelons sans faire de bruit et allait maintenant concrétiser le projet de Sharon de mener à bien le retrait unilatéral des territoires palestiniens qu'Israël occupait depuis la guerre des Six-Jours, en 1967. Si les Israéliens s'étaient souvent laissé convaincre par Sharon, ils se demandaient de plus en plus, en revanche, si Olmert avait vraiment les compétences nécessaires pour ne pas entraîner le pays dans un conflit. Dans une nation aussi martiale qu'Israël, où les électeurs ont toujours trouvé rassurant de mettre à la barre des vétérans formés au combat, Meir Dagan savait qu'Olmert aurait énormément de mal à persuader ses compatriotes qu'ils étaient autant en sécurité avec lui qu'entre les mains d'Ariel Sharon.

Mahmoud Abbas perdant chaque jour un peu plus de ses partisans à Gaza, et le Hamas s'attaquant sans arrêt à Israël, Ehoud Olmert commença à se sentir d'humeur belliqueuse. Sachant que ses prédécesseurs s'étaient rarement montrés modérés au moment de répondre aux provocations arabes, du fait que la loi du Talion soit profondément imprégnée dans la conscience nationale, le nouveau Premier ministre ne posait qu'une question : le gouvernement avait-il été bien sérieux en espérant parvenir à des arrangements négociés avec les Palestiniens ?

Les analystes du Mossad avaient de plus en plus le sentiment que, bien qu'il se soit engagé auprès du président Bush et du Premier ministre Tony Blair à adhérer aux principes du très controversé plan pour des accords de paix durable entre les pays arabes et Israël, il accueillerait avec plaisir la première opportunité qui lui permettrait d'apporter une réponse militaire aux difficultés que lui causaient le Hamas et le Hezbollah – une approche à laquelle ses généraux étaient plus que favorables. Ceux-ci voyaient là une façon de résoudre le « problème palestinien », ou, plus précisément, le puissant outil de propagande qu'il représentait pour les groupes islamiques radicaux du Moyen-Orient et d'ailleurs – un outil qui resterait utilisable tant que les aspirations des Palestiniens à fonder un véritable État ne seraient pas satisfaites. Au Mossad, on avait l'impression qu'Olmert attendait une chance de prouver qu'il pouvait être un dirigeant aussi dur qu'Ariel Sharon, aussi bien politiquement que militairement. En mai 2006, cette impression fut renforcée, lors de l'une des habituelles réunions hebdomadaires, par ce que Meir Dagan présenta à ses proches collaborateurs comme « une expansion chiite ». Il leur demanda de « rassembler les pièces » et de trouver rapidement les réponses à quelques questions pressantes. Quelle était la nature exacte des liens entre le Hezbollah et le Hamas depuis que le président iranien Mahmoud Ahmadinejad avait publiquement embrassé la cause sunnite ? Dans quelle mesure l'Iran intervenait-il dans la bande de Gaza et en Cisjordanie ? Existait-il des signes avant-coureurs d'un changement dans l'équilibre du pouvoir entre la Syrie et l'Iran, ce qui modifierait toute la géopolitique de la région pour les années à venir ?

Les réponses ne s'avérèrent guère rassurantes. D'après les premiers signes, le Hamas (sunnite) et le Hezbollah (chiite) avaient enterré toutes leurs différences doctrinales, culturelles et politiques au nom de leur cause commune, la destruction d'Israël. Bachar al-Assad, qui ressemblait beaucoup à son père – même front haut, mêmes yeux perçants –, commençait à tenter de libérer la Syrie du militantisme théocratique iranien que celui-ci avait soutenu. Mais, sur la carte religieuse très compliquée de la région, les al-Assad appartenaient à la minorité chiite dans un pays majoritairement sunnite. En revanche, l'Iran pouvait désormais tirer un meilleur profit de la force dominante que représentaient les chiites irakiens – soixante-cinq pour cent de la population – dans ce pays chaotique. Un rapport du Mossad signalait : « Les chefs chiites irakiens se rendent régulièrement à Téhéran pour y régler des problèmes tels que ceux de la sécurité aux frontières et du développement en commun de projets énergétiques. Les hommes d'affaires iraniens font de très importants investissements en Irak, particulièrement dans les zones chiites du sud du pays. Les forces de sécurité irakiennes, encore balbutiantes, et les milices chiites qui règnent sur les rues de Bassorah, incorporent dans leurs rangs des agents très compétents des services secrets iraniens. »

Le plus inquiétant était que les taupes du Mossad avaient signalé une présence de plus en plus prononcée de ces espions dans les fiefs du Hezbollah, dans la vallée de la Bekaa. On pensait que c'était là que l'organisation emmagasinait son stock, sans cesse croissant, de roquettes et de missiles fournis par l'Iran. Un rapport du Mossad estimait leur nombre à dix-huit mille. Dans cet arsenal se trouvaient des lance-roquettes Katioucha, fabriqués en Russie, d'une portée de quinze kilomètres. Les FAJR-3 étaient plus puissants ; ces autres lance-roquettes, de fabrication iranienne, avaient une portée de quarante kilomètres. Quant aux Shabtai-1, la version iranienne du missile Scud, ils étaient les plus puissants de tous et avaient la capacité d'atteindre n'importe quelle ville israélienne. En 1991, pendant l'opération *Tempête du désert*, lorsque des missiles Scud irakiens plurent sur Haïfa et Tel-Aviv (voir *Histoire secrète du Mossad I*, chapitre XVI, Des espions dans les sables), ils détruisirent des centaines de bâtiments et firent de très nombreuses victimes civiles. Un membre de l'unité de communication du Mossad, un *yahalomin*, avait entendu des conversations entre Mahmoud Ahmadinejad et Khaled Meshal, qui habitait une villa semblable à une forteresse, dans la banlieue nord de Damas. Ayant survécu à une tentative d'assassinat du Mossad à Amman, en Jordanie, Meshal était alors le stratège en chef du Hamas et, donc, une figure respectée au Hezbollah.

*

Meir Dagan était une illustration vivante du fait qu'une grande partie de l'espionnage est anti-historique tant elle use de stratagèmes aussi bien pour déformer la vérité que pour l'étaler au grand jour. Les actes ont souvent des objectifs inavoués et dissimuler les complicités ou les faire paraître ambiguës est l'une des plus importantes fonctions des services secrets. Au centre de formation du Mossad, dans le cours consacré aux sources et méthodes, on enseigne aux élèves qu'il serait tout simplement impossible qu'ils adhèrent à la science de l'histoire. On leur rappelle que le parfait historien doit avoir suffisamment d'imagination pour rendre son discours émouvant et pittoresque, mais qu'il doit savoir se contrôler de manière à n'utiliser que les informations dont il dispose et s'interdire de combler les trous avec des ajouts personnels. L'instructeur explique également que, lorsqu'on travaille dans le renseignement, ce sont précisément ces trous qu'il faut s'attendre à rencontrer. L'un de ces instructeurs m'a expliqué : « L'action ne peut pas attendre la certitude. Les tromperies sur les mobiles seront au centre des préoccupations [des agents]. Elles engendreront des situations où il faudra sortir des faits de l'obscurité. L'art des conjectures reposant sur de bonnes informations de base fera partie intégrante de leurs compétences, mais il ne faudra s'en servir qu'en restant dans les limites de la probabilité. Leurs missions les mèneront forcément aux confins de l'hypothèse. »

Ces compétences, parfaitement maîtrisées, furent très utiles à Meir Dagan. Durant la deuxième semaine de mai, on était passé en surrégime depuis que Mohammad Khatami, l'un des membres les plus importants du gouvernement iranien, avait dépeint le Hezbollah comme « le soleil de l'islam qui brûlera toujours plus fort ». Quelques jours plus tard, à Téhéran, le président Ahmadinejad termina l'une de ses harangues antisémites en promettant : « Nous verrons très bientôt l'élimination de l'État sioniste de la honte. » N'était-ce là que rhétorique populiste ? Ou cela annonçait-il ce que Meir Dagan prédisait depuis longtemps : une attaque d'Israël sur deux fronts – le Hamas à Gaza et le Hezbollah à la frontière libanaise, surgissant des oliveraies et des bananeraies du sud et de la vallée de la Bekaa ? Et serait-ce le moment que choisirait l'Iran pour mobiliser ses Gardes révolutionnaires et Al-Qaïda pour rassembler les innombrables djihadistes du monde musulman ? Afin d'essayer de répondre à ces questions, Meir Dagan envoya des messages codés à toutes les bases moyen-orientales du Mossad pour demander qu'on lui signale les éventuels premiers signes d'une mobilisation. Ensuite, il récapitula ce qu'il savait sur le Hezbollah et les méthodes qu'il avait employées par le passé.

Pendant les années 1980, l'organisation, qui adopta alors son nom de « Parti de Dieu », kidnappa plus de deux cents personnes au Liban, principalement des Américains ou des Européens occidentaux, dont Terry Waite, l'envoyé de l'archevêque de Canterbury. Elle détourna un avion civil et lança plus ou moins l'idée des attentats-suicides en s'attaquant à des cibles américaines ou françaises, ce qui coûta la vie à près de mille personnes, dont deux cent quarante et un marines à Beyrouth et cinquante-huit parachutistes français au poste Drakkar.

À la fin du conflit Iran-Irak, Téhéran vit le Parti de Dieu comme un atout qu'il allait pouvoir jouer au Moyen-Orient, en usant de son influence sur la politique de la région et en lançant contre Israël une guerre de faible intensité. Depuis l'émergence de Hassan Nasrallah, le Hezbollah contrôlait tout le Sud-Liban. Financer le Hezbollah ne coûtait pratiquement rien à l'Iran – cinquante millions d'euros par an, c'est-à-dire moins que le bénéfice journalier de ses ventes de pétrole. Néanmoins, l'organisation vivait également du fruit de ses propres affaires. Elle possédait une banque, une coopérative de crédit, une compagnie d'assurances, une agence de voyage – spécialisée dans les pèlerinages à La Mecque et autres lieux saints musulmans –, six hôtels, une chaîne de supermarchés – s'étendant du Sud-Liban à la vallée de la Bekaa –, ainsi qu'une douzaine de sociétés de taxis et de transports urbains. En tout, cela lui rapportait environ trois cents millions d'euros par an.

Le quartier général du Hezbollah se situait également dans la vallée de la Bekaa, dans la ville historique de Baalbek, où se trouvait un hôpital moderne tenu par du personnel et des médecins syriens ou iraniens. L'organisation gérait aussi des cliniques, des écoles – les programmes enseignés étaient identiques à ceux de l'Iran –, un système d'aide sociale et plusieurs centres pour les veuves et les orphelins. Elle prélevait ses propres impôts, appelés « khoms », représentant vingt pour cent de tous les revenus. Tout cela contribuait à donner au Hezbollah l'image d'un État indépendant au sein du Liban. Pour conforter ce statut, le groupe disposait de plusieurs « ambassades » : la plus grande était celle de Téhéran ; les autres étaient situées au Yémen, à Damas et, bien entendu, à Beyrouth.

Les relations de l'organisation avec le reste du Liban étaient complexes : en mai 2006, elle comptait encore quatorze sièges parmi les cent vingt-huit de l'assemblée nationale, dont deux portefeuilles au Conseil des ministres. Mais elle tenait à rappeler qu'elle était avant tout « un mouvement basé sur le peuple et se battant au nom du monde musulman ». Pour renforcer le tout, elle avait recours à son très efficace dispositif médiatique comportant, entre autres, la chaîne de télévision Al-Manar (« le phare »), diffusée dans tout le monde arabe et considérée comme meilleure qu'Al-Jazeera par un grand nombre de spectateurs. En plus de cette chaîne d'information continue, elle possédait également quatre stations de radio, deux journaux, plusieurs magazines et une maison d'édition. Ses forces de police appliquaient la *charia* et les tribunaux du Hezbollah envoyaient les condamnés dans ses propres prisons dans la vallée de la Bekaa.

En mai 2006, le Mossad évaluait les effectifs militaires de l'organisation à neuf mille hommes : ces guerriers parfaitement équipés étaient épaulés, selon les estimations, par trois cent mille sympathisants. Le Hezbollah disposait donc d'une force plus puissante que celle du Liban qui, selon la résolution 1559 des Nations unies, serait censée le désarmer. De toute façon, il y avait peu de chances que cela se produise sachant que la majorité de l'armée était constituée de chiites qui refuseraient de se battre contre les leurs.

En Iran, le Hezbollah faisait office de pont entre les camps opposés du gouvernement en place. Les mollahs du pays, qu'ils soient « réformistes » ou « de la ligne dure », trouvaient dans le Hezbollah un rappel de leur jeunesse révolutionnaire. La semaine où Mohammad Khatami et le président Ahmadinejad firent leurs terrifiantes déclarations, le Majlis, c'est-à-dire le Parlement iranien, décida d'écarter pour un temps les demandes d'unification de l'organisation qui voulait que les Gardiens de la Révolution se tiennent prêts à combattre à ses côtés si Hassan Nasrallah en faisait la requête. Les députés acceptèrent cependant d'envoyer « en cadeau » au Hamas « une aide d'urgence » pour lui permettre de résister au blocus de l'Union européenne – ceci venant s'ajouter aux diverses donations internationales destinées au nouveau gouvernement palestinien. Telle fut la première action de l'Iran pour marginaliser Mahmoud Abbas et faire du Hamas le seul représentant légitime du peuple palestinien. Au Liban, le Hezbollah commença à s'appuyer sur le récent gouvernement de coalition pro-américain que dirigeaient Fouad Siniora et Walid Joumblatt, le leader druze.

Pour Meir Dagan, la situation était claire comme de l'eau de roche. L'Iran était en train d'essayer d'étendre son influence grâce à une sorte de tactique de prise en tenaille entre le Hamas et le Hezbollah – la guerre sur deux fronts que redoutait depuis longtemps le directeur de l'Institut. Si Téhéran réussissait, cela signifierait que, pour la première fois depuis le VIIe siècle, son pouvoir direct s'étalerait jusqu'aux rives de la Méditerranée. Le lancement d'une attaque préventive par Israël – sous prétexte d'être le champion de la démocratie dans la région, toujours en première ligne pour lutter contre l'islamisme radical –, obtiendrait peut-être l'approbation de l'administration Bush mais il exposerait le pays à de violentes critiques de la part des autres nations. Meir Dagan conseilla au Premier ministre, Ehoud Olmert, qu'Israël continue « d'attendre de voir comment la situation évoluait ». Parallèlement, deux de ses prédécesseurs, Efraïm Halevy et Meir Amit, avaient également commencé à l'avertir.

Après avoir passé quatre ans à la barre du Mossad, Efraïm Halevy avait quitté sa place de maître espion aussi discrètement qu'il y était arrivé. À l'Institut, sa présence studieuse, la moue qu'il faisait avant de parler et son regard impassible derrière ses lunettes étaient depuis longtemps oubliés. Quand il arrivait que ceux qui se souvenaient de lui fassent des commentaires à son sujet – ce qui était rare –, ils le dépeignaient comme l'homme qui avait remarquablement échoué à faire entrer le Mossad dans le troisième millénaire et à en faire, de nouveau, une force avec laquelle il faudrait compter. Il publia plus tard ses mémoires concernant cette époque sous le titre de *Man In The Shadows* (« L'Homme de l'ombre »). Sa tentative de donner sa propre version des faits pour lesquels il avait été critiqué pendant pratiquement tout son mandat ne fut pas une totale réussite. Cependant, il y affirmait, à juste titre, que plus la dernière attaque contre Israël était ancienne, plus la suivante était proche, ce qui valait également pour l'Europe et les États-Unis. « Une grande partie de ce qui nous attend ne peut être gérée que clandestinement. Pour triompher, il nous faut comprendre que la diplomatie est l'art du possible tandis que les services secrets consistent en l'art de l'impossible. Et la vie devient rapidement plus impossible qu'elle ne l'a jamais été dans toute l'histoire de l'humanité », m'a-t-il, un jour, expliqué.

Lors d'un bref passage à Londres, où il était venu lancer son livre et échanger quelques mots avec Nathan, il trouva le temps de me confier qu'il était convaincu que les États-Unis et la Grande-Bretagne allaient devoir « prendre des décisions radicales en matière de politique moyen-orientale » et il ajouta : « En Iran et en Irak, ils ne peuvent pas se contenter de rassembler leurs troupes et rentrer à la maison. Ils doivent adopter une stratégie de fermeté qui nécessitera une sérieuse contribution d'Israël. Cela exigera qu'ils soient plus sensibles à nos intérêts et nos points de vue. » Enfin, il conclut par un sinistre avertissement : « Nous sommes à l'aube de la troisième guerre mondiale si le monde ne se réveille pas. »

Peu de temps après, Meir Dagan, aujourd'hui membre du plus important laboratoire d'idées israélien, m'a clairement dit : « Israël doit continuer à prendre des mesures fortes pour se défendre. Le terrorisme est comme le cancer, il se propage silencieusement et efficacement. Aucune nation ne peut se battre seule. Hier, le monstre était Saddam

Hussein. Mais nous en avons un nouveau en Iran, en train de faire monter l'ouragan de la révolution chiite qui ne va pas tarder à envahir Israël et, si l'on n'y prend pas garde, le reste du monde. »

La première brise annonciatrice de cet ouragan avait déjà commencé à souffler sur la bande de Gaza.

La menace terroriste qui pèse constamment sur Israël lui fut rappelée lorsque les services secrets suisses, opérant dans leur pays en collaboration avec un agent du Mossad et ceux de la DGSE française, découvrirent un complot soigneusement préparé dont l'objectif était de descendre un avion de ligne de la compagnie El Al avec une grenade tirée à l'aide d'un lance-roquettes au moment de son atterrissage à l'aéroport de Genève. Selon les documents dont les Algériens concernés étaient en possession, le projet d'attentat avait été conçu à Madrid. Récemment, les deux hommes étaient retournés en Afrique du Nord.

Cependant, la coopération entre services ne se passait pas toujours aussi bien. Meir Dagan reçut le rapport que l'un des agents du Mossad à New York avait fait d'une conversation confidentielle, de mai 2006, entre plusieurs ministres des Affaires étrangères après que les services secrets eurent prédit que l'Iran était alors « probablement à un an de produire une bombe atomique ». Lors de cette réunion, l'atmosphère s'était tendue lorsque le ministre russe des Affaires étrangères, Sergei Lavrov, s'en était pris verbalement à un officiel du Département d'État, Nicholas Burn, le plus haut conseiller de l'hôte de la rencontre, Condoleezza Rice. Lavrov accusait Burns de « chercher à saboter les tentatives de résolution de la crise avec l'Iran ». Dans la suite de l'hôtel Waldorf où ils étaient réunis, les ministres britannique, français, allemand et chinois, tous membres du Conseil de sécurité des Nations unies, furent choqués par l'explosion du ministre russe. Le rapport de l'agent du Mossad est révélateur du désaccord des hauts diplomates présents :

« C'était le jour d'entrée en fonction de Margaret Beckett, la ministre des Affaires étrangères britannique. Elle fut très déconcertée par le ton orageux qu'avait pris la discussion. Lavrov était arrivé en retard, encore en colère à propos d'un discours que le vice-président Dick Cheney venait juste de prononcer en Lituanie, durant lequel il avait critiqué la politique du Kremlin. Lavrov s'emporta contre Rice et son équipe dans un langage qui, selon Margaret Beckett, était digne de celui de la guerre froide. À un certain moment, il menaça même d'apposer son *veto* sur une résolution du Conseil de sécurité élaborée par la Grande-Bretagne et la France, que soutenait Washington. Il s'agissait d'une nouvelle tentative de convaincre l'Iran d'abandonner son programme d'enrichissement d'uranium. »

Malgré tous les efforts que déploya John Sawer, le ministre britannique des Affaires étrangères, pour tenter de calmer le jeu, la rage de Lavrov ne retombait pas. Il y eut un stade où il reprocha à Israël que sa politique soit « conçue pour faire entrer tout le monde en conflit ». Rice intervint et répliqua à Lavrov qu'il n'était « pas coopératif ». Durant le dîner qui suivit, la dispute continua jusqu'au départ abrupt du Russe. Le lendemain, au petit déjeuner, John Sawer s'assit avec les hauts délégués chinois, français, américains et allemands dans le but de trouver une proposition à présenter aux divers ministres des Affaires étrangères au moment du déjeuner. On suggéra d'offrir à l'Iran de nouveaux arrangements commerciaux avec l'Occident, des garanties le protégeant de toute éventuelle attaque israélienne et de la technologie nucléaire « à n'utiliser que dans des objectifs non agressifs », à condition que le pays arrête de produire de l'uranium de type militaire.

Pendant le déjeuner, composé de saumon et de chablis californien (que la délégation française ne toucha pratiquement pas), Condoleezza Rice souligna que cette proposition représenterait « un important changement de politique ». Mais Margaret Beckett avait été informée qu'il y avait peu de chances que l'Iran accepte. Le repas prit fin sur la décision de remettre la question à plus tard – ce qui, en jargon diplomatique, signifiait que la proposition était probablement vouée à l'échec. Quelques jours plus tard, en Indonésie, lors d'un sommet auquel participaient plusieurs chefs d'État musulmans, Mahmoud Ahmadinejad déclara : « J'accepterais de négocier avec tout le monde à part Israël. Ce pays n'a rien à faire sur terre. »

L'agent du Mossad qui surveillait la conférence rapporta des nouvelles encore plus inquiétantes. Les officiels russes qui y assistaient en tant qu'« observateurs » avaient secrètement offert à l'Iran de lui fournir la technologie nécessaire pour protéger ses activités nucléaires des regards internationaux. Ce matériel comprenait un appareil de cryptage à la pointe du progrès développé par Atlas, une société sous contrôle du gouvernement russe spécialisée dans l'équipement militaire.

Alors que mai touchait à sa fin, les forces de défense israéliennes devaient de plus en plus souvent répondre aux attaques des missiles du Hamas sur les colonies. Les encouragements de Téhéran au Hamas se faisaient chaque jour plus vociférants. C'est à cette époque qu'une taupe du Mossad dans la capitale iranienne signala l'existence d'un site nucléaire souterrain jusqu'alors inconnu, situé à Abe-Ali, dans le nord du pays. Selon son rapport, plus de trois cents experts nucléaires chinois et nord-coréens y travaillaient à la fabrication d'une nouvelle centrifugeuse qui allait permettre, en accélérant le processus de purification de l'uranium, de parvenir à une qualité correspondant à quatre-vingt-dix pour cent de ce qui est nécessaire pour un usage militaire. Ehoud Olmert et Meir Dagan estimèrent, d'un commun accord, que la nouvelle était suffisamment sérieuse pour que le directeur du Mossad se rende à Londres et à Washington.

Pendant des heures, autour de jus d'orange, de café et de sandwichs, Nathan – le chef de la base londonienne – et Dagan montrèrent des photos à Scarlett et plusieurs autres membres du MI-6; des preuves venues directement d'Iran. Sur certains clichés, on pouvait voir le complexe d'Abe-Ali et les deux nouveaux ateliers du site d'enrichissement d'uranium de Natanz. L'exposé de Dagan constitua la majeure partie de cette réunion des chefs de la défense britannique, organisée après que, lors d'un rapide passage à Londres, Condoleezza Rice eut déclaré au Premier ministre Tony Blair : « Si tout échoue sur le plan diplomatique, nous sommes prêts à y aller seuls, ou avec l'aide de nos bons amis israéliens. » Un officiel ayant assisté à la rencontre m'a confié qu'elle avait « clairement fait comprendre que "y aller seuls" faisait référence à une action militaire ».

La réunion se déroulait à Whitehall dans l'immeuble monolithique du ministère de la Défense. Elle était dirigée par le général Sir Michael Walker, le chef d'état-major des forces armées britanniques. L'équipe du ministère des Affaires étrangères était menée par William Ehram, le directeur du bureau de la défense, et David Landman, chef du département de la prolifération nucléaire. Tous deux avaient largement contribué à faire sortir la Libye du désert politique. John Scarlett et Eliza Manningham-Buller étaient là pour informer les participants de la position d'Israël. Pour la première fois, les plans de bataille échafaudés par le Pentagone pour lancer un assaut sur l'Iran étaient sur la table. Des missiles tactiques de croisière Tomahawk seraient tirés depuis des navires et des sous-marins américains qui se placeraient dans le golfe Persique pour viser les systèmes de défense aérienne des installations nucléaires iraniennes. Depuis qu'ils avaient été améliorés, les Tomahawks pouvaient désormais être reprogrammés en vol afin de pouvoir s'abattre sur une cible différente lorsque celle qui était prévue au départ avait déjà été atteinte par un autre. Ils pouvaient également « rôder » au-dessus de la zone visée pour évaluer les dégâts grâce à une caméra incorporée. Des bombardiers furtifs B2 de l'armée américaine, tous équipés de bombes de plus de deux tonnes, conçues pour faire sauter les bunkers, partiraient de Diego Garcia, la base isolée de l'US Navy dans l'océan Pacifique, de Whiteman, dans le Missouri, et de Fairford, dans le Gloucestershire, en Angleterre. Les bombes, faites d'acier renforcé, mesuraient chacune un mètre de long. Elles pouvaient traverser six mètres de béton. Il n'y aurait pas d'assaut terrestre après cela.

La réunion s'orienta ensuite sur les risques associés à une telle attaque. J'ai réussi, plus tard, à apprendre ce qui s'y était dit et ces informations sont révélées ici pour la première fois. On expliqua à l'assistance qu'une attaque menée par les États-Unis était susceptible de donner lieu à des « représailles dévastatrices » contre les huit mille cinq cents soldats britanniques basés en Irak et les quatre mille autres qui venaient d'arriver en Afghanistan. Ehram rappela à l'assistance que ces deux pays avaient d'importants liens religieux et politiques avec l'Iran. Walker fit remarquer qu'avant l'attaque, Washington avait toujours la possibilité de revoir ses plans et de retirer une grande partie de ses troupes d'Irak. L'assaut mènerait probablement à une confrontation avec la Chine et la Russie dont le soutien pousserait l'Iran à ne plus approvisionner l'Occident en pétrole. Scarlett fit part du point de vue de Meir Dagan, en signalant qu'une offensive sur l'Iran ferait considérablement augmenter le nombre des attentats-suicides en Israël. Le maître espion ajouta que les renseignements dont disposaient le MI-6 ne suffisaient nullement à garantir que les attaques aériennes permettraient de détruire les neuf cibles désignées par le Pentagone. Ces cibles étaient les suivantes : Saghand, un site d'extraction d'uranium qui devait ouvrir dans l'année et produire cinquante à soixante tonnes par an ; Arkan, où l'on purifie le minerai pour en faire un concentré appelé *yellowcake* ; Gchine, un site d'extraction et de raffinage ; Ispahan, où le *yellowcake* est débarrassé de ses impuretés et transformé en gaz d'hexafluorure d'uranium ; Natanz, une usine d'enrichissement qu'il est possible d'utiliser pour produire de l'uranium à usage militaire ; Téhéran, où se trouvent un réacteur de recherche et un site de stockage de déchets radioactifs. Bushehr, un petit réacteur à eau de fabrication russe ; Arak, un réacteur de recherche à eau lourde ; et Anarak, un site de stockage de déchets nucléaires.

La date de l'attaque aérienne n'était pas encore fixée, mais si l'Iran conservait son attitude belliqueuse et n'accédait pas aux requêtes des Nations unies, le gouvernement américain pourrait engager une action militaire dès 2007 et, quoi qu'il en soit, probablement pas plus tard que durant les mois qui précèderont la fin du mandat de Bush en 2008. Le plan de la mission était composé de deux étapes. Tout d'abord, les missiles de croisière élimineraient les défenses, ensuite, les bombardiers furtifs B2 détruiraient les sites en larguant des bombes « bunker buster ». Le Pentagone estimait que le temps total de mission dans la zone visée serait probablement de huit heures. Simultanément, des sous-marins enverraient des roquettes.

On examina les dernières informations disponibles sur les capacités actuelles de l'Iran en terme de missiles balistiques. Quatre-vingt-cinq missiles antiaériens S-300 ; ces armes, fournies par la Chine, seraient efficaces contre les bombardiers américains mais un peu moins contre les systèmes de défense multiples des Tomahawks tactiques. Une quarantaine de missiles de croisière X-55, d'une portée estimée à plus de mille cinq cents kilomètres, basés près de la frontière turkmène. Un peu moins d'une trentaine de fusées Shahab-1, fournies par la Chine, basées au sud de l'Iran, ce qui mettait Israël à leur portée. Enfin, la roquette Shahab-4 était en développement près de Natanz, au sud de Téhéran. D'après les estimations actuelles des services secrets, elle ne serait pas opérationnelle avant 2008. Sa portée serait alors de mille deux cents kilomètres – ce qui lui permettrait de frapper en n'importe quel point de l'Europe ou des États-Unis. Les missiles disponibles pouvaient être adaptés de manière à pouvoir être tirés depuis les vingt-cinq vedettes lance-missiles et les trois frégates dont disposait le pays. En revanche, aucun missile ne pouvait être lancé par les deux cents avions vieillissants des forces aériennes iraniennes : des Tomcats, des MIG-29 Fulcrum et des Phantoms. Les cinq cent mille hommes, engagés et appelés, de l'armée iranienne étaient mal dirigés et entraînés. La plupart de leur matériel venait de l'ex-Union soviétique.

La réunion évolua en un long débat ayant pour but de déterminer qui, outre le gouvernement Blair et Israël, soutiendrait cette attaque américaine. La conclusion fut qu'au sein de l'Union européenne, le seul appui diplomatique viendrait probablement de Pologne.

Ce que toutes les personnes présentes ignoraient, et qui ne serait révélé qu'en août 2006 par le journaliste d'investigation Seymour Hersh, c'était que le président Bush et le vice-président Dick Cheney avaient déjà proposé d'utiliser des armes nucléaires pour détruire le site d'enrichissement d'uranium de Natanz. Le général Peter Pace, chef d'état-major interarmées, s'était farouchement opposé à ce projet. Avec d'autres commandants du Pentagone, lors d'une réunion tout aussi secrète que celle qui se tenait à Londres, il avait prévenu Bush et Cheney que ce que ses collègues et lui-même voyaient, c'était « les graves conséquences économiques, politiques et militaires. Une telle offensive sur Natanz propageraient des radiations mortelles à trois cents kilomètres à la ronde ». La zone touchée comprendrait Téhéran et ses millions d'habitants. Au lieu de cela, les chefs du Pentagone proposaient de lâcher « les plus grosses bombes “bunker buster” disponibles lors d'une attaque à assauts multiples qui générerait une force d'ébranlement suffisante pour produire le même résultat qu'une ogive nucléaire, mais en évitant que ce qui était en passe de devenir la première utilisation d'une bombe atomique dans un conflit depuis Nagasaki ne déclenche un véritable tollé».

Il n'était pas certain qu'une telle attaque réussisse. Un conseiller du Pentagone (cité par Seymour Hersh) remarqua : « Cela serait comme larguer de l'eau, avec ses courants et ses remous. Les bombes seraient probablement détournées de leur trajectoire. » Ce qui était certain, c'était que l'attaque serait considérée dans tout le monde musulman comme un nouvel exemple de l'impérialisme américain et conduirait à des représailles sans précédent. Les conséquences de la vengeance préoccupaient déjà les services secrets britanniques, le Mossad, la CIA et les renseignements pakistanais. On redoutait que cela donne naissance à un grand complot et que la terre subisse, s'il réussissait, le pire outrage terroriste qu'elle ait jamais connu.

En mars 2006, l'opération *Overt*, initiative antiterroriste internationale, devint la plus secrète et la plus importante qui ait été montée en Grande-Bretagne depuis la Seconde Guerre mondiale. Elle prit rapidement de l'ampleur en incorporant l'escadron antiterroriste de Scotland Yard et la *special branch*, le GCHQ – le service de renseignement électronique britannique –, la NSA – son équivalent américain –, la CIA, le FBI, les français de la DGSE, les allemands du BND, les services secrets pakistanais et le Mossad.

En tout, environ cinq cents des espions les plus expérimentés du monde participèrent à l'opération dirigée contre deux cellules de militants islamistes basées en Grande-Bretagne, que l'on soupçonnait de préparer un gigantesque attentat. En mai 2006, on ne disposait toujours pas d'informations claires sur la méthode, la cible et l'heure prévues.

Pendant des semaines, les services de renseignement repérèrent les tentacules qui se formaient autour des suspects découverts dans les « cercles concentriques » qui s'étaient matérialisés après les attentats de Londres, en juillet 2005. On avait trouvé la première cellule grâce à un suspect qui rentrait d'un camp d'entraînement d'Al-Qaïda dans les badlands du nord du Pakistan. La seconde opérait dans la communauté musulmane de la banlieue sud de Londres. Toutes deux furent mises sur écoute intensive. Dans les deux zones concernées, toutes les réunions publiques étaient infiltrées par des agents du MI-5. Certains participants avaient des contacts téléphoniques avec Paris, Francfort et, ainsi que le formula plus tard un homme de la brigade antiterroriste, « partout, d'est en ouest ». Le GCHQ et la NSA interceptèrent des courriers électroniques. Depuis les postes d'écoute installés de Chypre au désert situé entre l'Afghanistan et les montagnes de l'Iran aux frontières nord-ouest du Pakistan, les conversations des membres des cellules et de leurs associés étaient cueillies dans les airs, enregistrées et envoyées, entre autres, au JTAC à Millbank, à Londres. Les tableaux Anacapa – des diagrammes spécialement conçus pour donner une image cohérente des informations recueillies – y étaient actualisés en permanence.

Dans le reste du monde, d'autres histoires faisaient les gros titres des journaux. L'une d'entre elles était celle de l'assassinat de Moussab al-Zarqaoui, le leader meurtrier d'Al-Qaïda en Irak. À la fin du mois de juin, sa cachette des environs de Bagdad avait été dévastée par une bombe laser. Alors que le terroriste rampait pour tenter de s'abriter, les forces américaines l'avaient abattu. Il avait été dénoncé par une balance de son entourage qui reçut « une somme substantielle » et une nouvelle identité dans le pays de son choix. Il lui fut également garanti que sa destination resterait éternellement secrète.

Fin juin 2006, à Gaza, des militants du Hamas kidnappèrent un soldat israélien, le caporal Gilad Shalit. Israël réagit promptement en lançant une offensive énorme sur le territoire. Officiellement, l'objectif était de récupérer Shalit. En réalité, c'était un avant-goût de la guerre contre le Liban. Ce fut confirmé par Ehoud Olmert le 12 juillet lorsque des guérilleros tuèrent huit soldats israéliens et en enlevèrent deux autres à la frontière sud du Liban. Il qualifia alors les faits d'« actes de guerre ». Deux jours plus tard, fortement soutenus par Israël, les missions britannique et américaine aux Nations unies s'opposèrent à une motion visant à établir des accords de cessez-le-feu. À ce moment-là, les roquettes du Hezbollah pleuvaient déjà sur Haïfa et plusieurs autres villes du nord de l'État hébreu. Et les premières attaques des puissantes forces aériennes israéliennes avaient déjà frappé le Sud-Liban et Beyrouth. Les morts, laissés où ils étaient tombés, atteignirent rapidement le nombre de cent par jour. Meir Dagan se retrouva au premier plan du conflit et envoya ses hommes s'enfoncer en terre hostile.

VIII

Les feux de Satan

Chaque matin, avant le lever du soleil sur les collines de Judée, le Premier ministre israélien, Ehoud Olmert, qui n'occupait ce poste que depuis trois mois à peine, sortait du lit qu'il partageait avec son épouse, Aliza. En un rien de temps, il était rasé, douché et vêtu d'un costume qui, bien que léger, le ferait malgré tout transpirer légèrement dans la féroce chaleur de midi. Il avait confié à l'un de ses collaborateurs que sa seule consolation était qu'elle ne soit nulle part aussi insupportable que dans les tanks qu'il avait envoyé combattre au Sud-Liban. Vers cinq heures du matin, il était hors de sa chambre, occupé à lire le résumé des rapports de la veille que les services secrets avait rédigés et fait poser sur une table à son intention. Jamais plus long qu'un feuillet double, le document était préparé par Meir Dagan puis faxé à Olmert. Il ne s'agissait pas de beaucoup plus qu'une liste, marquée de gros points, d'informations telles que le nombre des dernières attaques de roquettes sur les villes du nord du pays, la mise à jour du décompte des morts, le nombre de blessés, celui des missions des forces aériennes, les évaluations des bases du Mossad à l'étranger des critiques envers Israël et des demandes de cessez-le-feu.

Au cours des premières semaines de juillet, après le début de la guerre, le résumé ne pouvait pas être très réconfortant pour l'homme qu'Efraïm Halevy fustigea en affirmant qu'il « se trouvait alors juste au bon endroit pour pouvoir faire ou briser sa carrière ». Déjà, dans ses critiques de la politique intérieure, il se demandait si l'expérience limitée d'Olmert en termes de stratégie pourrait signifier qu'il n'était pas la bonne personne pour que cette guerre aboutisse à une conclusion favorable à Israël, alors qu'à l'approche de la fin du mois de juillet, au moment où l'on rapatriait dans des sacs les premiers corps des soldats israéliens pour les enterrer, tout semblait indiquer que le conflit risquait de devenir une immense conflagration. Tout cela était bien loin du discours prononcé deux semaines plus tôt – c'est-à-dire le 16 juillet, quatre jours après le début de la guerre – par le président George W. Bush au sommet du G-8, à Saint-Pétersbourg : « C'est un moment de clarification. Nous savons, aujourd'hui, pourquoi la paix ne règne pas au Moyen-Orient et que l'Iran et la Syrie sont à la racine de l'instabilité dans la région. » Deux jours plus tard des appels demandant aux États-Unis d'entamer des négociations pour mettre fin aux combats commencèrent à se faire entendre. Cependant, la secrétaire d'État, Condoleezza Rice, insista sur le fait qu'aucun cessez-le-feu n'était possible « avant que les conditions soient favorables ». Ignorant les requêtes des médias, elle n'a pas jugé bon d'expliquer ce qu'elle entendait par « favorable ».

Meir Dagan avait dit à Ehoud Olmert que, selon les renseignements recueillis à Washington par le Mossad, l'administration Bush pensait qu'une rapide guerre contre le Hezbollah pourrait servir de prélude à l'attaque préventive que le président et le vice-président, Dick Cheney, attendaient avec impatience, convaincus qu'ils tenaient là la réponse à la question « Pourquoi la paix ne règne-t-elle pas au Moyen-Orient ? » Pendant ce temps, le Mossad avait découvert une autre raison. Al-Qaïda avait demandé à ses djihadistes, estimés à plus d'un million, de combattre aux côtés du Hezbollah. À la mi-juillet les agents apprirent que des montagnes aux sommets enneigés d'Afghanistan aux déserts brûlants d'Arabie saoudite, on répondait à l'appel à la guerre sainte.

Cependant, Olmert savait qu'à Washington il conserverait l'appui d'un nombre impressionnant d'organisations et d'individus dont plusieurs chrétiens évangélistes influents, des prêcheurs tels que Jerry Falwell, Gary Bauer et Pat Robertson ainsi que Tom DeLay et Dick Armey, chefs de la majorité à la Chambre des représentants. Tous étaient unis par la conviction commune que l'existence d'Israël était la réalisation d'une prophétie biblique et « la volonté de Dieu ». En cela, ils pouvaient compter sur le soutien de puissants *gentils* néo-conservateurs tels que John Bolton, actuellement ambassadeur des États-Unis à l'ONU ; William Bennett, l'ancien ministre de l'Éducation ; Jean Kirkpatrick, ancienne ambassadrice des États-Unis à l'ONU. À eux tous, ils étaient parvenus à ce qu'Israël ne soit pratiquement jamais critiqué au Congrès. Aucune nation moyen-orientale n'est jamais partie en guerre en se sachant autant épaulée.

Cela devait réconforter Ehoud Olmert alors qu'on le conduisait, en voiture blindée, depuis sa résidence officielle de la banlieue de Tel-Aviv à son premier rendez-vous de la journée avec ses généraux.

Une fois les hostilités lancées, ceux qui condamnaient Israël, particulièrement en Europe, eurent recours à une forme d'attaque très courante. Le spectre de l'antisémitisme, jamais bien loin de la surface, fut ressorti du placard. La plupart de ces agressions verbales provenaient d'Allemagne ou de France, pays qui compte la plus importante population musulmane d'Europe. Elles dépeignaient Israël en des termes similaires à ceux des nazis, méprisant le fait que, lorsqu'un Juif français avait été assassiné quelques mois avant le début des combats au Liban, des dizaines de milliers de manifestants étaient descendus dans la rue pour réprouver l'antisémitisme, tandis que Jacques Chirac et Dominique de Villepin avaient assisté aux funérailles de la victime pour exprimer leur solidarité. Ainsi qu'il était prévisible, les attaques publiées dans la presse arabe étaient plus virulentes que les autres. De Téhéran au Caire, elles qualifiaient de crimes de guerre les agissements israéliens. Comme on pouvait également s'y attendre, les puissants éléments pro-israéliens des médias américains vinrent à la rescousse du pays. Un commentateur présenta les événements en adressant un court message de quatre mots aux régimes hostiles : « Vous êtes les suivants. » Au cas où il subsisterait des doutes sur l'identité du « suivant », une vedette de la radio déclara : « Il est temps de serrer la vis à la Syrie. » Le pays fut décrit comme « amical envers les terroristes » par le *New York Daily News* et « une sérieuse menace pour les États-Unis » dans le *New Republic*.

En réalité, le gouvernement Bush était maintenant divisé sur la question de faire ou non la guerre au régime de Damas. Si Donald Rumsfeld et Dick Cheney y étaient favorables, le nouveau directeur de la CIA, le général Michael Hayden et Condoleezza Rice y étaient, eux, vivement opposés. Hayden fit remarquer que la Syrie continuait à fournir à la CIA des renseignements importants sur Al-Qaïda : le « canal officieux » avait été créé par George Tenet à la suite de sa rencontre avec les dirigeants des services secrets syriens après le 11 septembre. L'Agence avait secrètement pu accéder à Mohammed Zammar, identifié comme l'un des recruteurs ayant engagé les pirates de l'air qui ont envoyé leurs avions sur les tours jumelles et le Pentagone. Hayden argua que s'en prendre à la Syrie, soit directement, soit en laissant Israël jouer les remplaçants, mettrait probablement fin à la coopération de Damas. Rice rappela que la Syrie ne représentait pas un danger direct pour les États-Unis et qu'une offensive l'encouragerait à créer des problèmes chez ses voisins irakiens. « Avant de s'occuper de la Syrie, il serait plus raisonnable de terminer notre travail en Irak », aurait-elle dit à son assistant.

En ce matin de juillet, tandis qu'il se faisait conduire à une rencontre matinale avec ses généraux, Ehoud Olmert était pleinement conscient de l'importance qu'avait pour Washington sa promesse de détruire le Hezbollah et son réseau bien protégé de bunkers dans le sud du Liban et la vallée de la Bekaa. Les rapports de mission sur les incessants bombardements des forces aériennes israéliennes étaient envoyés à l'ambassade américaine de Tel-Aviv puis redirigés vers le Pentagone pour une nouvelle analyse. Le Département d'État considérait les bombardements comme un moyen de forcer le Liban à se montrer plus ferme avec le Hezbollah – un espoir infondé. Pour les stratèges du Pentagone, attaquer le Hezbollah vingt-quatre heures sur vingt-quatre était plutôt, selon les termes d'un ancien de la maison, « un test de préparation pour l'Iran ». Cette même source m'a également expliqué : « Les seuls véritables renseignements de terrain dont nous disposons proviennent des taupes du Mossad en Iran. Si ces informations ont bien confirmé ce que nous suspections et qu'elles nous ont aidés à planifier une stratégie de bombardement contre les sites nucléaires du pays, il nous restait encore à voir comment cela se passerait concrètement. Les attaques aériennes contre le Sud-Liban et la vallée de la Bekaa nous en offraient l'opportunité. »

Shabtaï Shavit, ancien directeur du Mossad et aujourd'hui conseiller à la sécurité nationale de la Knesset, le Parlement israélien, en avait déjà donné un indice en déclarant : « Nous faisons ce qui nous semble être le mieux pour nous et il se trouve que cela correspond également aux besoins de l'Amérique. Il faut mettre cela au compte des relations que deux amis peuvent avoir. » Ceci expliquerait pourquoi une petite équipe de stratèges de l'US Air Force avaient passé plusieurs semaines en Israël et rencontré plusieurs fois le chef d'état-major des forces de défense israéliennes, le général Dan Halutz qui, à l'époque où il était dans l'armée de l'air, avait contribué à la préparation d'un projet d'assaut aérien sur l'Iran. C'était ce plan que l'on avait utilisé pour attaquer le sud du Liban. À la salle de guerre, les résultats allaient, une fois de plus, constituer l'essentiel de la réunion matinale.

De la même taille que le cratère d'une fusée du Hezbollah – environ douze mètres sur six –, la salle de guerre était située bien à l'intérieur de la *Kirya*, le quartier général de la défense israélienne, à Tel-Aviv. On y accédait à l'aide de cartes magnétiques dont les codes étaient aussi secrets que les décisions de vie ou de mort que l'on prenait dans ce bâtiment anodin. Des cartes et des graphiques sur lesquels on pouvait suivre l'évolution des hostilités étaient punaisés aux murs vert olive de la pièce : le nombre d'offensives des forces aériennes israéliennes ; leurs cibles ; les bombes sur les villes et villages des alentours de la cité portuaire de Tyr, tirées depuis des navires de guerre ; les avancées au sol des divisions d'élite Galilée et Nahal dans le sud du Liban. Sur un autre tableau, on pouvait lire les chiffres concernant les roquettes lancées sur le nord d'Israël et l'endroit précis où s'étaient abattus chaque Katioucha BM-24 et chaque Fajr-3. Un autre dressait la liste des armes dont le Hezbollah disposait mais qu'il n'avait encore jamais vraiment utilisées. Le Fajr-5, d'une portée de presque quatre-vingts kilomètres, et la plus dangereuse d'entre toutes : le missile iranien Zelzal-2, d'une portée de deux cent quarante kilomètres. Cela signifiait qu'il était capable d'atteindre Tel-Aviv et la *Kirya*.

Le long d'un mur, se trouvait un banc d'écrans permettant de visionner des images non montées, prises au front par les cameramen de l'armée israélienne : ces derniers entraient avec les troupes dans les villages arabes, perchés sur les chasse-mines qui dégageaient la voie pour les chars ou sur le toit des tanks qui tiraient en avançant.

Au centre de la pièce trônait une table de conférence faite de bois de cèdre de Galilée. Vingt chaises étaient disposées autour d'elle. Dès 6 h 25, alors que le soleil était juste levé au-dessus des collines de Judée, elles étaient toutes occupées. Il en était ainsi depuis le début de la guerre contre le Hezbollah, dont le fanatisme et la férocité avaient surpris les hommes présents ce matin-là. Les effets des longues journées épuisantes et des courtes nuits de sommeil, souvent agitées, se lisaient sur leurs visages. Ils savaient qu'avant d'avoir quitté la pièce, ils auraient pris des décisions sur des questions de vie ou de mort qui, dès qu'elles seraient concrétisées, susciteraient de virulentes critiques non seulement à l'étranger mais également au sein même d'Israël.

Une grande partie des diatribes étaient dirigées contre Ehoud Olmert. La population, de plus en plus perplexe, commençait à se demander quels étaient les bénéfices d'une guerre où le nombre des morts israéliens augmentait de jour en jour et où, dans le nord du pays, des dizaines de milliers de personnes vivaient terrées dans des abris antiaériens ou dans des salles blindées. Le Hezbollah, loin d'avoir été paralysé, disposait d'un stock illimité de roquettes et de missiles antichars grâce auxquels ils avaient humilié l'armée israélienne et ses tanks de fabrication américaine.

Chaque matin, la radio de l'armée israélienne inquiétait la population en rappelant que le Premier ministre avait promis de donner au Hezbollah une leçon qu'il n'oublierait jamais – et qu'ainsi, il ne menacerait plus jamais Israël. Et on n'allait pas s'occuper que du Hezbollah. Le Hamas n'ayant pas suspendu ses attaques contre l'État hébreu, on obtenait une redoutable guerre sur deux fronts. Dans l'une de ses nombreuses interventions dans les médias, Olmert promit de bientôt régler le compte du Hamas. Cependant, de plus en plus d'Israéliens trouvaient que le Premier ministre avait non seulement l'air fatigué mais qu'il semblait de moins en moins sûr de lui. Ceci ne pouvait pas échapper à ses généraux à la salle de guerre.

L'agrandissement de l'éditorial d'un journal israélien était épinglé au mur : « Si Israël ne remporte pas cette guerre, il deviendra impossible de continuer à vivre au Moyen-Orient. Comment sommes-nous, nous les Juifs, le peuple élu et persécuté ? Nous n'hésitons pas, nous ne nous excusons pas, nous ne fléchissons pas. L'État hébreu ne se laissera pas piétiner plus longtemps. »

À 6 h 30, il ne restait aucune tasse de café sur la table. Olmert ouvrait la séance par une mise à jour politique avec les points de vue de Washington. Il était inutile qu'il rappelle à son auditoire que le temps qui leur était imparti pour écraser le Hezbollah leur était désormais compté. En ce matin de juillet, Olmert revint sur un point déjà plusieurs fois évoqué à la salle de guerre. Quelle était la position du « faucon des faucons », le secrétaire à la Défense américain, Donald Rumsfeld ? Se pouvait-il que le fait qu'il ne s'exprime pratiquement pas ne soit rien de plus qu'un signe de son âge, cette guerre n'étant pour lui qu'une de plus dans une carrière remontant à l'époque du Vietnam, lorsqu'il travaillait comme assistant à la Maison Blanche, en 1975, au moment du retrait des troupes américaines ? Pourtant, assura Olmert aux vieux baroudeurs, l'ambassadeur israélien à Washington s'était montré rassurant. Les dernières fois que celui-ci s'en était enquis, « Rummy était aussi enthousiaste que jamais au sujet des agissements d'Israël ».

Son préambule achevé, Olmert laissa la parole à Meir Dagan qui se trouvait face à lui. Lui aussi avait des nouvelles de Washington. Bien qu'il n'y ait pas de véritable division au sein du gouvernement Bush, le chef de base du Mossad à la capitale avait appris que Condoleezza Rice avait changé d'avis sur le fait que le moment n'était pas encore « favorable » pour intervenir. L'une des sources au Département d'État de l'homme de l'Institut lui avait annoncé que Rice avait redéfini son rôle comme celui d'une « médiatrice prête à intervenir ». Il était encore trop tôt pour reprendre la diplomatie des va-et-vient mais elle espérait que cela ne tarderait pas. Pour Dagan, il fallait comprendre que, pour l'instant, la secrétaire d'État préférait rester en retrait, alors que les néoconservateurs proches de Bush continuaient d'approuver totalement l'action militaire.

Justement les plus récentes étapes de cette action militaire préoccupaient le général Elyezer Shkedy, commandant des forces aériennes, et le général David Ben Baashat, commandant de la marine. Tous ceux qui conduisaient cette guerre se trouvaient là. En tant que chef d'état-major, le général Dan Halutz était assis près d'Olmert. Bien que Halutz soit le plus haut officier présent, c'était le ministre de la Défense qui, depuis 1976, commandait l'ensemble de l'armée. Il était représenté par le colonel Yakov Toran, le directeur général du ministère. Officiellement, il fallait également que le cabinet d'Olmert donne son approbation à toutes les politiques et opérations militaires. En réalité, cette tâche était confiée aux Affaires étrangères et au Comité de sécurité mais, jusqu'à présent, les décisions prises dans la salle de guerre n'avaient jamais été remises en question – et il y avait peu de chances que cela se produise.

À côté de Halutz se trouvaient son adjoint, le général Moshe Kaplinsky, et Amos Yedlin, le directeur des renseignements militaires. Étaient également présents trois hauts dirigeants de l'armée, les généraux Yair Naveh du commandement central, Yoav Gallant du commandement du sud, chargé de surveiller le Sinaï, et Udi Adam, de celui du nord, au cœur du conflit, quotidiennement responsable des opérations sur le terrain au Sud-Liban. Endurcis par des années de combat, les trois officiers faisaient leurs rapports sur le ton haché des militaires chevronnés. Le général Avi Mendelbilt, l'avocat de l'armée, faisait, lui aussi, partie des plus importants participants. L'une de ses fonctions consistait à s'assurer que les attaques aériennes ne puissent être classées comme des crimes de guerre. Le général de brigade Moshe Lipel, le conseiller financier des forces de défense israéliennes était là pour annoncer jour après jour à combien s'élevait le coût de la guerre. Du moindre obus tiré par un tank aux chapelets de bombes lâchées par les avions, tout était comptabilisé.

Miri Regev, la porte-parole de l'armée, était assise à l'autre bout de la table. On allait bientôt la charger de tenter de convaincre un monde de plus en plus sceptique qu'Israël n'avait pas d'autre choix que celui de continuer à frapper fort. Les autres personnes présentes restèrent anonymes. Parmi eux se trouvait le chef des forces spéciales dont un récent raid commando dans la vallée de la Bekaa n'était pas sans points communs avec celui d'Entebbe, si ce n'est qu'à l'époque, il s'agissait de secourir des civils enlevés par des terroristes. Le raid de Bekaa fut lancé après que des taupes de Dagan dans la vallée eurent rapporté que c'était là qu'étaient retenus les deux soldats israéliens capturés par le Hezbollah et son leader, Hassan Nasrallah. On ne trouva ni les soldats, ni Nasrallah. Chaque matin, avec sa précision habituelle, Meir Dagan donna à l'assemblée les dernières nouvelles des recherches effectuées pour retrouver les deux soldats et Nasrallah. Quotidiennement, la majeure partie des quatre-vingt-dix minutes de réunion était consacrée aux mesures à prendre, aussi bien pour définir les cibles des six brigades israéliennes qui s'enfonçaient dans le Sud-Liban que pour faire le compte des nouvelles attaques aériennes dont avait été victime la banlieue de Beyrouth. On terminait par ce que Dagan appelait « la vision d'ensemble ».

La Syrie allait-elle continuer d'alimenter l'arsenal de missiles du Hezbollah ? Jusque-là, mille cinq cents avaient été tirés et mille cinq cents autres, détruits. Il en restait donc dix mille. Quelle allait être la prochaine initiative que prendrait le président syrien, Bachar al-Assad ? Des avions de guerre israéliens avaient déjà vrombi au-dessus de son palace de Ladekye, près de Damas. C'était une idée de Dagan. Il appelait cela « un petit avertissement ». Et l'Iran ? Qu'allait faire Mahmoud Ahmadinejad ? Une fois de plus, le président à la silhouette noueuse, au visage émacié et à la barbe fournie avait déclaré : « Nous allons effacer Israël de la surface de la terre. » Fanfaronnade ou menace sérieuse ? Les réponses de Meir Dagan sont restées – au moins pour le moment – dans la salle de guerre. À huit heures du matin, tout le monde était parti exécuter ses tâches de la journée. Le monde ne saurait rien de leur travail avant les prochains bulletins d'informations.

À trois mille cinq cents kilomètres à l'ouest de la salle de guerre de la *Kirya*, les analystes du JTAC, en Grande-Bretagne, étaient encore occupés à étudier les dernières ramifications découvertes dans le cadre de l'opération *Overt*. Leurs soupçons avaient augmenté lorsque le FBI avait envoyé un message classé « ultra-urgent » – dont tous les services participant à l'opération reçurent également une copie – signalant que des kamikazes avaient été recrutés pour commettre un attentat sur un vol transatlantique, en faisant passer séparément au contrôle douanier les divers ingrédients nécessaires à la fabrication d'une bombe afin de les assembler une fois à bord. L'avertissement du FBI (dont j'ai vu une copie) était intitulé : « Possibilité de tactique de détournement visant à utiliser des avions en tant qu'armes ». Entre autres, on pouvait y lire : « Les composants d'un système explosif improvisé peuvent être clandestinement introduits à bord de l'avion, dissimulés dans les vêtements ou les objets personnels autorisés tels que shampooing ou flacons de médicaments, puis assemblés à bord. Dans la plupart des cas, lorsqu'un passager se livre à des activités illicites, elles s'effectuent dans les toilettes. »

Une autre information arriva d'un site Web d'Al-Qaïda probablement basé au Yémen. Bien qu'il soit protégé par un mot de passe secret, les spécialistes du GCHQ avaient réussi à le pénétrer et en tirer de précieux renseignements. On y trouvait des instructions détaillées sur la façon de fabriquer une bombe miniature en utilisant le mécanisme d'un flash d'appareil photo comme détonateur. On proposait plusieurs méthodes de déclenchement, dont l'une ne nécessitait qu'un simple baladeur. Les analystes avaient remarqué qu'en plus d'être rédigées en arabe, les instructions étaient également données en anglais. Cela indiquait qu'il y avait de fortes chances que l'attentat prévu exige les services des deux cellules surveillées par *Overt*.

Quelques jours plus tard, arriva la troisième vague de renseignements trouvés par le GCHQ sur un autre site d'Al-Qaïda, basé, cette fois, en Ouzbékistan. On y parlait des qualités d'un explosif appelé « mère de Satan » en précisant que le Hezbollah l'avait déjà essayé. Le chef de la base londonienne expliqua que cet explosif était fait à partir de TATP (triacétone triperoxyde) et qu'il s'obtenait en combinant deux liquides domestiques individuellement inoffensifs : le décolorant pour cheveux et le dissolvant pour vernis à ongles. Le site promettait que « si le mélange des deux ingrédients était fait soigneusement, on obtenait une explosion similaire à celle d'une grenade militaire ». Le TATP était l'explosif que les kamikazes avaient utilisé lors des attentats du 7 juillet à Londres. Les substances nécessaires à sa fabrication seraient introduites à bord dans des bouteilles de soda ou des biberons. Normalement, pour que l'explosif soit stable, le mélange des deux produits doit se faire à basse température. Mais pour un kamikaze, cela n'avait rien d'indispensable. Le seul problème auquel seraient confrontés les terroristes serait de s'assurer que le mélange soit suffisamment solide pour devenir un puissant explosif. Sinon, il deviendrait difficile de le faire détoner, ainsi que le prouva l'échec des attentats du 21 juillet 2005.

Cependant, on ignorait toujours la date prévue pour cet attentat. On savait seulement qu'il aurait très probablement lieu sur un des vols au départ de Heathrow et à destination des États-Unis. Alors que le mois de juillet finissait dans le sang au Sud-Liban et en Israël, Eliza Manningham-Buller rappela à ses agents : « Nous ne les aurons pas tous – mais nous ferons tout pour ça. »

Au début du mois d'août 2006, la guerre était devenue une sinistre parade de funérailles militaires et d'interviews télévisées de familles en deuil. À chaque mort, le malaise s'aggravait en Israël par rapport à la façon dont le conflit était dirigé. Des experts, retraités de l'armée – que les aides d'Ehoud Olmert appelaient « la brigade fauteuil » – clamaient qu'il fallait augmenter les forces terrestres, les bombardements sur les lance-roquettes ennemis et la destruction des villes où l'on suspectait le Hezbollah de se cacher. Ce dernier point avait déjà conduit à une tragédie universellement condamnée lorsque les bombes israéliennes avaient tué une cinquantaine de femmes et d'enfants en s'abattant sur un immeuble d'appartements à Cana, dans le sud du Liban. Les journaux rappelèrent à leurs lecteurs que Cana était l'endroit où Jésus avait changé l'eau en vin. Un reporter écrivit : « Aujourd'hui, l'eau est rouge du sang des innocents. » Et pour la première fois depuis le début des hostilités, on critiqua le Mossad. Pourquoi ses agents n'avaient-ils pas localisé les bunkers et les tunnels que, depuis six ans, le Hezbollah utilisait pour stocker les fusées que lui envoyaient la Syrie et l'Iran ? À la Knesset, la question avait mené à des discussions très emportées. Mais il n'y eut aucune réaction de la part de Meir Dagan. On avait laissé le soin à Shabtaï Shavit de défendre son ancien service. Il fit remarquer que la perception qu'a le public des activités des renseignements ne tient pas compte de « la vision d'ensemble souterraine ».

Le 3 août, Dagan reçut un message de son agent à Baalbek, la ville historique de la vallée de la Bekaa dont le Hezbollah avait fait l'une de ses forteresses. Le message disait que Hassan Nasrallah, le chef de l'organisation, allait partir voir le soir même Saad Ben Laden, le fils aîné et successeur désigné d'Oussama. Quelques jours auparavant, un autre agent du Mossad, à Damas, avait rapporté que le descendant du leader d'Al-Qaïda était en ville et qu'il y avait rencontré des agents secrets syriens. Cette nuit-là, des hélicoptères israéliens Blackhawk transportèrent des commandos à cent cinquante kilomètres à l'intérieur du territoire libanais. Plusieurs agents arabophones du Mossad les accompagnaient. Pendant que les commandos chassaient leurs cibles humaines, les agents se dirigèrent vers l'hôpital que gérait le Hezbollah au centre de Baalbek. Ils le trouvèrent désert ; les patients, les médecins et les infirmières avaient tous pris la fuite. Grâce à un plan fourni par un informateur du Mossad, l'équipe trouva ce qu'elle était venue chercher : les ordinateurs. L'un d'entre eux se trouvait dans le bureau des registres médicaux, un autre, dans le cabinet d'un médecin consultant et, un troisième dans une salle des infirmières. Ils furent tous trois débranchés et rapidement chargés à bord d'un hélicoptère qui attendait près des lieux. Deux heures plus tard, à Tel-Aviv, au quartier général du Mossad, on avait déjà commencé à examiner les disques durs.

Certains des renseignements recueillis concernaient les cellules dormantes du Hezbollah en Grande-Bretagne. À l'heure où les commandos rentrèrent à leur base, en rapportant qu'ils n'avaient trouvé ni Nasrallah, ni Saad Ben Laden, les informations sur les cellules avaient déjà été transmises à Londres. Elles trouvèrent leur place sur les tableaux Anacapa suspendus aux murs du JTAC.

La secrétaire d'État des États-Unis, Condoleezza Rice, se rendit de nouveau à Tel-Aviv à bord d'un Air Force One. Le Boeing 747-200B n'avait rien de particulier si ce n'est qu'il faisait partie de la petite flotte réservée au président Bush et à ses proches collaborateurs. La flotte en comptait sept. Dans celui qu'utilisait Rice se trouvaient un équipage de vingt-six personnes pour piloter l'avion et veiller à ses besoins, et dix-sept agents secrets pour la protéger au sol.

Depuis le 11 septembre, on avait dépensé cinquante millions de dollars pour équiper les Air Force One de manière à ce que le président puisse gouverner les États-Unis depuis les airs. La panique due aux difficultés de communication lorsque Bush s'était envolé aussitôt après les attentats contre les tours jumelles et le Pentagone restait un douloureux souvenir.

L'avion de Condoleezza Rice était pourvu d'un centre de commandement mobile connecté, en langage codé, à tous les réseaux de sécurité nationale américains. L'installation téléphonique, à la pointe du progrès, consistait en quatre-vingt-cinq lignes séparées fonctionnant avec des combinés munis de brouilleurs. Les écrans plasma accrochés sur toutes les parois diffusaient, en direct, les chaînes satellite d'informations. Le système de défense de l'avion, très complet, permettait de détecter et de dévier toute attaque de missile éventuelle. Derrière la cabine de pilotage, Condoleezza Rice disposait d'une suite dans laquelle se trouvait un luxueux bureau, copie conforme de celui qu'elle avait à Washington. Au fond, un cabinet de toilette, WC et douche, lui était strictement réservé. Les murs de sa chambre étaient recouverts de boiseries et la pièce contenait un lit « king size ». La suite comportait également une salle à manger. L'appareil disposait des capacités nécessaires pour préparer deux cents repas ; les garde-manger, quant à eux, contenaient suffisamment de provisions pour nourrir deux mille personnes. Le vol sans escale depuis Washington revenait à quarante mille deux cent quarante-trois dollars de l'heure. À l'arrière de l'avion, on prenait grand soin des officiels et des journalistes qui accompagnaient la secrétaire d'État.

Celle que son personnel surnommait en cachette « la Princesse guerrière » avait apporté un réveil dont la sonnerie jouait les premières mesures d'une symphonie de Mozart. Sa montre restait toujours réglée sur l'heure standard de l'Est de l'Amérique du Nord. Les deux objets lui avaient été offerts par le président Bush, signe extérieur de l'estime qu'il lui portait. À cinq heures du matin (heure de Washington), elle se leva et passa la première heure de la journée à soulever des poids et travailler sur un rameur installés dans sa suite à sa demande. Elle attachait une grande importance à la forme physique ; ce qui lui valait d'avoir la silhouette d'un mannequin et la foulée d'une athlète. À un certain moment du vol, elle utilisa son téléphone pour appeler le président Bush – dont le nom de code était POTUS – ; ils se parlaient plusieurs fois par jour. À l'âge de cinquante-deux ans, Condi Rice était la personne la plus puissante de son gouvernement. Les autres membres savaient qu'elle n'était qu'à deux doigts de son ultime ambition : être à la fois la première femme et la première Afro-Américaine à devenir présidente des États-Unis. Mais, pour cela, il faudrait d'abord qu'elle l'emporte sur sa principale adversaire, Hilary Clinton.

Son profil au Mossad révélait que Condi Rice avait une faiblesse : « Les chaussures. On l'a déjà vue dépenser une véritable fortune pour s'offrir huit paires de Ferragamo. D'ailleurs, elle envoie régulièrement l'employée chargée de faire ses courses faire un tour dans les boutiques de mode de Washington pour jeter un œil aux nouveaux arrivages en provenance de Paris, Milan ou Londres ». Son dossier révèle également d'autres informations personnelles ; comment elle se faisait défriser les cheveux lorsqu'elle était étudiante et comment « elle a pris goût à cette coiffure qui la fait ressembler à une directrice d'école privée suisse ». On y explique qu'elle est née au milieu des années 1950 dans le Sud profond où la ségrégation sévissait encore et que ses parents l'ont baptisée d'après l'indication musicale *con dolcezza*, « avec douceur » en italien. Il est précisé qu'elle a commencé le piano dès l'âge de trois ans et appris l'espagnol et le français jusqu'à ce qu'elle les parle couramment. Alors qu'elle était âgée de huit ans, sa ville natale, Birmingham, dans l'Alabama, fut déchirée par des mouvements d'agitation liés aux droits civiques et un extrémiste blanc posa une bombe dans une église baptiste. L'explosion tua quatre fillettes noires dont l'une était sa meilleure amie.

À l'époque, son père, John, patrouillait dans les rues avec un fusil pour tenir les racistes blancs à distance.

Après cela, la famille Rice partit s'installer dans le Colorado où Condi fut inscrite dans une école catholique mixte. Adolescente, elle apprit le russe et, étudiante, elle consacra son mémoire à l'armée tchécoslovaque. Sa réussite la plus notable est d'être devenue, à l'âge de trente-huit ans, la plus jeune présidente de l'une des plus prestigieuses universités américaines, Stamford, tout en étant la première Afro-Américaine à occuper ce poste. Elle gravit un échelon supplémentaire lorsque le secrétaire d'État, George Shultz, la nomma au conseil d'administration du géant du pétrole, Chevron. On donna même son nom à l'un des pétroliers de la société, un navire d'une capacité d'un million de barils. Le *Condoleezza Rice* vogue encore en haute mer, même dans les plus turbulentes conditions climatiques.

Le profil du Mossad indiquait que « les turbulences entouraient toujours Condoleezza Rice » – et ce ne fut jamais autant le cas que lorsqu'elle eut la surprise que George Bush lui demande de se joindre à lui pour sa campagne présidentielle de 1998. Leur goût immodéré pour la forme physique ne tarda pas à les rapprocher. « Elle lui avait offert un podomètre pour qu'il puisse calculer le nombre de pas qu'il ferait durant sa campagne nationale. Leur foi joue également un rôle dans leur entente ; tous deux fervents pratiquants, ils assistent régulièrement à la messe du dimanche. » Bush n'a jamais caché combien il dépendait d'elle. « Elle explique les subtilités des étrangers d'une façon que je comprends », a-t-il un jour déclaré. Lorsqu'il devint président en janvier 2001, il l'engagea comme conseillère personnelle. Dick Cheney ayant essayé d'empêcher cette nomination, elle régla ce problème avec lui lors d'une rencontre à huis clos. Depuis, « la Princesse guerrière » – un surnom trouvé par Donald Rumsfeld – traduisait les impulsions du président en politique étrangère. N'ayant jamais été mariée, elle se détendait « en jouant de son grand piano Steinway et en regardant le football américain à la télévision », ajoutait son dossier.

On y expliquait également qu'elle avait deux miroirs dans chacun de ses bureaux afin de pouvoir vérifier que l'arrière de sa coiffure restait en place jusqu'au dernier coup de brosse. « Lorsqu'elle est "de mauvais poil", c'est signe qu'il va y avoir de l'action. » Et c'est arrivé plus d'une fois. On se souvient de sa confrontation avec l'Allemagne et la France au sujet de la guerre en Irak ou de sa détermination à ce que l'Espagne maintienne sa décision de soutenir l'attaque. Tout cela faisait d'elle une figure admirée en Israël.

Là, en ce jour de juillet 2006, alors que l'avion géant venait d'atteindre l'État hébreu, le chef de la base du Mossad à Washington avait déjà fait parvenir à Meir Dagan les derniers démentis dans lesquels les deux femmes attendues aux présidentielles de 2008 affirmaient ne pas être candidates. Le message contenait également des informations, d'un intérêt plus immédiat pour le directeur de l'Institut, concernant un plan tout ce qu'il y avait de plus secret, que Condi Rice avait, avec réticence, contribué à élaborer avec le président Bush et Dick Cheney, son vice-président. Ce projet était la raison sous-jacente de sa visite. En surface, il s'agissait d'examiner une nouvelle fois les possibilités de cessez-le-feu. En réalité, la question était plutôt de vérifier si les attaques des forces aériennes israéliennes contre le Hezbollah avaient donné des résultats suffisamment satisfaisants pour qu'elles puissent servir de modèles pour une offensive contre l'Iran. Au départ, Condoleezza Rice était un peu anxieuse à l'idée de lancer un tel assaut. Était-ce toujours le cas ? Meir Dagan était convaincu – et il en fit part au Premier ministre Ehoud Olmert – que la secrétaire d'État n'était pas seulement un peu anxieuse mais que, selon le chef de la base de Washington, elle avait « créé une certaine agitation au gouvernement » dans le but d'être autorisée à se rendre en Syrie pour persuader le président Bachar al-Assad d'ordonner au Hezbollah de mettre fin à ses attaques. Mais un agent du Mossad à Damas avait découvert, peu avant l'atterrissage du 747 à l'aéroport Ben-Gourion, que le chef d'État avait refusé de la recevoir.

La position de Richard Armitage – qui a pourtant été secrétaire d'État du gouvernement de Bush durant le premier trimestre de son mandat – souligne, si besoin est, la dureté de la ligne politique du président : « Parmi les terroristes, le Hezbollah est probablement l'équipe numéro un. La campagne d'Israël au Liban, qui a été confrontée à des difficultés inattendues, et a été extrêmement controversée, devrait peut-être servir d'avertissement à la Maison Blanche pour l'Iran. Si la force militaire la plus dominante de la région, l'armée israélienne, ne parvient pas à ramener la paix dans un pays comme le Liban, il vaudrait mieux bien réfléchir avant de reproduire le même schéma avec l'Iran et ses soixante-dix millions d'habitants. Le seul effet qu'ont eu les bombardements israéliens a été de liguer le monde musulman contre l'État hébreu. »

Une nouvelle fois, Condi Rice était venue pour étudier ce qu'elle considérait, selon une de mes sources, comme « une solution éventuelle » et qu'elle présentait ainsi : « Il s'agirait de former une coalition sunnite et arabe composée de l'Arabie saoudite, de la Jordanie et de l'Égypte, que la Grande-Bretagne et le reste de l'Europe soutiendraient pour qu'ils s'unissent et fassent pression sur les mollahs chiites en Iran. » Néanmoins, pour y parvenir, notait ma source, il faudrait que le Hezbollah ne représente plus une menace pour Israël. Rice savait que les espoirs de voir un jour une coalition de ce qu'elle appelait « les pays arabes de même pensée » s'étaient considérablement réduits lorsque le ministre des Affaires étrangères saoudien, le prince Saoud al-Faiçal, était venu à Washington, au début de la guerre, pour dire au président Bush d'« intervenir pour mettre immédiatement fin à ce conflit ». De façon prévisible, Bush avait soulevé des objections.

Telle était la toile de fond des discussions de Condi Rice en Israël. Ceux qui y assistaient, dont Meir Dagan, écoutaient attentivement cette femme alliant élégance – les frais de ses séances de coiffure, qui se déroulaient dans son appartement du Watergate Center à Washington, s'élevaient à cinq cents dollars par semaine – et détermination d'acier. « Son sourire ne transparaissait jamais tout à fait dans ses yeux. Nous nous rappelions, par exemple, que les fois où Blair et Rice s'étaient accrochés, Bush avait toujours pris le parti de sa secrétaire d'État. Blair étant devenu un canard boiteux, elle estimait qu'il ne comptait plus », me raconta l'un de ceux qui avaient participé aux rencontres.

Pendant que le débat suivait son cours, il en allait de même de la guerre. Les morts et les mourants, les sans-abri et les endeuillés, dans le nord d'Israël et le sud du Liban jusqu'à la banlieue de Beyrouth, étaient chaque jour plus nombreux.

Cependant, d'autres événements, ailleurs, contraignirent Meir Dagan à déplacer sur eux l'attention de l'Institut.

Une taupe du Mossad à Téhéran avait découvert que les irréductibles de l'IRA, le groupe terroriste extrémiste irlandais, apprenaient au Hezbollah et aux Gardiens de la Révolution iranienne à fabriquer des bombes de fortune ultrasophistiquées. L'agent avait vu les faiseurs de bombe irlandais dans trois usines de la banlieue de Lavizan, au nord de la capitale. Les bombes, qui pouvaient être tirées depuis des chars antimissiles, étaient faites d'acier concave ou de planches de cuivre. Elles allaient à deux mille mètres par seconde et pouvaient traverser dix centimètres de blindage depuis une distance de cent mètres. Ces missiles avaient déjà détruit plusieurs tanks israéliens au Liban.

Plus tôt dans l'année, les six hommes de l'équipe de l'IRA avaient quitté Dublin pour se rendre à Damas, *via* Francfort. En arrivant, ils avaient été conduits à Téhéran dans un avion militaire iranien. Les faiseurs de bombes avaient été engagés pour expliquer comment fabriquer et maquiller des détonateurs à infrarouge. Durant le conflit d'Irlande du Nord, les bombes de fortune avaient si bien fonctionné qu'elles avaient blessé ou tué des dizaines de soldats britanniques. Elles avaient également servi à faire sauter des bâtiments et semer la terreur à Belfast ou dans d'autres villes de la région.

Ces armes appartenaient à la catégorie des projectiles explosifs. Depuis juin, il en partait d'Iran en direction de l'Irak et de la Syrie. On les avait ensuite transportées clandestinement dans la vallée de la Bekaa. À Téhéran, les trois Irlandais s'étaient répartis entre les trois usines qui travaillaient jour et nuit à la production en masse des bombes. Ce n'était pas la première fois que l'IRA vendait son savoir à un groupe terroriste. Quatre ans plus tôt, trois de ses membres s'étaient rendus en Colombie pour entraîner les FARC (Forces armées révolutionnaires de Colombie), le groupe terroriste local. Le DAS, le service de renseignement colombien, les arrêta grâce à des tuyaux fournis par le Mossad, et ils furent condamnés à de longues peines d'emprisonnement à

Bogotá. Les FARC les aidèrent à s'évader et à repartir illégalement pour l'Irlande. Le gouvernement colombien tenta de les faire extrader pour qu'ils purgent leur peine mais Dublin refusa.

Selon les estimations du Mossad, les irréductibles de l'IRA n'étaient « pas plus de deux cents ». Ce dont on était certain, c'était qu'ils n'avaient jamais accepté les termes de l'accord du Vendredi saint qui avait enfin ramené la paix en Irlande du Nord. Depuis, l'organisation vendait son savoir à divers groupes liés à Al-Qaïda.

« Les terroristes islamistes sont bien financés et sont en train de développer leurs opérations. Mais ils n'ont pas les compétences des irréductibles de l'IRA. Ses membres sont devenus des "mercenaires". Depuis le cessez-le-feu en Irlande du Nord, ils n'ont plus de travail et ils ont besoin d'argent », m'a expliqué un agent du Mossad.

Le Mossad avait également appris que des membres de l'IRA avaient rencontré des membres d'un groupe terroriste sud-africain appelé le PAGAD. Ils s'étaient retrouvés dans l'une des stations balnéaires favorites des Irlandais, Sotogrande, près de Malaga, dans le sud de l'Espagne. Le PAGAD voulait les engager pour travailler dans leurs camps dans l'arrière-pays de Durban. Originellement connu sous le nom de *People Against Gangsterism and Drugs* (« les Ennemis du banditisme et de la drogue »), le PAGAD s'était formé en 1995 pour débarrasser l'Afrique du Sud de ses dealers. Mais son idéologie changea sous l'influence des musulmans du pays, dont le nombre s'élève à plus d'un million. L'année passée, des services secrets tels que le Mossad et le MI-6 ont établi que le PAGAD entretenait des liens étroits avec le régime de Téhéran. Leurs rencontres se déroulaient à Beyrouth ou à Damas.

Un analyste du Mossad, spécialiste des groupes terroristes sud-africains m'a expliqué : « Depuis les attentats qui ont frappé Londres l'an passé, le PAGAD est devenu plus militant. Aucun pays n'est à l'abri de ce réseau terroriste international qui grandit, qui est très organisé et qui se développe partout sur la planète. Son mécène et bénéficiaire ultime, c'est l'Iran. »

Le vendredi 11 août 2006, le Conseil de sécurité des Nations unies accepta finalement la résolution de cessez-le-feu libanaise. Au moment même où cette information était envoyée à Tel-Aviv, dans la salle de guerre des forces de défense israéliennes, les stratèges assis autour de la table s'apprêtaient à lancer une offensive terrestre à grande échelle contre le Liban, en envoyant trente mille hommes, parallèlement à d'énormes frappes aériennes. Leur objectif, atteindre le Litani, venait enfin d'être approuvé par le Premier ministre, Ehoud Olmert. Puis, malgré la fureur des chefs militaires qui l'entouraient, il décida d'attendre de voir lui-même comment était formulée exactement la résolution des Nations unies. Les généraux l'accusèrent de tergiverser et rétorquèrent que, quoi qu'en dise la résolution, il était temps de frapper un grand coup contre le Hezbollah. Olmert céda. L'armée israélienne lancerait son gigantesque assaut, elle bombarderait Beyrouth, ainsi que des villes du Sud-Liban, et elle ferait pénétrer ses soldats loin à l'intérieur des territoires tenus par le Hezbollah.

Quelques heures plus tard, une armada aérienne de cinquante-cinq hélicoptères, se tenant près des collines par mesure de sécurité, largua des parachutistes aux abords du Litani. Simultanément, un bombardement aérien de vingt missiles s'abattit sur la banlieue de Beyrouth. Le Hezbollah descendit un avion de transport israélien dont les cinq passagers moururent, y compris la femme qui copilotait l'appareil. Ces cinq-là faisaient partie des vingt-quatre soldats israéliens qui périrent ce jour-là. Mais, pendant ce temps, deux cent cinquante fusées s'étaient écrasées sur le nord d'Israël.

Dans la salle de guerre de la *Kirya*, on se disputait toujours pour déterminer si la résolution des Nations unies satisfaisait les exigences de l'État hébreu. Elle demandait au Hezbollah de « cesser toutes ses attaques » tout en ordonnant « seulement » à Israël de mettre fin à ses « opérations offensives ». Le chef d'état-major, Dan Halutz, insista pour que ses forces soient autorisées à rester sur leurs positions actuelles au Sud-Liban après le cessez-le-feu. Il fut finalement décidé qu'Ehoud Olmert ferait un communiqué aussi bref que possible pour annoncer que son gouvernement acceptait la résolution de l'ONU.

En quittant la réunion, Meir Dagan savait qu'Olmert avait échoué sur les deux points essentiels du conflit : écraser le Hezbollah et retrouver les deux soldats enlevés, Ehoud Goldwasser et Udi Regev. Telles étaient les raisons que l'on avait données pour justifier qu'Israël parte en guerre. Le directeur du Mossad pensait que les otages avaient été emmenés dans la vallée de la Bekaa et il se préparait donc déjà à un nouveau raid dans cette région. Quelques jours plus tard, ses agents, accompagnés de commandos des forces de défense israéliennes, prirent une nouvelle fois un avion vers cette destination. Après un féroce combat au corps à corps, avec des combattants du Hezbollah, les Israéliens rentrèrent bredouilles. Cela avait beau être prévisible, il n'en paraissait pas moins invraisemblable qu'après trente-quatre jours de guerre, on tirait encore, alors que, théoriquement, les deux camps avaient accepté de cesser les hostilités. En fait, Meir Dagan avait expliqué à ses plus proches collaborateurs, lors de leur réunion hebdomadaire, que personne n'avait gagné la guerre. Le plus grand perdant était le Liban. Le pays déplorait plus d'un millier de morts ; quinze mille maisons et immeubles avaient été détruits ; le tourisme et l'économie avaient été anéantis : le tourisme représentait quinze pour cent de l'économie du pays et cette dernière avait chuté de trois pour cent. Les analystes du Mossad estimaient que la reconstruction du pays reviendrait à deux milliards et demi de dollars. Israël, de son côté, déplorait cent quarante-quatre morts et des centaines de blessés. La guerre lui avait coûté un milliard six cent mille dollars : un pour-cent de son PNB. Son importante industrie touristique s'était écroulée de cinquante pour cent – et n'était pas près de remonter. En s'étant laissé persuader par Olmert, au début de la guerre, que le conflit serait de courte durée, le président George Bush et le Premier ministre Tony Blair avaient tous deux subi une humiliante défaite. Et, même lorsqu'il avait commencé à sembler très improbable que le combat soit bref, ils n'avaient rien fait pour l'arrêter. Au Moyen-Orient, cette attitude n'avait fait que renforcer l'idée qu'ils soutiendraient toujours Israël.

Quand les troupes se retirèrent du Liban, une grande partie des hommes n'étaient qu'amertume et colère. Ils racontèrent comment on les avait envoyés à la guerre dans la chaleur étouffante de l'été avec des rations d'eau potable insuffisantes et comment ils avaient dû accaparer les gamelles des morts du Hezbollah. Avant même d'être arrivés en Israël, un grand nombre d'entre eux avaient déjà signé une pétition dénonçant une guerre menée avec incompétence « à tous les niveaux ». D'autres, en signe de protestation, plantèrent leurs toiles de tente face aux bâtiments gouvernementaux de Jérusalem, accusant Ehoud Olmert et ses conseillers à la sécurité d'avoir dirigé les opérations de manière incohérente et exigeant qu'ils en répondent. Les analystes du Mossad partageaient ce point de vue. Au dernier étage du quartier général du Mossad, on était également furieux qu'Ehoud Olmert ait demandé à un vieil ami, Ofer Dekel – ancien directeur du Shin Beth, le service de sécurité intérieure –, d'essayer d'entamer des négociations avec le Hezbollah pour récupérer les deux soldats enlevés. Meir Dagan expliqua à ses collaborateurs de haut rang qu'il était trop tôt pour envisager une telle action.

La colère montait dans les rues d'Israël. Le général de brigade Yossi Hyman, le commandant des unités de parachutistes, admit que l'armée avait « péché par arrogance » et exprima ses regrets personnels pour n'avoir pas su mieux préparer ses troupes. Un groupe de réservistes envoya un violent réquisitoire au ministre de la Défense, Amir Peretz. Le document accusait les forces de défense d'« indécision chronique, de préparation insuffisante, de manque de sincérité et d'incapacité à faire des choix rationnels ». Jamais auparavant l'élite militaire israélienne n'avait été aussi vivement critiquée. »

Meir Dagan n'était pas le seul à avoir conscience que, si Israël voulait survivre au milieu d'un monde islamique de plus en plus déterminé à le faire disparaître, il fallait qu'il tire d'urgence des leçons de ses erreurs pour s'adapter. La meilleure façon d'y parvenir était que le Premier ministre commence par faire face à ses responsabilités et que certains des généraux qui avaient si mal conduit cette guerre démissionnent.

Septembre était le temps du retour des premières brises rafraîchissantes. Les Juifs d'Israël et les musulmans du Liban et de la bande de

Gaza attendaient toujours ce moment avec impatience. C'était l'époque où les jeunes amoureux descendaient le Cardo, la rue couverte du quartier juif de la vieille Jérusalem. Tout près de là, les fidèles musulmans priaient dans la fraîcheur du Haram al-Sharif, l'enceinte musulmane où se trouvaient la mosquée Al-Aqsa et le Dôme du Rocher, le troisième lieu saint de l'islam. En 2006, tout cela continuait comme depuis des siècles : des rituels aussi anciens que le port du *talit*, le châle de prière juif ou du *keffieh*, le foulard à carreaux arabe.

Mais, pour le moment, les habitants de la Terre sainte avaient d'autres préoccupations. À Gaza, les combats continuaient. Les guérilleros du Hamas attaquaient et les Israéliens ripostaient. Les forces aériennes conduisaient des raids de bombardement de précision sur toute la bande de Gaza. Le Shin Beth, le service de sécurité intérieure, raflait de plus en plus de membres légalement élus au Parlement dominé par le Hamas, sous prétexte qu'ils appartenaient à une organisation dont l'aile militaire n'avait pas arrêté les kidnappings, les attaques de missiles et les attentats kamikazes.

En Israël, les retombées de la guerre contre le Liban n'étaient pas terminées. De toutes parts, on demandait que ceux que l'on considérait comme responsables de ce fiasco national démissionnent. Au début du conflit, Dan Halutz, après que ses forces aériennes eurent détruit cinquante-quatre lance-roquettes du Hezbollah, avait annoncé : « Nous avons gagné la guerre. » Maintenant, dans toutes les rues d'Israël, on se moquait de ses paroles alors qu'il devenait de plus en plus évident, après cinq semaines de combat, que la dernière goutte d'optimisme s'était évaporée, et avec elle, la réputation d'invincibilité de l'armée israélienne. Au lieu de résonner des célébrations victorieuses qui, jusqu'alors, avaient toujours suivi les conflits, l'air regorgeait de colère à cause du manque d'entraînement des soldats et d'un matériel obsolète. Malgré leurs actes de bravoure individuels, certains hommes des forces de défense israéliennes avaient été poussés aux limites de la mutinerie. Humilié, Halutz écrivit une lettre de contrition à tous ses soldats dans laquelle il déclarait : « Il y a eu des erreurs et elles seront corrigées. » Mais alors que septembre s'écoulait, il devint de plus en plus difficile de savoir si la carrière de ce pilote de chasse de cinquante-huit ans, qui s'était illustré avec distinction durant la guerre de Kippour, en 1973, allait survivre à tout cela. Un sondage révéla que cinquante-quatre pour cent de la population souhaitait qu'il démissionne.

Bien qu'Ehoud Olmert ait annoncé qu'il allait commanditer une enquête publique sur la façon dont la guerre avait été conduite, la colère des Israéliens à son égard ne retombait pas. Soixante-trois pour cent des personnes interrogées demandaient sa démission immédiate; le score de son ministre de la Défense, Amir Peretz, était encore pire : soixante-quatorze pour cent voulaient le voir quitter son poste aussi vite que possible. Les deux politiciens s'étaient beaucoup trop laissé influencer par le fait que les force aériennes de Halutz aient toujours obtenu de rapides victoires lors des conflits précédents. Les analystes du Mossad qui, eux aussi, observaient le comportement de la population, remarquèrent qu'un consensus était en train de se former autour des vétérans de l'armée israélienne qui affirmaient que Halutz n'avait pas compris que les forces aériennes n'étaient là que pour assister les forces terrestres et ne pouvaient en aucun cas remporter une guerre moderne. C'était une opinion que Meir Dagan avait exprimée dès les premières réunions à la salle de guerre. Il avait expliqué, avec le calme et la pertinence qui le caractérisaient depuis qu'il avait repris le Mossad, que les forces aériennes devraient être soutenues par des forces terrestres capables d'éloigner le Hezbollah de la zone frontalière. Pourtant, dans la rue, on commençait à murmurer que les renseignements – qui ont toujours joué un rôle crucial dans les précédentes guerres d'Israël – étaient ineptes. Pourquoi le Mossad n'avait-il pas découvert bien avant le début des hostilités les emplacements exacts des missiles du Hezbollah ? Pourquoi n'avait-il pas repéré les positions de repli de ses lance-roquettes ? Pourquoi n'avait-il pas réussi à mieux suivre les mouvements de Hassan Nasrallah ?

Au Liban, le Hezbollah avait beau parader triomphalement dans les rues de Beyrouth, il n'en avait pas moins subi de lourdes pertes. Ceux qui avaient survécu virent débarquer cinquante hommes du Génie, l'avant-garde des sept mille hommes des troupes des Nations unies promises par l'Europe et les États-Unis pour pacifier la région. Des pays musulmans, dont certains ne reconnaissaient même pas l'existence d'Israël, avaient également offert leurs services à l'ONU. Cela ne présageait rien de bon pour l'avenir, surtout lorsque le président Bachar al-Assad reprit ses discours menaçants : « Reviendra le temps où nous devrons reprendre le plateau du Golan par la force. »

Mais c'était d'Iran que provenait le véritable danger. Non seulement il avait été le seul vrai bénéficiaire du conflit mais celui-ci avait réuni les sunnites et les chiites dans leur lutte contre ces haïssables mécréants. Après avoir eu le dos au mur trois ans plus tôt, à l'époque où l'invasion de l'Irak avait refroidi les ayatollahs, l'Iran était devenu la plus influente puissance du monde musulman. Le pays avait atteint ce statut grâce à un opportunisme invétéré et aux erreurs de calcul de ses ennemis. Il avait soit ignoré, soit habilement déjoué politiquement les menaces de sanctions économiques du Conseil de sécurité des Nations unies qui auraient dû le punir de son refus constant de cesser de produire de l'uranium enrichi, permettant de construire des bombes atomiques. Au cours de la première semaine de septembre, le dédain de l'Iran s'illustra une nouvelle fois lorsqu'il annonça « une nouvelle phase » de sa fabrication d'eau lourde, en dépit de l'opposition de l'Agence internationale de l'énergie atomique, responsable des contrôles nucléaires au niveau mondial. Le Mossad savait déjà que le site était opérationnel depuis la mi-août. Dans une note adressée à Olmert, Meir Dagan rappela au Premier ministre controversé que l'Inde, le Pakistan et la Corée du Nord avaient ouvert des sites similaires, où l'on transformait l'uranium en plutonium pour en faire des bombes.

Les analystes du Mossad étaient convaincus que le lunatique président Mahmoud Ahmadinejad comptait sur le manque d'unité du Conseil de sécurité et sur le soutien de la Chine et de la Russie pour n'avoir à subir aucune sanction. John Bolton, l'ambassadeur américain aux Nations unies avait parlé de les lui imposer par l'intermédiaire d'une « coalition des volontaires ». Mais Jacques Chirac et Tony Blair s'y joindraient-ils ? Tous deux arrivaient au crépuscule de leur pouvoir politique.

Dans une note de service prophétique, un analyste du Mossad écrivit, fin août : « Le monde doit affronter le fait que l'Iran est déterminé à devenir une puissance nucléaire. Cela ne peut évidemment conduire qu'à une course à l'armement. La Syrie va s'enhardir et oser "l'option nucléaire". Il se pourrait que l'Arabie ait envie d'en faire de même et que l'Égypte envisage, elle aussi, de "se mettre au nucléaire". Nous nous trouverions là dans une situation aussi inédite que dangereuse. »

Dans l'espoir d'éviter d'en arriver là, Olmert demanda à son chef des forces aériennes, le général Elyezer Shkedy, de prendre le commandement général d'un nouveau département des forces de défense israéliennes, le Front iranien. Sa mission était composée de deux parties. La première consistait à demander au Mossad de lui fournir « tous les renseignements qu'il pourrait recueillir en Iran, quelles que soient les méthodes employées » et la seconde, à utiliser ces derniers pour échafauder un plan de bataille. Le général commença par convoquer Meir Dagan. Pendant plusieurs heures, Shkedy, âgé de quarante-cinq ans et fils de survivants de l'Holocauste – dont l'une des plus précieuses possessions était la photo d'un F-15 israélien survolant Auschwitz – dressa la liste de ses attentes. Dagan lui demanda de combien de temps il disposait. Shkedy lui répondit : « Il y a de moins en moins d'options. Mais, selon nos évaluations actuelles, il est possible qu'un an s'écoule avant que nous ayons à nous décider. » La décision finale ne serait évidemment pas prise en Israël. Elle viendrait de Washington, prise par le Pentagone, et annoncée depuis le bureau Ovale du président George W. Bush. Celui-ci avait déclaré à Rumsfeld, Cheney et Rice : « Israël chante d'après la même partition que nous. Nous avons exactement la même opinion des intentions de l'Iran qui fera tout ce qu'il pourra pour se mettre au nucléaire. »

Pendant ce temps, à Téhéran, Mohammed Reza Bahonar, vice-président ultraconservateur du Parlement iranien et fervent partisan du président Ahmadinejad, avertit que l'Iran se retirerait du traité de non-prolifération nucléaire « si [sa] patience envers la communauté internationale s'épuisait » et ajouta : « Notre pays pourrait alors avoir à produire des armes nucléaires en tant que mesure de défense ».

À Tel-Aviv, Meir Dagan confia à ses proches collaborateurs : « Les aiguilles continuent de s'approcher de minuit. »

À Londres, une autre pendule s'était arrêtée, au moins temporairement : le rapport tant attendu sur le décès de la princesse Diana, neuf ans plus tôt, flottait dans les limbes de l'administration. Le *royal coroner*, Michael Burgess, qui connaissait le contenu du rapport de Lord Stevens, avait étrangement démissionné à l'âge de soixante ans, se déclarant « trop occupé » pour conduire une affaire aussi importante – un dossier comme on n'en rencontre qu'un dans toute une carrière. Dans une lettre adressée aux parties intéressées, dont le prince Charles et Mohammed al-Fayed, le flegmatique Burgess avait évoqué « sa lourde et constante charge de travail ». Alors qu'à Paris, la foule réunie à l'endroit où, à minuit, neuf ans plus tôt, Diana Spencer et Dodi al-Fayed avaient perdu la vie, marquait l'anniversaire de la mort de la princesse, de nombreuses questions restaient sans réponse. Le docteur Burgess avait-il renoncé parce qu'il avait subi des pressions pour déclarer qu'il ne s'agissait que d'un tragique accident ? Ou bien avait-il démissionné parce qu'il n'excluait pas l'hypothèse qu'il puisse s'agir d'un meurtre – et que des figures puissantes des services secrets et de la famille royale aient usé de leur influence pour éviter d'être soupçonnés d'un coup fourré ? Ce dont on pouvait être certain, en revanche, c'était que, s'il devait finir par y avoir une enquête, il faudrait des mois pour trouver un remplaçant à Burgess. En août 2006, il apparaissait que Lord Falconer, le *Lord Chancellor*, n'avait toujours pas réussi à en dénicher un. Lord Stevens, qui avait dirigé l'enquête sur les deux décès, savait que le prochain investigateur criminel (le coroner) devrait commencer par se familiariser avec l'affaire en étudiant un énorme dossier de dix mille pages contenant des myriades d'informations. Cela prendrait forcément plusieurs mois. Fort de son expérience, Stevens savait également que chaque fois qu'un nouvel intervenant examine les résultats d'une enquête de deux ans et demi, on peut être « sûr qu'il va demander à en ouvrir d'autres ». L'un des détectives triés sur le volet qu'employait Stevens m'a expliqué : « Cela nous demandera un an de travail supplémentaire, voire plusieurs ». En privé, Lord Stevens avait confié à des amis que l'enquête « risquait de durer des années ».

En septembre 2006, une date initialement prévue pour la reprise de l'enquête a été repoussée à 2007 au plus tôt, peut-être 2008. Et, même à ce moment-là, se demandaient les théoriciens de la conspiration, est-ce que *tout* sera révélé ? À quel point l'« embaumement partiel » de Diana faisait-il vraiment partie de la « routine » ? Pourquoi la NSA à Washington avait-elle refusé de remettre les enregistrements qu'elle avait faits du couple durant leurs dernières semaines ? Les enregistrements comportaient-ils des éléments précieux pour l'enquête ? Diana et Dodi auraient-ils eu la vie sauve s'ils avaient porté leur ceinture au moment où la Mercedes a percuté le pilier ? Diana était-elle enceinte ? Rosa Monckton, sa meilleure amie, avait déclaré aux enquêteurs que Diana avait ses règles lorsqu'elles s'étaient vues pour la dernière fois, onze jours avant sa mort, le 20 août 1997. Mais là aussi, on s'interrogeait encore de manière indécente. Quelle était la durée habituelle de ses écoulements menstruels ? Avait-elle pu tomber enceinte après la fin de ses règles ? Et, pour finir, qu'avaient appris les enquêteurs sur le rôle joué par les services secrets – et le Mossad en particulier ?

Dans l'un de ces communiqués surprises qui étaient devenus une spécialité du gouvernement Blair, on annonça, après le neuvième anniversaire de la mort de Diana, que l'on avait trouvé une remplaçante au *royal coroner*. Il s'agissait de Dame Elizabeth Butler-Sloss, une juge de cour suprême à la retraite. Elle avait accepté de se remettre au travail pour présider l'enquête sur le décès de la princesse. On se rend mieux compte de l'énorme tâche de lecture qui l'attendait quand on sait que Lord Stevens déclara que, jusqu'à présent, ses hommes avaient recueillis mille cinq cents témoignages, un chiffre nettement supérieur au précédent.

Le jour où Butler-Sloss fut nommée, l'ancien majordome de Diana, Paul Burrell, publia de nouvelles révélations sur la mort de la princesse. Elles comprenaient un rapport de police confidentiel sur les articles retrouvés sur la scène de l'accident. Il s'agissait de l'inventaire BC n° 288/97, rédigé par le capitaine Christophe Boucharin de la brigade criminelle de Paris. Les effets personnels étaient au nombre de quatorze dont une paire de chaussures Versace noires de pointure 40, une ceinture Ralph Lauren, un téléphone portable Motorola, une montre en or

Jaeger-Lecoultre, un bracelet Bulgari en semences de perles avec fermoir incrusté de diamants et une bague en or. Boucharin avait ajouté une annotation : « Les entrepreneurs des pompes funèbres se sont chargés de tous ces objets. Ils ont mis le bracelet de Diana à son poignet droit et la bague à sa main droite également. » Dans ses révélations, Burrell expliquait : « Quand Dodi lui a offert la bague, elle a accepté, sur mes conseils, de la porter à la main droite, comme un symbole d'amitié – et non à la main gauche, ce qui aurait indiqué des fiançailles. »

Cette façon de placer la bague était en contradiction avec le fait que Mohammed al-Fayed ait toujours clamé que Diana et son fils étaient fiancés. La véracité de cette affirmation était l'un des nombreux points qu'Elizabeth Butler-Sloss devrait examiner lorsqu'elle reprendrait l'affaire.

À Tel-Aviv, tous les nouveaux éléments étaient soigneusement répertoriés dans les dossiers du Mossad. Meir Dagan avait décidé de ne pas impliquer l'Institut dans l'enquête. Rien de ce qu'il entendit ne put le faire changer d'avis.

Alors qu'il se faisait conduire à son rendez-vous dans une voiture gouvernementale, Meir Dagan regarda, sur l'autre rive du Potomac, les stèles, qui, comme toujours, étaient fièrement érigées en rangs sur les coteaux du cimetière d'Arlington. L'endroit était incroyablement différent du monument de grès en forme de cerveau de Glilot, au nord de Tel-Aviv, où étaient gravés les noms de tous les morts du Mossad. Face à lui, l'ombre oblongue du Washington Monument semblait donner l'heure pour la dernière fois de cette journée qui s'évanouissait maintenant dans l'obscurité. Sur les trottoirs, on marchait encore à toute allure tandis que, dans les immeubles, les lumières s'allumaient l'une après l'autre et que, dehors, on descendait les drapeaux pour les ranger rapidement. Dagan considérait que septembre était le meilleur mois pour venir à Washington. L'été, il n'y avait pas la moindre brise et l'air s'emplissait de fumée et d'ozone qui plongeaient souvent la ville dans le brouillard. Les gens de passage disaient que c'était dû aux gaz d'échappement et au fait que la capitale ait été construite sur des marécages.

Cyniques, les habitants affirmaient qu'il s'agissait en fait d'un mélange nocif de souffle gaspillé et d'espoirs oxydés qui tournaient au poison dès que le soleil apparaissait. Ils faisaient évidemment allusion au gouvernement.

C'était la face cachée de celui-ci, la CIA, qui, une fois de plus, avait amené le directeur du Mossad à se rendre à Washington. Il était arrivé à l'heure où les puissants et les ambitieux de la capitale enfermaient leurs dossiers à clé et remettaient au lendemain les appels téléphoniques auxquels ils n'avaient pas répondu. Ceux qui n'avaient pas de perspectives professionnelles rentraient chez eux rejoindre leur famille mais, comme ne l'ignorait pas Dagan, les autres avaient encore des choses à faire. Un pot tardif à l'ambassade et, encore plus tard, un dîner en compagnie d'amis et d'ennemis, à l'heure où l'on peut tranquillement partager les secrets et ternir les réputations.

Avant de quitter Tel-Aviv, Meir Dagan apprit que Rafi Eitan, ancien directeur des opérations de l'Institut – et, plus récemment, représentant du parti des retraités au sein de la coalition sur laquelle comptait Ehoud Olmert pour pouvoir continuer à gouverner – avait lancé un appel pour que des abris anti-aériens et des salles blindées soient construits en prévision d'un éventuel conflit avec l'Iran. Cet homme, autrefois si discret, était devenu un adepte des petites phrases à la télévision.

En escale à Londres, Dagan fut également informé que le MI-5 avait découvert qu'Al-Qaïda avait fourni à ses agents dormants en Grande-Bretagne, estimés au nombre de deux mille, ce qu'Eliza Manningham-Buller décrivit comme « le manuel de terrorisme le plus sophistiqué qu'on ait jamais trouvé dans ce pays ». Le document expliquait comment fabriquer des explosifs liquides beaucoup plus puissants que ceux qui avaient été prévus pour faire sauter dix avions de ligne au-dessus de l'Atlantique en 2006. Les différentes étapes permettant de construire les bombes étaient précisément détaillées sur un DVD d'Al-Qaïda. Sur une partie du disque, les instructions étaient présentées comme dans un livre de cuisine, si ce n'est qu'elles donnaient les recettes de carnages sans nom. Sur un document que j'ai eu l'occasion de voir, on pouvait lire :

« Tout d'abord, procurez-vous les ingrédients bruts. Si possible, faites toujours vos achats au supermarché et faites en sorte que le personnel ne se souvienne pas de votre passage. Le nitrométhane est un liquide de base idéal. On l'utilise comme carburant pour les modèles réduits d'avion. Il faut le mélanger à un produit chimique sensibilisant approprié. Le port des gants est indispensable en permanence afin d'éviter de générer une chaleur susceptible de provoquer une explosion prématurée. Le mélange doit également être fait dans une pièce fraîche. Il en résultera une poudre blanche et cristalline. Le nom technique de cette poudre est "triacetone tripéroxyde". La poudre peut être conservée dans des boîtes plastiques de modèle courant. »

Sidney Alford, le directeur d'Alford Technologies, l'une des plus grandes sociétés d'explosifs m'a expliqué : « Tout le monde dans le métier sait que le nitrométhane est un explosif, mais beaucoup de gens, y compris la police et les services de sécurité, ont encore besoin d'en prendre conscience. » À Tel-Aviv, Ehoud Keinan, une autorité mondialement reconnue en matière d'explosifs liquides, dont le savoir était très prisé par le Mossad, m'a également donné son avis sur les informations trouvées sur le DVD d'Al-Qaïda : « Elle sont d'une importance majeure en ce qui concerne la lutte antiterroriste. Dès qu'on connaît la méthode, il devient très facile de fabriquer de tels explosifs. Les matériaux de base se trouvent sans problème et sans restrictions de quantité dans n'importe quelle rue commerçante. »

Meir Dagan apprit que le DVD avait été découvert au cours d'une opération de surveillance du MI-5 qui, partie de Dublin, s'était terminée sur la route de Chester, dans le nord de l'Angleterre. Des agents secrets avaient alors fondu sur une Lancia, immatriculée en 2000, arrivée à Holyhead, dans le nord du pays de Galles, par un ferry en provenance de la capitale irlandaise. Le véhicule était conduit par une Anglaise d'âge moyen venue des Midlands. Son passager était un homme, né en Algérie et d'âge moyen également, qui vivait dans une banlieue à la mode de Dublin. Tous deux avaient été surveillés dans le cadre de l'opération *Overt* qui mena à l'arrestation de vingt-quatre terroristes présumés. Le couple et la voiture furent emmenés dans une planque du

MI-5 près de Londres. Des interrogateurs de haut grade les y attendaient. Pendant que ceux-ci questionnaient les deux suspects dans des pièces séparées, les experts scientifiques du MI-5 fouillèrent le véhicule de fond en comble et découvrirent le DVD.

Dagan savait également que les agents du MI-5 avaient rouvert le dossier d'un autre terroriste algérien qui vivait depuis quatre ans à Lucan, une autre banlieue dublinoise. En décembre 2005, il fut condamné à six ans de détention par la cour royale de Belfast, sous le nom d'Abbas Boutrab, pour avoir conspiré dans le but de faire sauter un avion. On découvrit par la suite que Boutrab n'était pas son vrai nom – mais l'une des neuf identités dévoilées par la découverte de ses passeports dans une planque d'Al-Qaïda en Irlande.

Pour le Mossad, l'Irlande était devenue un sujet de préoccupation depuis qu'il était apparu, dans le sillage du 11 septembre, qu'Al-Qaïda avait infiltré l'importante communauté musulmane de Dublin. Étant de petite envergure, les services secrets irlandais acceptèrent avec gratitude l'aide du Mossad, du MI-5 et des services européens pour monter diverses opérations de surveillance. Le GCHQ, l'espionnage électronique britannique, contrôla les e-mails et les appels téléphoniques des suspects. Cela permit, entre autres, de contrecarrer les plans d'Abou Hamza, l'ecclésiastique radical, qui cherchait à obtenir l'asile politique avant d'être arrêté et extradé vers les États-Unis où il devait être jugé pour des activités liées au terrorisme. Hamza avait cru, à tort, que si le Sinn Fein, la branche politique de l'IRA, avait réussi pendant des années à éviter que des membres de son organisation soient extradés des États-Unis pour comparaître en Irlande du Nord, il pourrait également échapper à un sort similaire. Il comptait sur le gouvernement de Dublin pour s'occuper des problèmes légaux ; à l'instar d'autres pays européens, l'Irlande a des lois très strictes en matière d'extradition. Récemment, elle a refusé de renvoyer les trois membres de l'IRA qui avaient aidé les terroristes des FARC purger leur peine en Colombie.

Depuis quelques années, Al-Qaïda recrutait à tour de bras de jeunes musulmans d'Irlande pour en faire des djihadistes. Le MI-5 avait découvert que la tonne et demie de nitrate d'ammonium, un fertilisant, qu'il avait trouvé en Grande-Bretagne arrivait d'Irlande. En explosant, une telle quantité de produit aurait pu faire plus de morts que les attentats ferroviaires de Madrid. Les agents savaient que, chaque année, cent cinquante mille tonnes de cette très dangereuse substance arrivaient de Russie par bateau et que les contrôles étaient assez rares sur les docks irlandais qui les recevaient. Un homme du MI-5 avait établi qu'il était possible pour un terroriste de s'en procurer une demi-tonne chez n'importe quel vendeur de produits agricoles. Dans les points de vente qu'il avait visités, l'engrais était conditionné dans des sacs en plastique. Pour le transformer en arme, tout ce qu'il restait à faire était d'extraire la potasse du nitrate d'ammonium, d'imbiber le nitrate de fuel domestique et d'ajouter un détonateur.

Le commissaire Andy Sproule de la SOCU (Serious and Organised Crimes Unit [Unité de lutte contre la grande délinquance et le crime organisé]), le numéro un de l'antiterrorisme en Irlande du Nord, m'a confirmé à quel point le problème était préoccupant : « Des quantités de plus en plus importantes de cet engrais arrivent en Irlande et il n'est même pas ce qu'il est censé être. Le taux de nitrate d'ammonium est trop haut et c'est dangereux. » L'interdiction, depuis 1996, de vendre de ce redoutable fertilisant à l'IRA en Irlande du Nord a entraîné une hausse spectaculaire des chiffres de son importation du côté républicain. Il arrive des montagnes de l'Oural sur des cargos qui en transportent de pleins containers. Avant 2001, l'Eire n'importait pratiquement pas d'engrais dont les niveaux de potasse et de nitrate d'ammonium sont très élevés. Sentant qu'un marché s'ouvrait, l'Association des producteurs d'engrais irlandais s'est mise à importer le fertilisant russe. En 2003, la quantité concernée était de cent vingt mille tonnes. Un an plus tard, elle atteignait les cent cinquante mille tonnes. Depuis, les chiffres n'ont jamais cessé d'augmenter.

C'était un problème dont Meir Dagan pourrait parler avec le nouveau directeur de la CIA, le général Hayden. Leur rencontre à Washington allait être leur premier entretien en tête-à-tête. Le fait que, dans la vallée de la Bekaa et au Sud-Liban, le Hezbollah n'arrêtait pas de rafler des informateurs du Mossad, ayant souvent risqué leur vie et celle de leur famille pour indiquer les positions des missiles, était l'un des points à l'ordre du jour. L'échec des services secrets israéliens à localiser et arrêter le leader de l'organisation et ses plus proches collaborateurs allait également être abordé.

Les deux directeurs en profiteraient aussi pour se tenir mutuellement informés des dernières nouvelles concernant l'identité de celui qui se cachait derrière un bien mystérieux nom – « Rakan Ben Williams ». Était-il, comme il le prétendait, un anglais blanc domicilié aux États-Unis et converti à l'islam ? Al-Qaïda affirmait que ses rangs comptaient des centaines d'hommes comme lui. Ou bien, était-ce le nom de code d'une cellule, voire d'un groupe ? À Londres, les analystes essayaient de découvrir si le nom correspondait à l'un des hommes arrêtés lors de l'opération *Overt*. Pendant ce temps « Williams » utilisait toujours Internet pour proférer ses menaces. Chacune d'entre elles était signée « soldat d'Al-Qaïda sous couverture aux USA ». D'après le style, il pouvait s'agir d'une femme. Il se pouvait encore très bien que l'auteur, qu'il soit de sexe masculin ou féminin, ne soit qu'un mauvais plaisant. Cela faisait des années que Meir Dagan savait que les canulars bien construits étaient l'un des fléaux les plus communs de la lutte antiterroriste. Mais, aussi loufoque que le cas puisse paraître, il fallait tout de même en trouver l'origine. Au centre d'entraînement du Mossad, les instructeurs rappelaient souvent aux élèves que dès le premier jour où l'homme se démarqua des autres animaux, il utilisa son langage primitif pour mentir – et qu'il en serait toujours ainsi…

Un bilan provisoire

Alors qu'approchait le 11 septembre 2006, le Mossad se tenait, comme tous les services de renseignement du monde, sur le pied de guerre pour le cinquième anniversaire des attentats contre les tours jumelles et le Pentagone. Depuis que l'on avait découvert, à Londres, l'existence d'un complot dont l'objectif était de faire sauter dix avions de ligne au-dessus de l'Atlantique, les analystes écoutaient très attentivement ce que l'on appelle les « murmures dans le vent », en quête du moindre indice qui pourrait laisser penser que cette triste célébration risquait d'être marquée par une nouvelle catastrophe colossale. À l'Institut, on se concentrait particulièrement sur les dernières menaces d'Al-Qaïda, car l'organisation avait annoncé qu'elle avait l'intention de frapper Israël avec plus de férocité que jamais. L'État hébreu ne s'était pas encore remis de son échec à vaincre le Hezbollah et de l'intensification des combats dans la bande de Gaza. Téhéran représentait toujours un danger. L'islam – une religion pouvant s'enorgueillir d'une histoire palpitante – était devenu une sorte de culte extrémiste enragé par la faute de certains de ses adeptes qui appelaient à l'élimination pure et simple de tous leurs opposants. Dans l'ensemble du monde musulman, toutes les manifestations anti-occidentales se clôturaient par le cri « Mort aux infidèles ».

L'alerte avait été donnée après l'épisode de soixante et onze minutes qui commença le 11 septembre 2001, à 8 h 46, dans le ciel bleu de New York. C'est, en effet, à cette heure-ci que le vol 11 d'American Airlines vint s'encastrer dans la tour nord. À 9 h 57, les passagers du vol 93 d'United Airlines essayèrent, en vain, de reprendre le contrôle de leur avion qui s'écrasa alors sur le sol de Pennsylvanie. Toutes les polémiques partirent de là, alimentées par la nouvelle liberté qu'offrait Internet et, ironie du sort, par les paroles du ministre de la Défense américain de l'époque, Donald Rumsfeld : « Nous savons ce que nous savons ; nous savons qu'il y a des choses que nous ne savons pas. » Cette « rumsfelderie » typique – qui faisait, en réalité, allusion à la nécessité d'un changement de régime en Irak – fut récupérée par les extrémistes qui la dénoncèrent comme une preuve supplémentaire que l'Amérique avait quelque chose à cacher au sujet du 11 septembre.

La commission officielle du 11 septembre annonça que rien ne permettait de certifier que le matériel de bureau des tours avait été « pulvérisé jusqu'à la dernière puce ». Lee Hamilton, l'ancien vice-président de la commission, s'est même senti obligé de me préciser : « J'ai rencontré beaucoup de gens convaincus que le gouvernement américain était impliqué. Beaucoup pensent que c'est lui qui a tout planifié. Bien entendu, aucun des indices dont nous disposons ne va dans ce sens-là. »

Alors, pourquoi des millions de personnes, aux États-Unis comme en Europe, continuent-elles d'adhérer à la thèse selon laquelle tout cela n'aurait été qu'une énorme conspiration ? Était-il possible, ainsi que me l'a expliqué l'un des psychologues du Mossad, que ce qu'il appelait « la réalité du terrorisme » ait fini par « s'émousser, à force d'en rediffuser constamment les images à la télévision, au point que les gens finissent par les percevoir inconsciemment comme une sorte de nouveau jeu vidéo en images de synthèse » ?

Dans l'ensemble du monde musulman, les apologistes d'Al-Qaïda n'ont fait que répéter sur les ondes que les attentats du 11 septembre n'étaient qu'une gigantesque conspiration fomentée par l'administration Bush dans le but d'avoir un prétexte pour attaquer l'Afghanistan et l'Irak. Quand ces allégations sont apparues pour la première fois, la fumée des tours jumelles s'élevait encore au-dessus du plus grand bûcher du monde. Aujourd'hui, en 2006, certains leur accordaient une nouvelle légitimité. Soixante-quinze universitaires américains, réunis sous le nom de Scholars for 9/11 Truth (« Les Savants pour la vérité sur le 11 septembre »), soutenaient qu'un obscur groupe de néo-conservateurs, dont de nombreux membres du gouvernement Bush, savait à l'avance que les attentats allaient avoir lieu. Ils affirmaient également que ces politiciens avaient conspiré avec la CIA pour faire sauter le World Trade Center et le Pentagone dans l'espoir que l'opinion publique devienne massivement favorable aux projets de guerre américains au Moyen-Orient. La dernière fois qu'une attaque souleva une telle furie collective, ce fut lorsque les Japonais écrasèrent la flotte américaine à Pearl Harbor. De toute évidence, Tokyo avait alors pris cette décision pour prendre l'avantage géopolitique dans le Pacifique et ouvrir la voie d'un assaut contre les États-Unis. Ce rêve était mort dans les cendres d'Hiroshima et de Nagasaki. Là, soixante et un ans plus tard, des professeurs, des conférenciers et des universitaires de toutes sortes clamaient que les attentats du 11 septembre avaient également été motivés par des objectifs géopolitiques, à savoir, offrir au gouvernement Bush le contrôle des champs de pétrole irakiens.

Le dirigeant des Savants, Steven E. Jones, professeur de physique à l'université mormone Brigham Young, dans l'Utah, résumait ainsi son point de vue : « Il est fort possible que l'incendie et l'effondrement aient été volontairement déclenchés à l'aide de thermite. Les avions que nous avons vus s'écraser contre les tours n'étaient qu'une diversion. Nous ne croyons pas que dix-neuf pirates de l'air et une poignée de terroristes enfermés dans une grotte en compagnie de Ben Laden aient pu faire ça tout seuls. Nous n'acceptons pas cette théorie officielle et, Dieu nous en soit témoin, nous éclaircirons tout cela. »

Enrobée de tout son vocabulaire académique, la théorie de Jones a donné du crédit aux centaines de livres et aux milliers de pages Web où l'on peut lire que le gouvernement Bush a cautionné les attentats du 11 septembre. Toutes ces assertions reposent sur une thèse du professeur qui, elle-même, part du constat qu'aucune explication officielle n'a jamais été donnée au fait que les tours jumelles se soient écrasées aussi rapidement. Il n'a fallu que dix secondes à chacun de ces deux édifices, hauts de 427 mètres, pour s'effondrer ; l'autre bâtiment du complexe, un immeuble de quarante-sept étages, n'a mis que sept secondes – ces informations n'ont jamais été contestées. Mais pour les universitaires de Scholars for 9/11 Truth, ces chiffres sont contraires « aux lois de la gravité, et il est non seulement anormal que les tours se soient écroulées sur elles-mêmes, mais également qu'elles soient tombées à une vitesse pratiquement optimale. Il est tout aussi inexplicable que quatre-vingt-dix pour-cent des débris aient été réduits en une sorte de "farine", composée de grains d'une taille inférieure à cent cinquante microns, qui s'est abondamment répandue dans tout le sud de Manhattan. Pour faire tomber les tours du World Trade Center et pulvériser tout ce qui se trouvait dans les bureaux, jusqu'à réduire les puces informatiques à l'état de matériaux bruts, il faudrait une énergie physique nettement supérieure à celle de leur potentiel gravitationnel ; le poids d'une tour ne peut pas produire suffisamment d'énergie pour broyer son contenu à ce point. »

Une enquête menée par l'université de l'Ohio a révélé qu'un tiers des Américains pensent que le gouvernement fédéral a pris part aux attentats du 11 septembre ou n'a rien fait pour les éviter. Le sondage explique pourquoi des millions de gens acceptent de telles théories. Les enquêteurs se sont aperçus que ceux qui étaient le plus enclins à y croire étaient « ceux qui utilisent régulièrement Internet mais ne lisent pas, ne regardent pas ou n'écoutent pas les "grands" médias. Seuls devant leur ordinateur, avec leurs amis cybernautes pour seule compagnie, ils sont facilement prêts à accepter toutes sortes d'idées bizarres, particulièrement quand ils essaient de trouver un sens à quelque chose d'aussi absurde et démesuré que l'effondrement de deux gratte-ciel », pouvait-on lire dans *The Daily Telegraph*, deux jours après le cinquième anniversaire des attentats.

Mais qui est donc ce professeur Jones, qui se présente comme le dénonciateur de ce qui serait indubitablement la plus grande conspiration que le monde ait jamais connue – un complot qui ferait passer l'annonce de la réouverture, en janvier 2007, de l'enquête sur la mort de la princesse Diana pour une vulgaire note de bas de page ? Ce professeur, à l'élocution agréable, est également l'homme qui – persuadé que Jésus, errant alors dans le Mexique précolombien, avait pour habitude de rendre visite aux villageois locaux aux alentours de l'an 600 de notre ère – a publié des « preuves que les Mayas connaissaient parfaitement le seigneur ressuscité » plusieurs siècles avant que les prêtres espagnols ne viennent leur porter la bonne parole. Cela fait également dix ans que le professeur Jones fait la promotion d'un « four solaire à entonnoir », fonctionnant selon la théorie très controversée de la fusion à froid, dans les pays du tiers-monde. Mais, malgré ce profil plutôt singulier pour un professeur de physique, le professeur Jones a réussi à rassembler des universitaires convaincus comme lui que les attentats du 11 septembre sont le résultat d'une conspiration. Quoi qu'il en soit, après quelques recherches, j'ai découvert que ces « savants » n'avaient aucune qualification dans les domaines concernés : aviation, défense aérienne, contrôle du trafic aérien, travaux publics, lutte contre le feu, métallurgie ou géologie, c'est-à-dire les disciplines qui permettraient de parvenir à de véritables conclusions scientifiques sur l'écroulement des tours jumelles. Ils enseignent des matières générales dans des établissements loin d'être cotés parmi les meilleurs des États-Unis et ont souvent changé de sujet au cours de leur carrière. Le professeur John Fetzer, qui enseigne dans une petite faculté du Minnesota, par exemple, est convaincu que le président John F. Kennedy a été abattu par plusieurs tireurs et que l'alunissage de 1969 est probablement un canular. Plus récemment, il a appelé les Américains à « prendre les armes pour venir prêter main forte à un coup d'État militaire visant à remplacer le gouvernement Bush par un nouveau régime ».

Tout comme l'Holocauste a eu ses négationnistes, la tragédie du 11 septembre est en fait si choquante et incompréhensible que de plus en plus de gens rejettent la simple vérité : c'est-à-dire que, et bien qu'Al-Qaïda ait annoncé ses intentions plusieurs semaines auparavant, les avertissements clairs et nets du Mossad avaient été grandement ignorés. À Tel-Aviv, l'un des meilleurs analystes de l'Institut m'a expliqué en septembre 2006 : « C'est le gouvernement Bush qui, en abusant des cachotteries et des balivernes, a donné leur crédibilité à des groupes tels que Scholars for 9/11 Truth. Le fait que le président Bush ait fini par reconnaître, en septembre dernier, neuf mois après l'avoir solennellement nié, que des terroristes présumés étaient secrètement envoyés dans des centres d'interrogatoire situés hors de la juridiction des États-Unis, en donne un bon exemple. Il en résulte que la paranoïa de groupes comme celui des Savants est alimentée par l'arrogance de l'entourage du président Bush. »

Ce qui est indéniable, c'est que ceux des membres de l'administration Bush qui étaient au pouvoir le 11 septembre 2001 n'ont pas su mesurer leur réaction. D'ailleurs, cette exagération commença dès les premières estimations des pertes humaines qui annonçaient des chiffres allant jusqu'à vingt mille morts. Le nombre final s'avéra être inférieur à trois mille. Lors des semaines qui suivirent, des douzaines d'innocents, « présumés terroristes », furent enfermés sans le moindre véritable chef d'accusation. Le gouvernement ne fit rien non plus pour mettre fin aux rumeurs selon lesquelles l'Irak se préparait à faire usage de son arsenal d'armes de destruction massive. Saddam Hussein devint le nouvel Hitler. Le président Bush, comme son père avant lui, se retrouva dans le rôle du pilote de combat prêt à mener sa nation à la victoire contre les forces du mal d'Al-Qaïda. Il n'y a donc rien de surprenant à ce que le président admette volontiers que le film hollywoodien *Independance Day* est l'un de ceux qu'il ne se lasse jamais de revoir.

Ma source chez les analystes du Mossad, un vétéran habitué depuis des années à ne formuler ses jugements qu'avec la tête froide et après mûre réflexion, m'a déclaré : « Le meilleur argument que l'on puisse opposer à la thèse d'une conspiration du gouvernement Bush, c'est la profonde incompétence qui a suivi. Ces mêmes gens qui sont aujourd'hui dans la panade en Irak et en Afghanistan n'ont tout simplement pas les compétences et la malice nécessaires pour échafauder une attaque aussi complexe contre deux étroites tours de verre et d'acier plantées le long de l'Hudson. En vérité, ces attentats sont l'œuvre d'hommes désespérés, prêts à mourir, et animés par un objectif clair. Il s'agit d'Oussama Ben Laden, un remarquable ingénieur, et du meilleur de ses élèves, Mohammed Atta, tous deux capables de comprendre que la meilleure façon de démolir complètement le World Trade Center n'était pas d'en viser la base mais de frapper aux niveaux supérieurs de l'une et l'autre des structures. Cet élément n'a pourtant pas été pris en compte par ceux qui cherchaient quelque chose d'encore plus sinistre au sein même du régime démocratique américain. Le véritable danger des théories de la conspiration est qu'elles poussent la population à détourner le regard de cette réalité qu'est le fait que plus la dernière catastrophe terroriste est ancienne, plus la suivante est proche. »

À l'approche du dernier trimestre de 2006, à Tel-Aviv, Meir Dagan entretint le général Elyezer Shkedy, le chef des forces aériennes du pays, des derniers renseignements qu'avaient obtenus ses taupes les mieux infiltrées en Iran. Le premier ministre d'Israël, alors sous les feux de la critique, avait demandé à Shkedy de s'organiser en vue d'un énorme assaut aérien sur les sites nucléaires iraniens. Rafi Eitan, l'ancien directeur des opérations du Mossad, devenu l'un des membres de la boiteuse coalition d'Olmert, prévint la population qu'il fallait préparer les abris antiaériens contre une attaque des missiles de Téhéran. Israël avait décidé de se mettre en place pour une offensive aérienne depuis que la capitale iranienne avait ignoré la date limite imposée par les Nations unies pour que le pays mette fin à ses activités d'enrichissement d'uranium destiné à la fabrication d'armes atomiques. Le général Shkedy, âgé de 49 ans, fils de survivants de l'Holocauste, et dans le bureau duquel trônait une photo d'un F-15 israélien survolant Auschwitz, était préoccupé par l'Iran et en parlait comme d'une « grave menace pour Israël et le reste du monde ». « Mon travail consiste à tirer le maximum de nos capacités, à tous les niveaux. À part ça, moins on en dit, mieux c'est », avait-il expliqué. Giora Eiland, l'ancien conseiller à la Sécurité nationale, avait ajouté : « Cela ne mène à rien d'essayer de négocier avec l'Iran. Téhéran représente maintenant une grande menace pour Israël. Le président Ahmadinejad est prêt à sacrifier la moitié de son peuple pour nous éliminer. »

Sous le commandement de Shkedy, l'armée israélienne créa une nouvelle unité spéciale. Plusieurs spécialistes des bombardements stratégiques furent désignés pour travailler en collaboration avec les planificateurs militaires. La section avait accès aux images en direct des dix sites nucléaires iraniens. L'aviation, équipée des dernières bombes

« bunker buster » américaines, était le seul moyen dont disposait le pays pour attaquer l'Iran. À cause de la distance, une attaque terrestre n'était pas envisageable. Uri Dromi, ancien colonel des forces aériennes, m'expliqua : « Les dates et les chronométrages font actuellement l'objet de sérieuses réflexions. Pour l'instant, aucune date officielle n'est fixée. Mais nous avons de moins en moins d'options pour cet assaut. » Beaucoup de choses allaient dépendre des informations recueillies par les espions du Mossad en Iran.

À Londres, Nathan, le chef de la base du Mossad, apprit qu'une opération antiterroriste du MI-5 avait mené à la découverte de la première « école de terrorisme » islamiste de Grande-Bretagne. Son existence avait été révélée à la suite de l'arrestation de quatorze extrémistes radicaux. L'un d'entre eux était Abou Abdullah, emprisonné après une déclaration prononcée lors de l'un de ses sermons dans une mosquée londonienne : « J'aimerais voir nos djihadistes se rendre en Irak pour y tuer des soldats britanniques et américains. » Abdullah venait souvent à l'école de la Jemaah Islamiya. Ce grand bâtiment gothique, situé sur un terrain de vingt-deux hectares, aux abords d'un pittoresque village anglais, avait toujours dégagé une ambiance troublante, même à l'époque où il accueillait un séminaire catholique. Selon un haut membre du MI-5, Abou Hamza, le prêcheur extrémiste qui porte un crochet au bras droit, « y amenait de jeunes musulmans pour les endoctriner au djihad ». Hamza purge actuellement une peine de sept ans pour incitation au meurtre. Quand sa sentence sera terminée, il sera extradé vers les États-Unis où il sera jugé pour le même délit mais, cette fois-ci, envers des citoyens américains au Yémen.

La découverte de cette école de terrorisme révéla l'ampleur de l'influence d'Al-Qaïda sur la communauté musulmane britannique. Peter Clarke, le chef de l'escadron antiterroriste de Scotland Yard, déclara qu'il existait maintenant en Grande-Bretagne « une armée secrète de plusieurs milliers de guérilleros bien entraînés et prêts à tuer au nom de la religion ». À Mark Cross, près de Crowborough dans l'East Sussex, plus de deux cents agents antiterroristes du MI-5 assiégèrent l'école. Le raid avait été lancé après que l'un des prisonniers détenus à

Guantanamo eut admis qu'il y avait participé à un stage d'été. Sa formation avait été dirigée par Abou Hamza, peu de temps avant son emprisonnement, en février 2006. L'école appartenait à Bilal Patel, l'imam de l'établissement. Ce dernier m'a affirmé que l'école accueillait « tous les groupes ayant envie de camper sur [ses] terres dans un environnement islamique ». Monsieur Patel gérait son école « comme une œuvre de bienfaisance ». Cependant, il reconnaissait avoir reçu des donations de la part de riches musulmans lorsqu'il avait acheté le domaine pour la somme de huit cent mille livres sterling, à ses anciens propriétaires, une école de ballet.

Un membre haut placé du MI-5 m'a fait part de ses craintes : « Nous redoutons depuis longtemps que la Grande-Bretagne ne devienne un sanctuaire pour les terroristes qui reviennent de champs de bataille tels que la Tchétchénie, le Cachemire ou l'Afghanistan. Ils se font passer pour des demandeurs d'asile. Ce que nous découvrons aujourd'hui, c'est que le vieux cauchemar est en train de devenir réalité. » Cet agent m'a également révélé qu'Al-Qaïda avait mis en place des stages d'une semaine durant lesquels on enseigne les bases du djihad dans « des camps situés dans des zones rurales britanniques ». Les inscriptions se font sur les sites Internet d'Al-Qaïda. Un rapport du gouvernement britannique publié en mai dernier a révélé qu'il en existait « entre cinq mille et dix mille ». Ce même document signalait également que le Royaume-Uni compte environ seize mille « partisans d'Al-Qaïda ».

Ces nouvelles ne surprenaient pas Meir Dagan. Cela faisait déjà longtemps qu'il estimait qu'Eliza Manningham-Buller, la directrice du MI-5, avait été très réaliste en affirmant, lors d'une réunion : « Nous pouvons en prendre quelques-uns, mais pas tous. »

Comme pour le premier tome de cet ouvrage, une grande partie de ces événements était inaccessible au grand public jusqu'à aujourd'hui. Cela est dû, en partie, au fait que j'ai eu la chance que feu mon beau-père ait été un agent du MI-6 durant la guerre froide ; ce lien m'a facilité la tâche et m'a permis de faire tomber la prudence compréhensible dont fait preuve le monde du renseignement envers les étrangers qui posent des questions, et plus encore, lorsqu'il est malaisé d'y répondre en toute objectivité. Cependant, il est parfois arrivé que cette réticence ouvre certaines portes, car les agents et leurs supérieurs voyaient là une occasion de s'expliquer. J'ai, entre autres, parlé avec William Casey, ancien directeur de la CIA; Meir Amit, ancien directeur général du Mossad; Rafi Eitan, son célèbre directeur des opérations; ainsi que Markus Wolf, ancien chef de la Stasi, les services secrets d'Allemagne de l'Est. Les autres, toujours en service, devront rester anonymes. Mais je leur exprime ici toute ma gratitude; sans eux il m'aurait été impossible d'actualiser cette histoire du Mossad.

Certains de leurs récits appartiennent à l'histoire récente et d'autres remontent à des temps pour lesquels la mémoire s'estompe. Mais ce qui fut remarquable, et fructueux, c'est comment, maintes et maintes fois, les personnes interrogées se sont donné beaucoup de peine pour vérifier l'exactitude de leurs souvenirs dans des registres officiels et toutes sortes de documents personnels. Au début, je me suis demandé ce qui motivait une telle coopération. Un jour, à une époque où je filmais les souvenirs de Rafi Eitan et que nous prenions une pause en faisant quelques pas dans son jardin, il se tourna soudain vers moi et déclara : « Je ne veux rien en échange de mon aide, à part la garantie que vous ne présenterez que les faits. Et si vous faites connaître le plus important de tous ces faits, c'est-à-dire que le renseignement a changé de façon spectaculaire au cours des vingt dernières années, depuis la fin de la guerre froide et l'effondrement du communisme soviétique, je serai satisfait. » Il se tut un instant, me regardant en souriant et en s'étirant les mains. « Si vous ne le faites pas, je ne serai pas content. »

Des agents de terrain, des analystes, des directeurs divisionnaires et des chefs du Mossad m'ont donné leurs points de vue sur le fonctionnement du Mossad, son processus décisionnel et ses relations avec les autres services de renseignement. C'est ainsi que j'ai pu écrire des histoires bien documentées sur le Mossad pour divers journaux et magazines réputés. Certains de ces articles n'étaient guère flatteurs pour l'Institut.

Depuis la publication de l'édition originale du premier tome en anglais, j'ai continué à recevoir de nouvelles informations sur le Mossad.

Certaines m'arrivaient sous la forme de fuites. J'ai appris, depuis longtemps, que le Mossad, comme tous les services secrets, aime bien faire connaître son point de vue sur les événements. Pendant tout le temps durant lequel j'ai eu affaire avec ses employés, il n'est jamais arrivé qu'une fuite soit à l'origine d'une fausse piste. Néanmoins, la règle d'or du genre de travail d'investigation que j'effectue est ici renforcée : vérifier et vérifier encore. Je n'ai pas souvenir qu'une seule source m'ait jamais menti.

Depuis la rédaction de mon premier ouvrage, le Mossad, à l'instar de tous les autres services de renseignement, a dû faire face à de nouveaux défis. La fin de la guerre froide a voulu que, la confrontation des superpuissances ayant disparu, le nouvel ordre mondial exige un travail différent des espions. Comme la CIA, le MI-6 et tous les grands services secrets, le Mossad a dû lutter contre le trafic de drogue, contre l'espionnage économique et, plus que jamais, contre le terrorisme. En même temps, l'Institut était déterminé à maintenir sa position, celle d'un service qui met l'accent sur le rôle primordial de l'espionnage humain – en complément des satellites et autres systèmes extérieurs – dans son combat contre la menace instaurée par Oussama Ben Laden.

Depuis l'arrivée sur la scène internationale de ce gourou du mal qu'est Ben Laden, le contexte général n'a fait que lui permettre de prendre de l'ampleur : Guantanamo, Abou Graïb, toutes les vies sacrifiées sur l'autel de l'islamisme, l'échec des accords d'Oslo, la seconde Intifada, la diabolisation d'Israël, la disparition politique d'Ariel Sharon (toujours maintenu en vie artificiellement), l'assaut sur la ville cisjordanienne de Jénine ordonné par ce dernier, l'augmentation du nombre d'attentats kamikazes dans l'État hébreu, en Irak et en Afghanistan.

En septembre 2006 – et il n'y a pas de raison que cela cesse prochainement –, Oussama Ben Laden glorifiait toujours les kamikazes, leurs ceintures d'explosifs, leurs voitures et leurs camions piégés, leurs bombes assez puissantes pour réduire des bâtiments en miettes et les bunkers de béton pas assez solides pour résister aux explosions. Il continuait à encourager les mères à sacrifier leurs enfants. Il leur expliquait, de cette voix douce et assurée qui semblait provenir des tréfonds de lui-même, que le martyre était la seule méthode qui permette à un musulman d'échapper aux douloureux interrogatoires qui nous attendent tous au jour du Jugement dernier et d'aller directement au paradis, dans le jardin d'Allah, où attendaient les vierges célestes. Tout droit sortis des camps d'entraînement d'Al-Qaïda en Afghanistan, de la frontière nord-ouest du Pakistan, des montagnes iraniennes et des déserts du Yémen, les martyrs allaient à leur mort, convaincus de la pureté de leur cause.

Meir Dagan était de ceux qui avouaient ne pas pouvoir concevoir de pires ennemis. En 2006, une année qui vit plus d'attentats-suicides que les précédentes, l'art du meurtre en masse s'était sophistiqué grâce à de nouveaux mélanges explosifs, ainsi qu'à des clous, des boulons et des écrous plus tranchants. En mai de cette même année, le nombre des attentats kamikazes était déjà supérieur à celui de la toute première Intifada. Ken Livingstone, le maire de Londres, une ville qui a souffert de ces attentats en juillet 2005, a ainsi commenté ce constat : « Étant donné qu'ils n'ont pas de chars, leur propre corps est la seule arme qu'il leur reste. C'est ce qu'on utilise lorsque l'équilibre est injuste. » De tels encouragements ne pouvaient qu'enchanter Oussama Ben Laden. Et, tout comme des millions de gens sont encore persuadés que la CIA est à l'origine du 11 septembre, de très nombreuses personnes ont adhéré à l'opinion de Livingstone, une idée très répandue dans tout le monde islamique.

La rapidité de l'ascension d'Al-Qaïda est l'un des plus étonnants phénomènes de la dernière décennie du XXe siècle. La conversion de millions d'esprits et de cœurs a été brillamment exécutée, tout d'abord au Moyen-Orient, puis en Asie et dans les enclaves musulmanes de l'ex-Union soviétique. À partir de là, on n'était plus qu'à un pas de l'Afrique profonde, des déserts soudanais aux rives du cap de Bonne-Espérance. Parallèlement, les apôtres de Ben Laden ont commencé à prêcher en Amérique latine, en promettant aux pauvres qu'une meilleure vie les attendait si le nouveau califat dont rêve Ben Laden devenait réalité. Les États-Unis et le Canada sont également devenus des terrains fertiles pour appâter ceux qui sont insuffisamment représentés. À la même époque, les analystes du Mossad indiquaient que l'Europe comptait probablement un million de sympathisants d'Al-Qaïda, attirés par le nouveau monde, sans corruption, ni perversion, ni prostitution, ni aucun des autres vices des sociétés occidentales, que promettait l'organisation. Les mécontents de l'échec de la religion organisée et des inégalités de la justice se laissaient séduire par les principes absolus de la charia.

Dans leurs bureaux, les analystes du Mossad, comme ceux des autres services secrets, essayaient de prédire ce qu'il allait ressortir de cette situation à la fin de l'an 2006. Ce qui allait se passer en Irak aurait une grande influence. Les signes ne laissaient rien présager de bon depuis que le gouvernement Bush, soutenu par Tony Blair, avait commis l'erreur monumentale de ne pas réviser ses leçons d'histoire. Bagdad, en effet, avait été le siège du califat original. Il n'y aurait pas pu y avoir pire offense pour Oussama Ben Laden, à moins d'attaquer La Mecque. Dans ses discours, il avait souvent évoqué « la joie de faire face aux infidèles sur la Terre des Deux Rivières » (le Tigre et l'Euphrate qui traversent l'Irak). Son cheval de bataille était désormais de montrer à l'occupant qu'il n'y avait plus de place pour Bush et Rumsfeld à l'endroit où se trouvaient ses djihadistes. Si la raison originelle de l'invasion – mettre fin à la tyrannie de Saddam Hussein – était honorable, aucun plan n'avait été prévu pour la suite des événements. En septembre, alors que les États-Unis et une réticente coalition de l'OTAN éprouvaient toujours le plus grand mal à pacifier les talibans en Afghanistan, les corps continuaient de s'amonceler dans les rues de Bagdad – il était arrivé que l'on retrouve jusqu'à soixante-cinq victimes de meurtres en une seule journée.

Pourtant, lors de sa conférence hebdomadaire, Meir Dagan prévint ses chefs de département que c'était désormais vers l'Iran qu'ils devaient orienter toutes leurs opérations d'espionnage, en vue d'une attaque aérienne contre ses sites nucléaires.

En 2006, la diversité des dangers qui menacent Israël, et le reste du monde, a conduit le Mossad à agir de façon plus meurtrière que jamais. Il est toujours le seul service de renseignement à disposer encore officiellement d'une unité d'assassinat : le Kidon n'a jamais cessé de tuer, encore et encore. Ainsi que l'expliquait Meir Dagan, le dernier en date des chefs du Mossad, à son personnel : « Le feu se combat par le feu. »

Cependant, alors que, par le passé, l'organisation refusait de parler des exécutions, elle a, aujourd'hui, cessé d'essayer de les cacher dans l'espoir de décourager ses ennemis. Il n'existe aucune preuve tangible que ce principe ait jamais fonctionné.

Si, de nos jours, la plupart des gens ont une bonne idée, même limitée, du fonctionnement du monde du renseignement et comprennent des termes tels que « agent double », « planque » ou « taupe », ils n'ont néanmoins pas conscience de l'envergure de l'espionnage et du budget économique qu'il représente. Avec la dissolution du pacte de Varsovie, la guerre en Irak en 2003 et le statut de nouveau parrain du terrorisme dont jouit Al-Qaïda, les services secrets n'ont jamais été aussi indispensables qu'aujourd'hui.

La grande vérité actuelle est que, pour que la guerre contre le terrorisme du président Bush – lancée avec tant d'optimisme après les attentats du 11 septembre 2001 contre les tours jumelles et le Pentagone – atteigne son but, il faut que les services secrets observent attentivement la façon de travailler du Mossad. L'Institut peut être incroyablement dur envers ses ennemis. Quand ses propres membres échouent dans leur mission, il les traite avec une dureté qu'aucune autre agence – à l'exception des services secrets chinois – n'oserait envisager. Mais le Mossad s'enorgueillit, à juste titre, d'être considéré comme l'un des meilleurs, sinon le meilleur.

Gordon Thomas
Bath, Angleterre
septembre 2006

Notes au lecteur

Ceux qui souhaiteraient parler de cet ouvrage directement avec Gordon Thomas peuvent le contacter à l'adresse électronique suivante : gthomas@indigo.ie

Ceux qui aimeraient se tenir informés de l'actualité du monde du renseignement peuvent le faire sur le site Internet de l'auteur : www.globe-intel.net

Table des matières

HISTOIRE SECRÈTE DU MOSSAD

DE 1951 À NOS JOURS

Gordon Thomas

Chargé de veiller à la sécurité de l'État d'Israël, le Mossad (Institut des renseignements et des opérations spéciales) a été à l'origine des faits d'espionnage, d'antiterrorisme et d'assassinats parmi les plus saisissants du XXe siècle. Pour écrire ce livre unique sur le sujet, Gordon Thomas a interrogé de nombreux agents du Mossad, informateurs, espions et anciens dirigeants. L'accès à des documents confidentiels et à des sources secrètes lui permettent de faire ici des révélations inédites sur les services secrets israéliens.

C'est avec le brio d'un auteur de romans policiers qu'il décrit les activités de renseignement, les opérations clandestines et la lutte antiterroriste du Mossad : la capture d'Adolf Eichmann, l'assassinat systématique des membres de Septembre noir, responsables de la mort des athlètes israéliens aux Jeux olympiques de Munich en 1972, mais aussi le vol de vedettes lance-missiles commandées à la France et mises sous embargo par le général de Gaulle, l'infiltration des services secrets arabes, les liens entre la CIA, le Mossad et le Vatican…

Les derniers chapitres nous montrent comment le Mossad avait planifié l'assassinat de Saddam Hussein, ce qu'il savait des sociétés américaines basées en Chine et de leurs liens avec Oussama Ben Laden. On y découvre les révélations du Mossad sur la mort de la princesse Diana et sur la disparition des millions transférés de la banque du Vatican à Solidarnosc, le rôle caché des services secrets israéliens dans la guerre en Irak et la traque de Saddam Hussein et Oussama Ben Laden.

24 € - 528 pages
ISBN 2-84736-158-8

nouveau monde
éditions